Somente sua

QUARTO VOLUME DA SÉRIE CROSSFIRE

SYLVIA DAY

Somente sua

Tradução
ALEXANDRE BOIDE
JULIANA ROMEIRO

paralela

A Editora Paralela é uma divisão da Editora Schwarcz S.A.

Grafia atualizada segundo o Acordo Ortográfico da Língua Portuguesa de 1990, que entrou em vigor no Brasil em 2009.

TÍTULO ORIGINAL Captivated by You

IMAGEM DE CAPA © Shutterstock

PREPARAÇÃO Lígia Azevedo

REVISÃO Renato Potenza Rodrigues e Larissa Lino Barbosa

Dados Internacionais de Catalogação na Publicação (CIP)
(Câmara Brasileira do Livro, SP, Brasil)

Day, Sylvia
Somente sua / Sylvia Day ; tradução Alexandre Boide, Juliana Romeiro. — 1ª ed. — São Paulo : Paralela, 2014.

Título original: Captivated by You.
ISBN 978-85-65530-83-5

1. Ficção erótica 2. Ficção norte-americana I. Título.

14-10997 CDD-813

Índice para catálogo sistemático:
1. Ficção : Literatura norte-americana 813

EDITORA SCHWARCZ S.A.
Rua Bandeira Paulista, 702, cj. 32
04532-002 — São Paulo — SP
Telefone: (11) 3707-3500
editoraparalela.com.br
atendimentoaoleitor@editoraparalela.com.br
facebook.com/editoraparalela
instagram.com/editoraparalela
twitter.com/editoraparalela

Para todos os leitores que esperaram pacientemente por este novo capítulo da história de Gideon e Eva. Espero que gostem tanto quanto eu!

1

O jato de água fria atingiu minha pele quente, e o ardor afastou os últimos vestígios de um pesadelo do qual já nem me lembrava por inteiro.

Fechei os olhos e entrei de vez debaixo do chuveiro, desejando que o medo e a náusea que tinham sobrado escorressem pelo ralo. Estremeci, então meus pensamentos se voltaram para minha esposa. Meu anjo, que estava dormindo tranquilamente no apartamento ao lado. Eu precisava desesperadamente dela, precisava me perder em seus braços e estava furioso por não poder fazer isso. Por não poder abraçá-la. Por não poder puxar seu corpo gostoso para junto de mim e me perder dentro dela, permitindo que espantasse aquelas lembranças.

“Porra.” Pus as mãos espalmadas sobre os azulejos gelados e deixei o frio me castigar. Eu era um cretino egoísta.

Se eu fosse um homem decente, teria me afastado de Eva Cross no momento em que a vi pela primeira vez.

Em vez disso, eu me casei com ela. Queria que essa notícia aparecesse em todas as mídias possíveis, e não que fosse um segredo compartilhado por um punhado de pessoas. Para piorar, como não tinha a mínima intenção de abrir mão dela, precisava dar um jeito no fato de que não podíamos nem dormir no mesmo quarto.

Ensaboei-me para lavar a camada de suor que cobria meu corpo quando acordei. Alguns minutos depois, voltei para o quarto e vesti uma calça de moletom antes de ir para o escritório. Ainda não eram nem sete da manhã.

Eu tinha saído do apartamento onde Eva morava com Cary, seu melhor amigo, apenas algumas horas antes, para que ela pudesse dormir um pouco antes de ir trabalhar. Passamos a noite toda juntos, sucumbindo ao desejo e à necessidade de proximidade. Mas havia outra coisa também. Uma urgência da parte dela que me deixou aflito.

Alguma coisa estava incomodando Eva.

Meu olhar se dirigiu para a janela e para a vista de Manhattan antes de se concentrar em uma parede vazia. Na parede correspondente no meu escritório na nossa cobertura na Quinta Avenida, estavam penduradas fotos de Eva e de nós dois juntos. Eu conseguia visualizar claramente aquela montagem, já que passei incontáveis horas olhando para ela nos últimos meses. Antes, observar a cidade era minha forma de me fechar em mim mesmo. Agora, eu fazia isso olhando para Eva.

Acomodei-me à mesa e movi o mouse para tirar o computador do descanso de tela. Respirei fundo quando o rosto de Eva apareceu no monitor. Ela estava sem maquiagem, e as sardas no nariz faziam com que parecesse ter ainda menos que seus vinte e quatro anos. Meus olhos percorreram seu rosto — a curva das sobrancelhas, o brilho dos olhos acinzentados, a opulência dos lábios. Quando eu me deixava levar pelos pensamentos, quase conseguia sentir sua boca contra a minha pele. Seus beijos eram como bênçãos, promessas do meu anjo de que minha vida valia a pena.

Soltando um suspiro determinado, peguei o telefone e liguei para Raúl Huerta. Apesar de ser cedo, ele atendeu com rapidez e prontidão.

"A sra. Cross e Cary Taylor vão para San Diego hoje", anunciei, cerrando o punho. Não precisava dizer mais nada.

"Certo."

"Preciso de uma foto recente de Anne Lucas, e informações detalhadas sobre onde estava ontem à noite, na minha mesa até a hora do almoço."

"Serei o mais rápido possível", ele afirmou.

Desliguei e continuei olhando para o rosto lindo e hipnotizante de Eva. Consegui tirar uma foto de surpresa em um momento feliz e estava determinado a manter minha esposa assim pelo resto da vida. Mas na noite anterior ela pareceu abalada pelo encontro com uma mulher que tinha sido usada por mim no passado. Fazia algum tempo que Anne não cruzava meu caminho, mas, se era a responsável pela aflição de Eva, então certamente me veria de novo. Muito em breve.

Abri os e-mails, dei uma lida e escrevi algumas respostas rápidas. Queria poder tratar logo do assunto que tinha chamado minha atenção de imediato.

Senti a presença de Eva antes mesmo de vê-la.

Ergui a cabeça em sua direção e comecei a digitar mais devagar. Uma onda de desejo suprimiu a agitação que eu sempre sentia quando ela não estava por perto.

Recostei-me na cadeira para vê-la melhor. "Acordou cedo, meu anjo."

Eva estava na porta do escritório com as chaves na mão, os cabelos loiros caídos de forma sensual sobre os ombros, o rosto e os lábios ainda vermelhos de sono, com apenas um short e uma blusinha cobrindo seu corpo cheio de curvas. Ela estava sem sutiã, e seus peitos deliciosos se avolumavam sob o tecido de algodão. Pequenina, feita para deixar qualquer homem de joelhos, ela sempre fazia questão de apontar o quanto era diferente das outras mulheres com quem eu tinha aparecido em público antes.

"Acordei com saudade de você", ela respondeu com sua voz aveludada que sempre me deixava de pau duro. "Levantou faz tempo?"

"Não muito." Empurrei o teclado para abrir espaço para ela na mesa.

Eva chegou mais perto, descalça, me seduzindo sem nenhum esforço. Assim que a vi pela primeira vez, senti que ia me deixar louco. Essa promessa estava estampada em seus olhos e na maneira como se movia. Onde quer que fosse, o olhar dos homens se voltava para ela. Cheio de cobiça. Assim como o meu.

Eu a segurei pela cintura quando se aproximou e a coloquei no meu colo. Baixando a cabeça, peguei um dos mamilos com a boca e comecei uma sucção longa e profunda. Ouvi quando Eva soltou um suspiro, senti seu corpo se deliciar com a sensação e abri um sorriso por dentro. Eu podia fazer o que quisesse com ela. Eva tinha me dado esse direito. Foi o maior presente que ganhei na vida.

"Gideon." Suas mãos começaram a acariciar meus cabelos.

Eu já estava me sentindo infinitamente melhor.

Levantei a cabeça para beijá-la, sentindo o gosto de canela da pasta de dente misturado ao sabor que era só dela. "Sim?"

Ela tocou meu rosto e me olhou com atenção. "Você teve outro pesadelo?"

Expirei com força. Ela me entendia como ninguém. Ainda não estava acostumado com isso, nem sabia se algum dia ia me acostumar.

Passei o polegar sobre o tecido úmido por cima do mamilo. "Prefiro falar sobre os sonhos eróticos que você está inspirando agora mesmo."

"Foi sobre o quê?"

Contorci a boca diante de sua insistência. "Não lembro."

"Gideon..."

"Deixa pra lá, meu anjo."

Eva ficou toda tensa. "Só quero te ajudar."

"Isso você sabe bem como fazer."

Ela deu uma risadinha. "Tarado."

Eu a abracei mais forte. Não conseguia encontrar palavras para descrever como era tê-la nos braços, então encostei o nariz em seu pescoço, sentindo seu cheiro delicioso.

"Garotão."

Alguma coisa em seu tom de voz me deixou preocupado. Afastei-me com um movimento lento, observando atentamente seu rosto. "Pode falar."

"Sobre San Diego..." Ela baixou os olhos e mordeu de leve o lábio.

Fiquei paralisado, sem saber o rumo que a conversa tomaria.

"O Six-Ninths vai estar lá", ela disse por fim.

Eva não tentou esconder o que eu já sabia, e para mim foi um alívio. Em seguida, porém, um tipo diferente de preocupação me invadiu.

"Está me dizendo que isso é um problema?" Meu tom de voz permaneceu firme, mas eu não estava nem um pouco calmo.

"Não, não é um problema", ela disse com uma voz suave. Seus dedos remexiam inquietamente meus cabelos.

"Não mente pra mim."

"Não estou mentindo." Ela respirou fundo antes de me olhar nos olhos. "Tem alguma coisa errada. Estou confusa."

"E por que exatamente?"

"Não faz isso", ela pediu, falando baixinho. "Não quero que você fique todo frio e se afaste."

"Desculpa, mas ouvir *minha* mulher dizer que está confusa por causa de outro homem não me deixa de muito bom humor."

Ela tentou descer do meu colo. Eu deixei, porque assim poderia observá-la e avaliar suas reações com um distanciamento maior. "Não consigo explicar."

Fiz de tudo para ignorar o vazio no estômago. "Tenta."

"É que..." Ela olhou para baixo e mordeu o lábio inferior. "Tem uma coisa... mal resolvida entre nós."

Senti um aperto no peito. "Você sente tesão por ele, Eva?"

Ela ficou toda tensa. "Não é isso."

"É por causa da voz? Da tatuagem? Do pau dele?"

"Para. Não é fácil falar sobre esse assunto. Não torna as coisas ainda piores."

"Para mim também é difícil", esbravejei antes de me levantar.

Eu a medi dos pés à cabeça, sentindo vontade de trepar com ela e castigá-la ao mesmo tempo. Queria amarrá-la, trancafiá-la e mantê-la à distância de qualquer um que pudesse representar alguma ameaça a nós dois. "Ele tratou você como lixo, Eva. O clipe de 'Golden' fez você esquecer, é? Tem alguma coisa que queira que eu não seja capaz de dar?"

"Não seja babaca." Ela cruzou os braços em uma postura defensiva que me irritou ainda mais.

Eu precisava de Eva aberta e calorosa para mim. Precisava dela por inteiro. E em alguns momentos ficava irritado por me sentir dessa forma. Ela era a única coisa que eu não podia nem cogitar perder. E estava dizendo a única coisa que eu não suportava ouvir.

"Por favor, não fica bravo por causa disso", ela murmurou.

"Estou sendo incrivelmente civilizado, levando em conta meus pensamentos violentos no momento."

"Gideon." A culpa se tornou visível em seus olhos, que se encheram de lágrimas.

Desviei o olhar. "Não faz isso!"

Mas ela já tinha entendido tudo, como sempre.

"Não queria deixar você chateado." O anel de diamantes em seu dedo — a prova de que era minha — refletiu a luz em múltiplos tons sobre a parede. "Não gosto de ver você magoado e irritado por minha causa. Me magoa também. Não quero nada com ele. Juro que não."

Inquieto, fui até a janela e tentei encontrar a calma de que precisava para lidar com o assunto Brett Kline. Eu tinha feito tudo o que podia. Casei, prometi tudo a ela. Demonstrei meu comprometimento de todas as maneiras. Mas não era suficiente.

Outros prédios, mais altos, obstruíam a vista da cidade. Da cobertura na Quinta Avenida, era possível observar tudo até perder de vista. Mas, do meu apartamento no Upper West Side vizinho ao de Eva, o panorama era mais limitado. Eu não conseguia ver as ruas cheias de táxis amarelos ou o sol refletindo na janela dos arranha-céus ao longe.

Eu poderia dar Nova York para Eva. E o mundo também. Era impossível amá-la ainda mais — a paixão me consumia por inteiro. E, ainda assim, um babaca qualquer do passado ia me jogar para escanteio.

Eu me lembrei dela nos braços de Kline, dos beijos desesperados que Eva só deveria oferecer para mim. A possibilidade de que sentisse tesão por ele me fazia querer sair quebrando tudo.

Minhas juntas estalaram quando fechei a mão. "Você já está precisando de um tempo, é isso? Quer ficar um pouco com Kline para acabar com a 'confusão'? De repente posso fazer o mesmo com Corinne."

Ela respirou fundo, trêmula, ao ouvir o nome da minha ex-noiva. "Você está falando *sério*?" Ficamos os dois em um silêncio terrível. E então ela concluiu: "Parabéns, seu idiota. Conseguiu me deixar ainda pior do que eu já estava".

Eu me virei a tempo de vê-la saindo do quarto, tensa. A chave que usou para entrar estava em cima da mesa, e a visão dela abandonada ali me fez entrar em pânico. "*Para*."

Eu a alcancei, mas Eva resistiu ao meu toque. Essa dinâmica entre nós sempre se repetia — ela fugia, e eu corria atrás.

"Me larga!"

Fechei os olhos e encostei meu rosto no dela. "Não vou permitir que ele tire você de mim."

"Estou tão irritada que quero enfiar a mão na sua cara."

Eu queria que ela fizesse isso. Queria sentir dor. "Enfia."

Ela cravou as unhas nos meus braços. "Me solta, Gideon."

Eu me virei para prensá-la contra a parede do corredor. "O que posso fazer se você vem me dizer que está *confusa* por causa de Brett Kline? Estou me sentindo pendurado na beira de um precipício, com os dedos escorregando."

"E sua ideia é me arrastar junto lá para baixo? Por que não acredita que meu lugar é ao seu lado?"

Olhei bem para ela, tentando encontrar o que dizer para acertar as coisas entre nós. Seu lábio inferior começou a tremer, e eu... desmoronei.

"Me diz como lidar com isso", pedi com a voz rouca, apertando de leve seus pulsos. "Me diz o que fazer."

"Como lidar *comigo*, é isso que você quer dizer?" Ela jogou os ombros para trás. "Porque o problema aqui sou eu. Conheci Brett em uma época da vida em que me detestava, mas queria que as pessoas me amassem. E agora ele está agindo como se me quisesse de volta, e minha cabeça entrou em parafuso."

"Minha nossa, Eva." Eu a apertei com mais força, comprimindo seu corpo com o meu. "Como quer que eu reaja a uma ameaça dessas?"

"Você deveria confiar em mim. Só contei para tirar isso da cabeça e esclarecer tudo, para você *não* se sentir ameaçado. Sei que ainda tenho umas questões para resolver comigo mesma. Vou falar com o dr. Travis no fim de semana e..."

"Terapeutas não fazem milagre!"

"Não grita comigo."

Tive que me segurar para não socar a parede. A fé cega da minha mulher nas propriedades curativas da psicoterapia era enlouquecedora. "Não podemos ir correndo para o consultório toda vez que aparece um problema. Esse casamento diz respeito a nós, e não à comunidade psiquiátrica!"

Eva ergueu o queixo, assumindo a postura determinada que sempre me deixava maluco. Ela não cedia nada até meu pau estar dentro dela. Então, cedia tudo.

"Você pode até achar que não precisa de ajuda, garotão, mas eu sei que preciso."

"Eu preciso de você, só isso." Segurei seu rosto entre as mãos. "Preciso da minha mulher. E preciso que ela pense em mim, e não em outro cara!"

"Você está fazendo eu me arrepender de ter contado."

Contorci minha boca em uma linha reta. "Sei como você se sente. Eu vi tudo."

"Meu Deus. Seu maluco ciumento...", ela gemeu baixinho. "Por que é tão difícil entender o quanto eu te amo? Perto de você, Brett não significa nada. *Nada*. Mas, sinceramente, não estou a fim de falar com você agora."

Sua resistência era palpável, ela tentava me empurrar e me afastar. Fui obrigado a me agarrar a ela como a uma tábua de salvação. "Você não está vendo o que está fazendo comigo?"

Eva aliviou a pressão sobre meus braços. "Não entendo você, Gideon. Como pode ligar e desligar seus sentimentos desse jeito? Mesmo sabendo como me sinto sobre Corinne, como tem coragem de jogar isso na minha cara desse jeito?"

"Você é minha razão de viver, não consigo desligar meus sentimentos." Dou um beijo no rosto dela. "Só penso em você. O dia todo. Todos os dias. Tudo o que faço é pensando em você. Não existe espaço em mim para mais ninguém. E saber que dentro de você existe espaço para ele acaba comigo."

"Você não está me escutando."

"Fica longe desse cara."

"Isso é fugir do problema, não resolver." Ela me enlaçou pela cintura. "Minha vida foi destroçada, Gideon, você sabe disso. Só agora estou começando a me recuperar."

Eu a amava da maneira como ela era. Por que isso não bastava?

"Obrigada por ser mais forte do que eu", ela continuou, "mas ainda existem questões em aberto e, quando me deparo com uma, preciso resolver. E de forma definitiva."

"E o que isso significa, porra?" Minhas mãos passeiam para dentro de sua blusa, à procura do toque de sua pele nua.

Ela ficou tensa e me empurrou. "Gideon, não..."

Colei minha boca à dela. Depois a peguei no colo e a pus no chão. Ela tentou resistir. "Nem tenta me afastar", eu disse com um grunhido.

"Não dá para resolver nossos problemas trepando."

"Só quero trepar com você, mais nada." Segurei o elástico do short e puxei tudo para baixo. Estava desesperado para penetrá-la, possuí-la, sentir sua rendição. Qualquer coisa que abafasse a voz na minha cabeça dizendo que eu tinha feito merda. *De novo*. E que, dessa vez, não seria perdoado.

"Me solta." Ela rolou de bruços.

Meus braços envolveram seus quadris quando ela tentou fugir rastejando. Eva poderia se desvencilhar de mim, porque era treinada para isso, e podia me fazer parar dizendo uma simples palavra. Sua palavra de segurança...

"Crossfire."

Ela ficou paralisada ao ouvir minha voz pronunciar a palavra que resumia o turbilhão de sentimentos que tomava conta de mim.

No olho do furacão, tive um estalo. Uma tranquilidade impassível e familiar surgiu dentro de mim, silenciando o pânico que abalava minha confiança. Eu me acalmei, apreciando por um momento a ausência de emoções tempestuosas. Fazia um bom tempo que não me perdia no caos, descontrolado. Somente Eva era capaz de me abalar a esse ponto, me levando de volta a um tempo em que estivera à mercê de tudo e todos.

"Você vai parar de resistir", eu disse com toda a calma. "E eu vou me desculpar."

Ela relaxou nos meus braços. Sua submissão foi total e tranquila. Eu estava no comando de novo.

Puxei-a para junto de mim, para que pudesse sentar no meu colo. Eva precisava de mim sob controle. Quando eu perdia a cabeça, ela se apavorava, o que me deixava ainda mais em parafuso. Era um círculo vicioso, e eu precisava quebrá-lo.

"Desculpa." Queria pedir perdão por tê-la chateado. Por ter perdido o controle da situação. Ainda estava abalado pelo pesadelo — e isso ela foi capaz de perceber. Falar sobre Kline logo em seguida foi demais para mim.

Eu saberia lidar com ele. Não ia perdê-la. Ponto final. Não havia outra opção.

"Preciso do seu apoio, Gideon."

"Você tem que dizer a ele que casamos."

Ela apoiou a cabeça no meu rosto. "Vou dizer."

Eu a ajeitei melhor no colo e me encostei à parede, puxando-a para junto de mim. Eva me abraçou pelo pescoço, e o mundo voltou ao normal.

Sua mão foi descendo pelo meu peito. "Garotão..."

Aquele tom sussurrado em sua voz eu conhecia bem. Fiquei de pau duro em um instante, sentindo meu sangue esquentar. Submeter-se a mim deixava Eva com tesão, e essa reação acendia meu fogo como nada mais no mundo.

Pus a mão em seus cabelos e agarrei suas mechas loiras, observando suas pálpebras se fecharem ao meu toque. Ela estava à minha mercê e adorava isso. Na verdade, precisava disso tanto quanto eu.

Ataquei sua boca.

E em seguida ataquei seu corpo todo.

Enquanto Angus nos levava para o trabalho, examinei minha agenda e pensei na viagem de Eva, marcada para as oito e meia.

Olhei para ela. "Você vai para a Califórnia em um dos jatinhos."

Eva estava olhando pela janela do Bentley, observando a cidade com seu interesse habitual. Desviou o olhar para mim.

Eu nasci em Nova York. Cresci na cidade ou por perto e me sinto em casa aqui. Em algum momento, deixei de me surpreender com ela. Mas o fascínio e o deleite de Eva pelo lugar recuperaram isso. Eu não observava tudo com a mesma intensidade que ela, mas era como se visse a cidade com outros olhos.

"Ah, é?", Eva rebateu, e seus olhos demonstraram todo o desejo que sentia.

Esse olhar de quem quer ser comida por mim deixava minhas emoções à flor da pele.

"Sim." Fechei o tablet. "É mais rápido, mais confortável e mais seguro."

Ela abriu um sorriso. "Tudo bem."

Esse clima de provocação me cativou, e fiquei tentado a fazer um monte de coisas pervertidas e safadas até que ela se rendesse por inteiro.

"Você precisa avisar Cary, então", ela continuou, cruzando as pernas e revelando a barra de renda da meia e um pedaço da cinta-liga.

Eva estava vestindo uma camisa vermelha sem mangas, saia branca e salto alto. Um traje de trabalho perfeitamente normal, mas que seu corpo tornava incrivelmente sexy. Uma onda de eletricidade se formou ao nosso redor, o reconhecimento de que éramos perfeitos um para o outro.

"Me convida para ir junto", pedi, detestando a ideia de ficar longe dela o fim de semana inteiro.

O sorriso desapareceu de seu rosto. "Não posso. Se a ideia é contar para as pessoas que casamos, preciso começar pelo Cary, e não quero fazer isso com você por perto. Ele não pode se sentir de fora da vida que estou construindo com você."

"Também não posso me sentir de fora."

Ela segurou minha mão e enlaçou meus dedos. "Passar um tempo a sós com os amigos não faz da gente um casal pior."

"Prefiro passar o tempo todo com você. Não conheço ninguém mais interessante."

Eva arregalou os olhos e me encarou. Em seguida entrou em ação, levantando a saia e montando sobre mim antes que me desse conta do que estava acontecendo. Segurando meu rosto entre as mãos, ela colou sua boca na minha e me deu um beijo enlouquecedor.

"Humm", gemi quando ela se afastou, ofegante. Meus dedos apalparam a curvatura de sua bunda gostosa. "Faz de novo."

"Estou morrendo de tesão", ela sussurrou, limpando a boca com o polegar.

"Sou bom nisso."

Sua risada gostosa me envolveu por inteiro. "Estou me sentindo tão bem..."

"Melhor do que lá no corredor?" A alegria dela era contagiante. Se eu pudesse parar o tempo, escolheria aquele momento para isso.

"É uma sensação diferente." Os dedos dela acariciavam meus ombros. Ela ficava... *radiante* quando estava feliz, e sua alegria iluminava tudo ao redor. Até eu. "Foi um tremendo elogio, garotão. Principalmente vindo de Gideon Cross. Você conhece pessoas interessantes todos os dias."

"E depois fico torcendo para elas irem embora logo para eu poder voltar para você."

Os olhos dela faiscaram. "Eu te amo tanto que dói."

Minhas mãos estavam trêmulas, e eu a segurei pela parte de trás das coxas. Meus olhos passearam pelo seu corpo à procura de algo para me ancorar.

Se ela soubesse o que fazia comigo com aquelas palavras...

Eva me abraçou e murmurou: "Queria pedir uma coisa".

"É só dizer."

"Vamos fazer uma festinha."

Ela estava mudando de assunto... "Legal. Vou providenciar os apetrechos."

Eva se inclinou para trás e empurrou meu ombro. "Não esse tipo de festinha, seu tarado."

Suspirei. "Que pena."

Ela abriu um sorriso malicioso. "E se eu prometer uma festinha desse tipo em troca da que estou pedindo?"

"Agora, sim, estamos falando a mesma língua." Eu me recostei no assento, curtindo imensamente o momento. "Me diz no que está pensando."

"Bebidas e amigos, os meus e os seus."

"Certo." Considerei as possibilidades. "Eu providencio a bebida e os amigos, e em troca você me dá uma rapidinha em um cantinho escuro durante a festa."

Ela engoliu em seco, e eu abri um sorriso por dentro. Conhecia muito bem meu anjo. Ceder aos impulsos exibicionistas não assumidos de Eva era uma tremenda revolução para mim, mas, apesar de ficar impressionado comigo mesmo, não me senti nem um pouco incomodado. Não havia nada que não fizesse por um daqueles momentos em que tudo o que importava para Eva era ter meu pau dentro dela.

"É difícil negociar com você", ela falou.

"Não consigo mudar."

"Tudo bem, então." Ela lambeu os lábios. "Eu providencio a rapidinha, mas quero uma esfregadinha por baixo da mesa."

Levantei a sobrancelha. "Por cima da roupa", rebati.

Algo que parecia o ronronar de uma gata preencheu o ar entre nós. "Acho que precisamos rever alguns pontos, sr. Cross."

"Acho que você vai precisar de argumentos melhores para me convencer, sra. Cross."

Como sempre, a negociação com ela era a mais interessante e revigorante do meu dia.

Nós nos despedimos no vigésimo andar, quando ela saiu do elevador e entrou no hall da Waters Field & Leaman. Eu estava determinado a incorporá-la à minha equipe, para que trabalhasse para mim. Todos os dias, pensava em uma estratégia para atingir esse objetivo.

Quando cheguei ao escritório, meu assistente já estava a postos em sua mesa.

"Bom dia", Scott me cumprimentou, ficando de pé. "O pessoal da assessoria de imprensa ligou uns minutos atrás. Estão recebendo uma quantidade incomum de perguntas sobre um suposto noivado seu, e querem saber o que responder."

"Diga que podem confirmar." Passei por ele e fui até o cabideiro atrás da minha mesa.

Scott veio atrás. "Parabéns."

"Obrigado." Tirei o paletó e pendurei em um gancho. Quando me virei de novo, ele estava sorrindo.

Scott Reid resolvia uma porção de problemas para mim de forma absolutamente discreta, o que levava muita gente a subestimá-lo, e também permitia que passasse despercebido. Em mais de uma ocasião, seu olhar sobre situações e pessoas tinha se mostrado muito acertado. Queria tê-lo sempre ao meu lado, e por isso lhe pagava um salário muito acima do razoável para o cargo.

"A srta. Tramell e eu vamos nos casar até o fim do ano", informei. "Todos os pedidos de entrevistas e fotos para qualquer um de nós dois devem ser feito através da assessoria das Indústrias Cross. Pode dizer isso para o pessoal da segurança do prédio também. Ninguém pode falar com ela sem passar por mim primeiro."

"Vou repassar as instruções. Além disso, o sr. Madani pediu para ser informado da sua chegada. Ele quer falar com você antes da reunião desta manhã."

"Ele pode vir quando quiser."

"Ótimo", disse Arash Madani, entrando na sala. "Em outros tempos você chegava aqui antes das sete. Está ficando mole, Cross."

Olhei feio para o advogado, mas não estava irritado de verdade. Arash vivia para trabalhar e era muito bom no que fazia, por isso mesmo eu o tinha tirado de seu antigo emprego. Ele era o advogado mais durão que eu já tinha visto, e isso não mudou.

Apontando para uma das duas cadeiras diante da minha mesa, eu me acomodei e esperei que Arash fizesse o mesmo. Seu terno azul-escuro era simples, mas elegante, e seus cabelos ondulados estavam muito bem aparados. Uma inteligência aguda era visível em seus olhos, e ele tinha um sorriso que era mais um alerta que uma saudação. Além de funcionário, era também um amigo, e eu apreciava seu jeito direto e sem rodeios.

"Recebemos uma oferta razoável pelo imóvel da rua 36", ele anunciou.

"Ah, é?" Um turbilhão de sentimentos me impediu de responder imediatamente. O hotel que Eva tanto detestava continuaria sendo um problema enquanto eu não me livrasse dele. "Isso é bom."

"Isso é estranho", ele rebateu, apoiando o tornozelo de uma perna no joelho da outra, "considerando como o mercado ainda está devagar. Tive que investigar um bocado, mas descobri que a proposta veio de uma subsidiária da LanCorp."

"Interessante."

"Arrogância pura. Landon sabe que a proposta poderia ser melhor... uns dez milhões a mais. Recomendo tirar a propriedade do mercado e voltar a fazer uma sondagem daqui a um ano ou dois."

"Não." Eu me recostei e recusei a sugestão com um gesto de mão. "Se ele quer tanto assim, que compre."

Arash piscou algumas vezes. "Está de brincadeira? Por que tanta pressa em se desfazer desse hotel?"

Porque se não o fizer minha esposa vai ficar chateada. "Tenho meus motivos."

"Foi isso que você disse quando recomendei a venda do hotel alguns anos atrás, mas então você fez uma reforma milionária, que finalmente está começando a se pagar. E agora quer vender com o mercado em baixa, e para um cara que quer sua cabeça?"

"O mercado imobiliário nunca está em baixa em Manhattan." E, com certeza, qualquer hora era hora de me livrar de um lugar que Eva chamava de meu "matadouro".

"Mas não fica sempre em alta, e você sabe disso. Landon sabe disso. Se aceitar, você vai dar mais munição para ele."

"Ótimo. Quem sabe assim Landon não eleva o nível do jogo?"

Ryan Landon tinha suas motivações — e eu não podia culpá-lo por isso. Por causa do meu pai, os Landon quase perderam toda a sua fortuna, e Ryan queria que um Cross pagasse por isso. Ele não era o primeiro nem seria o último homem de negócios disposto a se vingar do meu pai, mas era o mais determinado. E, como era jovem, tinha tempo de sobra para se dedicar a isso.

Olhei para a foto de Eva na minha mesa. Todas as outras questões eram secundárias perto dela.

"Ei", disse Arash, levantando as mãos, "quem dá as cartas aqui é você. Só preciso saber que as regras do jogo mudaram."

"Nada mudou."

"Se realmente acha isso, Cross, está mais por fora do que eu pensava. Enquanto Landon tramava sua ruína, você estava na praia."

"Para de me encher por causa de um fim de semana de folga, Arash." Eu faria isso de novo sem pensar duas vezes. Passar aqueles dias com Eva à beira-mar foi a realização de um sonho para mim.

Eu me levantei e fui até a janela. A sede da LanCorp ficava em um edifício alto a dois quarteirões de distância, e da sala de Ryan Landon se podia ter uma boa visão do Edifício Crossfire. Provavelmente ele passava mais que alguns minutos por dia olhando para meu escritório e planejando seu próximo passo. De vez em quando, eu olhava para lá, como que aceitando o desafio.

Meu pai foi um criminoso e arruinou inúmeras vidas. Mas também foi o homem que me ensinou a andar de bicicleta e me orgulhar do meu nome. Eu não podia salvar a reputação de Geoffrey Cross, mas com certeza ia proteger o que construí a partir de suas cinzas.

Arash foi até mim junto à janela. "Não estou dizendo que não me esconderia do mundo com uma mulher como Eva Tramell se pudesse. Mas com certeza levaria meu celular. Principalmente no meio de uma negociação importante."

Lembrando o gosto do chocolate derretido na pele de Eva, concluí que nem se um furacão arrancasse o telhado da casa eu desviaria minha atenção por mais de um segundo. "Só lamento por você."

"A aquisição daquele software pela LanCorp vai custar a você vários anos de pesquisa e desenvolvimento. E aumentou a pretensão dele ainda mais."

Era isso que realmente incomodava Arash, a satisfação de Landon com seu sucesso. "Aquele software não tem quase valor nenhum sem a plataforma PosIT."

Ele me encarou. "E?"

"Item número três da pauta."

Ele continuou me olhando. "Na minha cópia diz 'a ser determinado'."

"Bom, na minha diz 'plataforma PosIT'. Ainda acha que estou por fora?"

"Porra..."

O telefone da minha mesa tocou, e a voz de Scott saiu pelo alto-falante. "Duas coisas, sr. Cross. A srta. Tramell está na linha um."

"Obrigado, Scott." Fui para minha mesa com a emoção da caçada ainda nas veias. Se conseguíssemos comprar a PosIT, Landon voltaria à estaca zero. "Quando desligar, preciso que você ligue para Victor Reyes."

"Certo. A segunda coisa é que a sra. Vidal está na recepção", ele continuou, fazendo-me deter o passo. "Quer que eu adie sua reunião da manhã?"

Olhei pela divisória de vidro que separava minha sala do restante do andar, apesar de saber que não conseguiria ver minha mãe àquela distância. Segundo o relógio do celular, eu tinha dez minutos para falar com minha esposa antes de começar a trabalhar. Minha vontade era dizer que minha mãe esperasse e eu falaria com ela quando pudesse, não quando ela quisesse, mas resolvi ceder.

"Consegue mais vinte minutos pra mim", eu disse a ele. "Vou falar com a srta. Tramell e depois com Reyes, então pode trazer a sra. Vidal."

"Entendido."

Esperei um pouco antes de pegar o telefone e apertar o botão que piscava.

2

"Meu anjo."

A voz de Gideon me impactou como se fosse a primeira vez que eu a ouvia. Polida, mas ao mesmo tempo sensual, ela me transportava de volta para a escuridão do meu quarto, onde eu não precisava me preocupar com a distração causada por seu rosto incomparavelmente lindo.

"Oi." Aproximei minha cadeira um pouco mais da mesa. "Pode falar?"

"Se você precisa de mim, estou aqui."

Algo em sua voz me dizia que ele não podia. "Posso ligar mais tarde."

"Eva." Seu tom autoritário quando disse meu nome fez meus dedos se contraírem dentro dos sapatos. "Do que você precisa?"

De você, quase falei, o que seria uma maluquice completa, já que tinha acabado de trepar com ele intensamente poucas horas antes, depois de ele me foder loucamente durante quase a noite toda.

Em vez disso respondi: "Preciso de um favor".

"Faço questão de cobrar mais tarde."

Um pouco da tensão nos meus ombros se dissipou. Ele tinha me deixado chateada com a maneira como falou de Corinne, e a discussão que tivemos em seguida ainda estava fresca na minha mente. Mas eu precisava seguir adiante, deixar para lá. "O pessoal da segurança tem o endereço de todo mundo que trabalha no Crossfire?"

"Eles têm as informações de todo mundo. Do que você precisa?"

"A recepcionista daqui é minha amiga, e faltou no trabalho a semana toda. Estou preocupada."

"Se quer fazer uma visita, é melhor pegar o endereço com ela mesma."

"Eu faria isso, se ela me atendesse." Passei o dedo pela borda da caneca de café e olhei para a colagem de fotos minhas com Gideon que decorava a mesa.

"Vocês brigaram?"

"Não, estava tudo bem. E é estranho ela não falar comigo, principalmente porque liga aqui todo dia para dizer que não vai vir. Ela é uma menina bem falante, sabe?"

"Não", ele respondeu. "Não faço ideia."

Se fosse outra pessoa dizendo isso, eu ia achar que se tratava de uma resposta sarcástica. Mas não Gideon. Provavelmente ele nunca conversou para valer com uma mulher. Ficava quase sempre perdido quando interagia comigo, como se não tivesse nenhum traquejo social quando o assunto era lidar com o sexo oposto.

"Então você precisa acreditar em mim, garotão... Só quero saber se está tudo bem com ela."

"Meu advogado está aqui na sala, mas não preciso nem perguntar para ele para saber que não posso dar essa informação pelos meios que você sugeriu. Liga para o Raúl. Ele vai saber como encontrar sua amiga."

"Sério?" Uma imagem do segurança de olhos e cabelos escuros surgiu na minha mente. "Ele não vai se incomodar?"

"Meu anjo, ele é pago para não se incomodar com nada."

"Ah." Fiquei girando a caneta entre os dedos. Eu não deveria me sentir constrangida em aproveitar o que Gideon tinha a oferecer, mas isso fazia com que a balança do relacionamento pendesse sempre para o lado dele. Apesar de acreditar que meu marido jamais jogaria isso na minha cara, eu sabia que ele não me tratava como igual, uma coisa que era importantíssima para mim.

Gideon já tinha resolvido sozinho coisas das quais eu deveria ter participado. Como a questão do vídeo horroroso que Sam Yimara fez escondido enquanto eu transava com Brett. E o caso de Nathan.

Ainda assim, perguntei: "Como faço para falar com ele?".

"Mando o número dele por mensagem."

"Tá certo. Obrigada."

"Quero que você esteja comigo, com Angus, ou com Raúl quando for fazer essa visita."

"Ah, claro, isso não seria nem um pouco esquisito." Dei uma olhada para a sala de Mark, para ver se meu chefe não precisava de mim para alguma coisa. Sempre tentava evitar os telefonemas pessoais no trabalho, mas Megumi não aparecia fazia quatro dias, e eu não conseguia falar com ela.

"Não me venha com essa, Eva. Você precisa ceder em alguma coisa."

Entendi a indireta. Ele estava preocupado com minha ida a San Diego, mas mesmo assim ia deixar passar. Eu precisava dar alguma coisa em troca. "Tudo bem, tudo bem. Se ela não aparecer na segunda, pensamos no que fazer."

"Ótimo. Algo mais?"

"Não. Só isso." Meu olhar se voltou para uma foto dele, e meu coração ficou apertado, como sempre acontecia quando eu o observava. "Obrigada. Espero que tenha um ótimo dia. Sou louca por você. E nem precisa dizer nada em resposta, já que seu advogado está aí."

"Eva." Havia um sofrimento por trás de sua voz que me comoveu mais do que qualquer palavra. "Vem me ver depois do trabalho."

"Claro. Não se esquece de ligar para Cary e falar sobre o jatinho."

"Fica tranquila."

Desliguei e me recostei na cadeira.

"Bom dia, Eva."

Eu me virei e vi Christine Field, a diretora executiva. "Bom dia."

"Queria lhe dar os parabéns pelo noivado." Seus olhos passaram por cima do meu ombro e se concentraram nas fotografias atrás de mim. "Desculpa, nem sabia que você e Gideon Cross estavam juntos."

"Tudo bem. Tento não falar sobre minha vida pessoal no trabalho."

Eu disse isso da maneira mais simpática possível, para não me indispor com uma das sócias da agência, mas fiquei torcendo para que tivesse entendido o recado. Gideon era o ponto central da minha vida, mas eu precisava ter um espaço só meu.

Ela deu risada. "Isso é bom! Mas também significa que ando deixando passar muita coisa por aqui."

"Tenho certeza de que não deixou passar nada de importante."

"Foi por sua causa que Cross escolheu a agência para a campanha da vodca Kingsman?"

Gelei. Claro que ela pensava que eu tinha recomendado a agência para meu namorado, porque achava que eu e Gideon estávamos juntos fazia um bom tempo, por causa do noivado. Se eu dissesse que tinha entrado na Waters Field & Leaman antes de conhecer Gideon, isso levantaria uma série de perguntas um tanto delicadas, porque eu só trabalhava lá fazia alguns meses.

E, para piorar, Gideon *tinha* usado a campanha da vodca como pretexto para me atrair para seu mundo. Mas isso não diminuía o trabalho fenomenal de Mark naquela solicitação de proposta. Não queria que meu relacionamento com Gideon levantasse dúvidas sobre a competência do meu chefe.

"O sr. Cross procurou a agência por iniciativa própria", respondi, atendo-me à parte da verdade que podia contar. "E foi uma ótima decisão. Mark arrasou naquela SDP."

Christine balançou a cabeça. "É verdade. Muito bem, vou deixar você voltar ao trabalho. Mark tem elogiado muito seu desempenho, por sinal. Estamos contentes de ter você na nossa equipe."

Abri um sorrisinho, mas meu dia não estava sendo nada fácil. Gideon tinha me deixado abalada ao mencionar seu envolvimento com Corinne. Depois, descobri que Megumi ainda estava doente. E tinha acabado de perceber que ia receber um tratamento diferente no trabalho porque meu nome estava ligado diretamente ao de Gideon.

Abri meus e-mails e comecei a ler os primeiros do dia. Sabia que Gideon queria que eu me sentisse da mesma forma que ele, e por isso tinha usado Corinne contra mim. Sabia que falar sobre Brett era um problema, e que deveria ter ficado na minha, mas não tinha feito nada por mal, nem quando iniciei a conversa nem quando beijei o cara. Era verdade que tinha magoado Gideon, mas podia afirmar com toda a sinceridade que não fora minha intenção.

Gideon, por sua vez, tinha feito aquilo com o único propósito de me magoar. Eu não sabia que ele era capaz de fazer isso. Alguma coisa importante mudou entre nós naquele momento. Era como se um dos nossos pilares tivesse sido abalado.

Ele sabia disso? Conseguia entender o tamanho do problema?

O telefone da minha mesa tocou, e atendi com a saudação habitual.

"Até quando você ia esperar para me contar sobre o noivado?"

Acabei deixando escapar um suspiro. Aquela sexta-feira seria mesmo uma provação. "Oi, mãe. Eu ia ligar na hora do almoço."

"Ontem à noite você já sabia!", ela acusou. "Ele fez o pedido no caminho para o jantar? Você não tinha falado nada quando conversamos sobre ele pedir permissão a seu pai ou Richard. Vi a aliança lá no Cipriani's, mas, como você não disse nada, resolvi não perguntar, porque anda muito sensível ultimamente. Além disso..."

"E você anda desrespeitando a lei ultimamente", retruquei.

"... Gideon estava de aliança também, então pensei que pudesse ser um anel de compromisso..."

"E é."

"... mas aí eu leio sobre seu noivado na internet! Por favor, Eva. Nenhuma mãe deveria descobrir que a filha vai casar pela internet!"

Fiquei olhando para meu monitor sem esboçar nenhuma reação, sentindo meu coração se acelerar. "Quê? Onde na internet?"

"Em todo lugar! Page Six, HuffPost... E faço questão de repetir: eu *não tenho como* organizar um casamento decente até o final do ano!"

Meu alerta diário do Google ainda não tinha chegado, então fiz uma busca rápida, digitando tão depressa que errei até meu nome. Mas no fim isso não fez diferença.

A socialite Eva Tramell ganhou na loteria. Não literalmente, claro. Mas fisgar o empresário multibilionário Gideon Cross, cujo nome costuma ser sinônimo de luxo e excesso, não é nada menos que isso. Uma fonte das Indústrias Cross confirmou o significado do enorme anel de diamantes visto na mão esquerda de Tramell. (Foto à esq.) Nenhum comentário foi feito a respeito da aliança vista na mão de Cross. (Foto à dir.) O casamento vai ocorrer ainda este ano. Só nos resta perguntar o motivo de tanta pressa. Todos já estão esperando o anúncio da gravidez.

"Nossa", murmurei, horrorizada. "Preciso desligar. Tenho que falar com o papai."

"Eva! Você precisa vir aqui depois do trabalho. Temos que conversar sobre o casamento."

Felizmente, meu pai morava na Costa Oeste, o que me dava pelo menos três horas de vantagem, dependendo da escala de trabalho dele. "Não posso. Vou para San Diego no fim de semana com Cary."

"Acho melhor adiar essa viagem. Você precisa..."

"Pode começar sem mim, mãe", respondi, desesperada, olhando para o relógio. "Não tenho nada muito específico em mente."

"Você não pode estar falando sé..."

"Preciso desligar. Tenho que trabalhar." Coloquei o telefone no gancho, abri a gaveta e peguei o celular.

"Oi." Mark Garrity apareceu por cima da divisória do meu cubículo com seu sorriso torto. "Pronta para começar?"

"Hã..." Meu dedo ficou passeando em cima do botão de chamada do celular. Estava dividida entre aquilo que era paga para fazer — o trabalho — e garantir que meu pai ouviria sobre meu noivado da minha própria boca. Normalmente, isso não seria um dilema para mim. Eu jamais arriscaria meu emprego por motivos pessoais. Mas meu pai andava bem cabisbaixo desde que tinha transado com minha mãe, e eu estava preocupada com ele. Não era do tipo que levava numa boa dormir com uma mulher casada, muito menos uma por quem era apaixonado.

Pus meu celular de volta na gaveta. "Claro", respondi, levantando e pegando meu tablet.

Quando me acomodei na cadeira diante da mesa de Mark, mandei uma mensagem rápida para meu pai dizendo que tinha uma coisa importante para contar e que ligaria na hora do almoço.

Foi o melhor que pude fazer. Só esperava que fosse suficiente.

3

"Que bela lábia, hein?"

Olhei para Arash depois de desligar o telefone. "Você ainda está aqui?"

Ele deu risada e se recostou no sofá do escritório. Não era uma visão tão agradável naquele cenário quanto aquela que minha esposa me proporcionou algum tempo atrás.

"Bajulando o sogrão", ele comentou. "Estou impressionado. E acho que Eva também vai ficar. Aposto que você vai usar isso a seu favor no fim de semana."

Ele estava certo. Eu ia precisar de todos os pontos que pudesse reunir, porque pretendia ir a San Diego. "Eva vai viajar. E você precisa ir para a sala de reuniões antes que o pessoal comece a ficar impaciente. Vou assim que puder."

Ele se levantou. "Sim, eu ouvi. Sua mãe está aqui. Que a loucura do casamento comece. Já que você vai estar livre, que tal juntar os canalhas de sempre lá em casa hoje à noite? Há tempos não fazemos isso, e seus dias como solteiro estão contados. Bom, tecnicamente você não é mais solteiro, mas ninguém sabe disso ainda.

E ele tinha obrigação de manter o sigilo entre cliente e advogado.

Não precisei de muito tempo para decidir. "Certo. A que horas?"

"Lá pelas oito."

Fiz que sim com a cabeça e dei uma olhada para Scott. Ele entendeu o recado e levantou para ir até a recepção.

"Ótimo." Arash sorriu. "Vejo você na reunião."

Durante os dois minutos em que fiquei sozinho, mandei uma mensagem para Angus sobre a viagem à Califórnia. Eu tinha negócios para resolver por lá enquanto Eva visitava o pai, e isso me dava uma boa desculpa. Não que eu precisasse de uma.

"Gideon."

Quando minha mãe entrou, meus dedos se fecharam imediatamente.

Scott entrou junto, perguntando: "Tem certeza de que não vai querer nada, sra. Vidal? Um café, talvez? Uma água?".

Ela sacudiu a cabeça. "Não, obrigada. Não precisa."

"Tudo bem." Ele abriu um sorriso e saiu, fechando a porta atrás de si.

Apertei o botão atrás da minha mesa que controlava a opacidade do vidro, bloqueando a visão de todos do lado de fora. Minha mãe chegou mais perto, toda elegante com sua calça social azul-marinho e sua blusa branca. Seus cabelos estavam presos em um coque, exibindo por inteiro o rosto perfeito que meu pai tanto adorava. Durante um tempo, eu também adorei. Agora, não conseguia nem olhar direito para ela.

E, como somos muito parecidos, às vezes tenho dificuldade até em me olhar no espelho.

"Oi, mãe. Veio fazer o que na cidade?"

Ela pôs a bolsa no canto da mesa. "Por que Eva está usando minha aliança?"

O pequeno prazer que senti ao vê-la se dissipou instantaneamente. "A aliança é minha. E a resposta para sua pergunta é bem óbvia: eu pus a aliança no dedo dela quando a pedi em casamento."

"Gideon." Minha mãe jogou os ombros para trás. "Você não sabe no que está se metendo."

Tive que fazer força para continuar olhando para ela. Detestava quando me encarava com o sofrimento estampado nos olhos azuis, tão parecidos com os meus. "Não tenho tempo para isso. Tem uma reunião importante em andamento, e só não estou lá por sua causa."

"Eu não precisaria vir até seu escritório se você atendesse meus telefonemas ou fosse para casa de vez em quando!" Sua boca rosada se contraiu em reprovação.

"Aquela não é minha casa."

"Ela está usando você, Gideon."

Peguei meu paletó. "Já conversamos sobre isso."

Minha mãe cruzou os braços na frente do peito como um escudo. Eu a conhecia, ela só estava começando. "Ela tem um caso com aquele cantor, Brett Kline. Você sabia disso? E tem um lado dela que você não conhece. Foi extremamente desagradável comigo ontem à noite."

"Vou conversar com Eva." Ajeitei o paletó com um puxão nas lapelas e fui em direção à porta. "Para que não perca tempo com você."

Minha mãe ficou estupefata. "Estou tentando ajudar."

"É meio tarde demais para isso, não acha?"

Ela deu um passo para trás depois de ver a expressão no meu rosto. "Sei que a morte de Geoffrey foi difícil para você. Foi difícil para todos nós. Tentei te dar..."

"Não vou falar sobre isso agora!", esbravejei, furioso por ela mencionar no meu escritório um assunto tão pessoal como o suicídio do meu pai. Na verdade, fiquei furioso só por ela mencionar esse assunto, independentemente do contexto. "Você está me irritando e tomando meu tempo. Me deixa esclarecer uma coisinha: em hipótese nenhuma você vai conseguir me colocar contra a Eva."

"Você não está me escutando."

"Pode falar o que quiser, não vai mudar nada. Se ela quiser meu dinheiro, vai ter cada centavo. Se era apaixonada por outro homem, vou fazer com que o esqueça."

Ela levou uma mão trêmula aos cabelos, apesar de não haver um único fio fora do lugar. "Só quero o melhor para você, e ela está mexendo em um assunto encerrado há muito tempo. Não é saudável para você. Ela está te afastando da sua família..."

"Nós já somos distantes, mãe. Eva não tem culpa nenhuma nisso."

"Mas não quero que seja assim!" Ela deu um passo à frente e estendeu a mão. Um colar de pérolas negras apareceu entre as lapelas de sua blusa, e um relógio Patek Philippe com pulseira de safira adornava seu pulso. Ela não só retomou a vida depois da morte do meu pai como apagou tudo o que acontecera e seguiu em frente sem nunca olhar para trás. "Sinto sua falta. Eu te amo."

"Isso não basta."

"Você não está sendo justo comigo, Gideon. Preciso de uma chance."

"Se precisar de uma carona para casa, Angus está à disposição." Segurei a maçaneta e fiz uma pausa antes de sair. "Não volte mais aqui, mãe. Não gosto de discutir com você. Vai ser melhor para nós dois se ficar longe de mim."

Deixei a porta aberta quando saí para a sala de reuniões.

"Você tirou essa foto hoje?"

Olhei para Raúl, que estava parado diante da minha mesa. Vestido com um terno preto, tinha o olhar vigilante e impassível de um homem que ganha a vida com a habilidade de ver e escutar tudo.

"Sim", ele respondeu. "Há pouco mais de uma hora."

Voltei a atenção para a fotografia diante de mim. Era difícil olhar para Anne Lucas. A visão de seu rosto de raposa, com queixo fino e olhos afiados, trazia lembranças que eu gostaria de apagar da mente. Não só dela, mas de seu irmão também, que me provocava arrepios da mesma forma.

"Eva falou que a mulher tinha cabelos compridos", murmurei, notando que os de Anne ainda eram curtos. Eu me lembrei de seu toque artificial, arranhando minhas coxas enquanto ela chupava meu pau até o talo, tentando desesperadamente me deixar duro o suficiente para fodê-la.

Entreguei o tablet de volta para Raúl. "Descubra quem foi."

"Pode deixar."

"Eva ligou para você?"

"Não." Ele franziu a testa e tirou o celular do bolso para verificar. "Não mesmo."

"Ela vai esperar a viagem para San Diego. Quer que você encontre uma amiga dela."

"Sem problemas. Eu cuido disso."

"Quero que você cuide *dela*", eu disse, olhando bem para ele.

"Não precisa nem dizer."

"Eu sei. Obrigado."

Quando Raúl saiu da minha sala, eu me recostei na cadeira. Havia muitas mulheres do meu passado capazes de criar constrangimento para nós. As mulheres com que eu dormia eram agressivas por natureza, e me obrigavam a estar sempre no comando. Eva foi a única que tomou as rédeas da situação e me fez querer mais.

Era cada vez mais difícil ficar longe dela.

"O pessoal do Envoy chegou", Scott anunciou pelo alto-falante.

"Pode mandar entrar."

Trabalhei com vontade, cumprindo meus compromissos e preparando o terreno para a próxima semana. Ainda tinha muito que fazer antes de poder passar um tempo a sós com Eva. Nossa lua de mel de um dia foi perfeita, mas curta demais. Eu queria passar pelo menos duas semanas só com ela, de preferência um mês. Em algum lugar distante do trabalho e de outros compromissos, onde pudesse tê-la só para mim sem interrupções.

O celular vibrou em cima da mesa e, para minha surpresa, vi o rosto da minha irmã na tela. Eu tinha mandado uma mensagem para Ireland contando sobre o noivado. Sua resposta foi curta e simples: **Eba! Tô muito feliz. Parabéns!**

Ela ligou logo em seguida, e mal tive tempo de dizer alô.

"Tô feliz pra caralho!", ela gritou, forçando-me a afastar o telefone da orelha.

"Olha a boca."

"Está de brincadeira? Eu tenho dezessete anos, não sete. Isso é demais. Sempre quis uma irmã, mas pensei que já estaria velhinha quando você e Christopher parassem de pular de galho em galho e sossegassem."

Eu me recostei na cadeira. "Eu vivo para servir."

"Rá. Até parece. Mas você fez bem. A Eva é demais."

"Sim, eu sei."

"Graças a ela, agora posso ficar enchendo seu saco. É o ponto alto do meu dia."

Senti um aperto no peito e precisei esperar um pouco para conseguir responder com um tom de voz mais contido. "Por mais estranho que pareça, é um dos pontos altos do meu dia também."

"Ah, sim, claro. E deveria ser mesmo." Ela baixou a voz. "Ouvi dizer que mamãe surtou hoje. Ela contou pro meu pai que foi até seu trabalho, e que vocês brigaram. Acho que está com ciúme. Isso passa."

"Nem se preocupa. Está tudo bem."

"Eu sei. Só achei uma merda ela ter feito isso justamente hoje. Enfim, estou muito contente e queria que você soubesse disso."

"Obrigado."

"Mas não vou ser daminha de honra. Já vou logo avisando. Estou velha demais para isso. Posso ser madrinha."

"Certo." Abri um sorriso. "Vou passar o recado para Eva."

Eu tinha acabado de desligar quando ouvi a voz de Scott pelo alto-falante.

"A srta. Tramell está aqui", ele anunciou, e só então me dei conta de que horas eram. "E, só para lembrar, sua videoconferência com a equipe de desenvolvimento na Califórnia começa em cinco minutos."

Levantei da mesa e vi Eva aparecer do lado de fora da sala. Eu poderia ficar observando seu andar por horas. A maneira como movia os quadris me deixava louco de vontade de trepar, e seu queixo erguido e sua expressão determinada eram um desafio ao meu instinto dominador.

Eu queria agarrá-la pelo rabo de cavalo, beijar sua boca e partir para o ataque. Desde a primeira vez que a vi. E todas as vezes desde então.

"Mande a proposta para a equipe", eu disse a Scott. "Diga para darem uma lida e que daqui a pouco entro na conversa."

"Sim, senhor."

Ela apareceu na porta.

"Eva." Eu me levantei. "Como foi o dia?"

Ela veio até atrás da minha mesa e me segurou pela gravata.

Fiquei de pau duro no ato, totalmente concentrado nela.

"Eu te amo", ela falou antes de colar sua boca à minha.

Passei um braço por sua cintura e apertei o botão para deixar o vidro opaco com a outra mão, permitindo que me beijasse como se eu fosse só dela. O que era verdade. Sem dúvida nenhuma.

A sensação de seus lábios contra os meus e a possessividade visível em todos os seus gestos eram exatamente o que eu precisava depois daquele dia. Abraçando-a com força, eu me sentei na beirada da mesa e a posicionei entre as coxas. Poderia dizer que fiz isso para poder agarrá-la melhor, mas a verdade era que minhas pernas estavam bambas.

Seus beijos faziam isso comigo, coisa que três horas de treino com meu preparador físico não eram capazes de fazer.

Respirando fundo, senti a delicada fragrância de seu perfume misturada a seu cheiro enlouquecedor tomando conta de mim. Seus lábios estavam macios, úmidos e sutilmente exigentes. Sua língua tinha um toque delicado, saboreando-me aos poucos, provocando-me e excitando-me sem esforço.

Eva me beijava como se eu fosse a coisa mais deliciosa que já tinha provado, um sabor no qual estava viciada. Para mim, era uma sensação inebriante, e tinha se tornado uma necessidade. Eu vivia para seus beijos.

Quando ela me beijava, eu tinha a sensação de encontrar meu lugar no mundo.

Inclinando a cabeça, Eva gemeu com a boca colada à minha, um ruído baixinho de prazer e rendição. Seus dedos estavam nos meus cabelos, acariciando e puxando. Essa sensação de ser pego — *conquistado* — era um desafio para mim. Eu a puxei para mais perto, até sentir sua barriga durinha no meio das minhas pernas.

Meu pau estava latejando, doendo.

"Assim eu vou gozar", murmurei. Todo o esforço que eu precisava fazer antes para me excitar a ponto de ter um orgasmo era desnecessário com aquela mulher. Só o fato de Eva existir já fazia meu sangue ferver. A força de seu desejo era suficiente para me fazer perder a cabeça.

Ela se inclinou um pouco para trás, também ofegante. "Não ligo."

"Eu também não ligaria, se não estivessem me esperando para uma reunião."

"Não quero atrapalhar você. Só queria agradecer pelo que disse para meu pai."

Com um sorriso, apertei sua bunda com as duas mãos. "Meu advogado bem que falou que ia pegar bem."

"Eu estava tão ocupada que só consegui ligar para ele na hora do almoço. Estava morrendo de medo de que descobrisse por outra pessoa." Ela me deu um empurrão no ombro. "Você podia ter me avisado antes de anunciar para o mundo todo!"

Encolhi os ombros. "Não era essa a intenção, mas não queria ficar negando."

Ela contorceu a boca. "Claro que não. Você viu aquele texto ridículo sobre uma suposta gravidez?"

"Uma ideia assustadora no momento", falei, tentando manter um tom leve apesar do susto que tinha levado. "Ainda quero você só para mim por um bom tempo."

"Não é?" Ela sacudiu a cabeça. "Fiquei com medo de que meu pai pensasse que eu estava noiva *e* grávida, e nem me preocupei em contar para ele. Foi um alívio quando liguei e ele falou que você já tinha explicado tudo."

"O prazer foi todo meu." Eu incendiaria o mundo inteiro para facilitar a vida dela, se fosse necessário.

Suas mãos começaram a abrir os botões do meu colete. Ergui as sobrancelhas em um questionamento silencioso, mas não fiz nada para impedir.

"Ainda nem fui embora e já estou com saudade", ela disse baixinho, ajeitando minha gravata.

"Então fica."

"Se eu pudesse passar um tempo sozinha com Cary, poderia fazer isso em casa, e não em San Diego." Ela ergueu os olhos para me encarar. "Mas ele está surtado por causa da gravidez da Tatiana. Além disso, preciso passar um tempo com meu pai. Principalmente agora."

"Tem alguma coisa que eu preciso saber?"

"Não. Ele pareceu ter aceitado tudo numa boa quando conversamos, mas acho que esperava que fôssemos esperar um pouco mais. Para ele, é como se a gente tivesse acabado de se conhecer."

Sabia que era melhor ficar calado, mas não consegui. "E não podemos esquecer Kline."

Ela cerrou os dentes. Sua atenção se voltou para os botões do colete, que ela estava fechando. "Estou indo. Não quero brigar outra vez."

Segurei suas mãos. "Eva. Olha para mim."

Observando seus olhos tempestuosos, senti meu peito se comprimir, como se estivesse prestes a explodir. Ela ainda estava irritada comigo, e essa sensação era insuportável. "Você não entende o que suas reações causam em mim. Não sabe que enlouqueço por sua causa."

"Não vem com essa. Você não devia ter falado de Corinne daquele jeito."

"Talvez não. Mas, sinceramente, você só falou sobre Kline comigo hoje de manhã porque está preocupada com o que vai acontecer quando encontrar o cara."

"Não estou preocupada!"

"Meu anjo." Lancei para ela um olhar paciente. "Você está preocupada, sim. Não que eu pense que vai dormir com ele, mas acho que está com medo de não conseguir se conter. Você precisava de uma reação forte da minha parte, e conseguiu. Precisava ver o que ia fazer comigo. Só de pensar em você com ele enlouqueço."

"Gideon." Ela segurou meus braços com força. "Não vai acontecer *nada*."

"Não estou dando desculpas." Passei os dedos pelo seu rosto. "Magoei você, e sinto muito por isso."

"Eu também. Queria evitar uma briga, mas acabou acontecendo do mesmo jeito."

Eu sabia que ela estava arrependida. Dava para ver em seus olhos. "É um aprendizado para nós. Ainda vamos fazer algumas cagadas antes de acertar. Você só precisa confiar em mim, meu anjo."

"Eu confio, Gideon. Foi por isso que contei para você. Mas ter me magoado *de propósito*..." Ela sacudiu a cabeça, e percebi que o que eu tinha dito ainda a estava remoendo por dentro. "Preciso acreditar que você é a única pessoa no mundo que jamais faria isso comigo."

Ouvir que sua confiança em mim estava abalada foi um duro golpe, que tentei absorver. Procurei me explicar, uma coisa que só fazia com ela. Eu explicaria o que fosse necessário, estava disposto a conversar durante horas, fazer promessas com meu próprio sangue... Tudo o que fosse preciso para que Eva acreditasse em mim.

"Existe uma diferença entre fazer as coisas de cabeça quente e de propósito, não?" Segurei seu rosto entre as mãos. "Prometo que nunca mais vou fazer você sofrer. Não está vendo como estou vulnerável? Você tem esse poder sobre mim."

A expressão dela se amenizou, o que a deixou ainda mais linda. "Eu não faria isso."

"Mas eu fiz. E você vai me perdoar."

Ela deu um passo atrás. "Odeio quando você usa esse tom de voz."

Para meu próprio bem, segurei o sorriso que senti vontade de abrir. "Mas mesmo assim fica molhadinha."

Olhando feio para mim por cima do ombro, Eva foi até a janela e se colocou no mesmo local onde eu estivera naquela manhã. Os cabelos presos revelavam toda a sua beleza — e a impediam de esconder seus sentimentos. Seu rosto estava todo vermelho.

Ela teria como saber quantas vezes eu tinha pensado em amarrá-la quando estava assim? Não para submetê-la ou restringi-la, mas para manter aquela energia, aquela paixão pela vida que eu não tinha. Eva passaria isso para mim caso se rendesse por completo.

"Não tenta usar o sexo para me controlar, Gideon", ela disse, de costas para mim.

"Não quero controlar você, de jeito nenhum."

"Você me manipula. Faz certas coisas... e diz certas coisas... só para provocar determinada reação em mim."

Cruzei os braços e me lembrei da imagem dela beijando Kline. "Assim como você. Acabamos de falar sobre isso."

Ela me encarou. "Mas eu posso. Sou mulher."

"Ah." Abri um sorriso. "Sabia."

"Você é um enigma para mim." Ela suspirou, e pude ver todo o seu ressentimento indo embora. "Mas me pegou de jeito. Conhece todos os meus pontos fracos e sabe muito bem como usar."

"Passo boa parte do meu dia tentando entender você. Se prestasse um pouquinho mais de atenção em mim, você saberia. Pensa nisso enquanto faço essa reunião, e depois podemos nos despedir com mais calma."

Ela ficou me olhando enquanto eu me acomodava na cadeira. Pus o headset e então me detive quando percebi seu olhar sobre mim. Eva gostava de me observar. Sua cobiça era a única com a qual eu me sentia à vontade. Com ela, nunca tive a reação abrupta que sempre tinha quando via que despertava desejo sexual em alguém. Eva fazia com que eu me sentisse amado e desejado, de uma forma nem um pouco ameaçadora.

"Ver você trabalhando me deixa com tesão", ela explicou com um tom sussurrado que tornava impossível prestar atenção no que estava fazendo. "É muito sexy."

Abri um sorrisinho malicioso. "Meu anjo, tenta se comportar por vinte minutinhos."

"E qual seria a graça? Além disso, você gosta quando me comporto mal."

E como.

"Quinze minutinhos", corrigi. Considerando que o planejamento era que a reunião durasse quase uma hora, era uma tremenda concessão da minha parte.

"Pode ficar o quanto precisar." Eva parou ao lado da minha cadeira e se agachou como uma pinup, deixando-me sem fôlego. "Encontro outra coisa com que me ocupar enquanto você fica no telefone brincando com seus milhões."

Meu pau ficou duro de forma abrupta e dolorosa. Ela falou uma coisa parecida com essa quando começamos a sair juntos, e tenho sonhado com isso desde então.

Eu até poderia pedir para Eva esperar, mas sabia que não adiantaria nada. O olhar de determinação em seu rosto dizia tudo. Ela remexeu tentadoramente os quadris ao contornar a mesa. Eu tinha feito uma tremenda cagada, e ela queria dar o troco. Alguns casais preferiam se castigar mutuamente com dor ou privação. Eva e eu usávamos o prazer para isso.

Assim que saiu de trás de mim, entrei na conversa sem ativar a câmera, e pus meu microfone no mudo. Os outros seis participantes estavam discutindo o material enviado por Scott. Esperei até que notassem minha presença...

... enquanto eu me levantava e abria a braguilha.

Eva tirou os sapatos. "Muito bem. Vou pegar mais leve se você cooperar."

"Não é possível que você pense que participar de uma videoconferência com meu pau na sua boca pode ser leve." Nesse momento, o pessoal da Califórnia começou a me cumprimentar. Eu os ignorei por um momento, pensando apenas no que estava prestes a acontecer no meu escritório.

Algumas semanas antes, a hipótese de ficar de sacanagem enquanto trabalhava era absolutamente inadmissível. Se Eva fosse um pouquinho diferente, eu conseguiria fazê-la esperar até que tivesse tempo para dedicar toda a minha atenção a ela.

Mas meu anjo amava o perigo e adorava correr o risco de ser pega. Jamais pensei que fosse gostar disso nela. Houve ocasiões em que tive vontade de trepar com ela na frente de todo mundo, só para mostrar até que ponto eu a possuía.

Seu sorriso era malícia pura. "Se gostasse de coisas leves, não teria casado comigo."

Eu estava prestes a casar de novo, o quanto antes. E não seria a última vez. Nossos votos seriam renovados com frequência, um lembrete de que tínhamos feito uma promessa para toda a vida, independentemente do que acontecesse.

Ela se ajoelhou elegantemente, então apoiou a mão no chão e veio avançando até mim como uma leoa que espreita sua presa. Pela superfície de vidro fumê da mesa, observei enquanto ela assumia a posição, umedecendo os lábios com a língua.

A ansiedade tomou conta de mim, uma sensação de desafio e expectativa erótica. Tudo a respeito dela me dava prazer, mas sua boca era um caso à parte. Eva me chupava como se estivesse faminta pelo meu gozo, como se estivesse viciada no meu gosto. Abocanhava meu pau porque gostava. Ver-me perder a cabeça enquanto fazia isso era só um bônus.

Abri mais o zíper da calça e baixei a cueca, observando seu rosto enquanto eu mostrava a maneira como me afetava. Ela abriu a boca, sua respiração acelerou e seu corpo se ajeitou em uma posição de súplica.

Acomodei-me na minha cadeira, tentando me livrar o quanto antes do aperto das roupas em torno das coxas, e baixei um pouco mais a cueca. Reagi de forma rápida à sensação desagradável de ter meus movimentos restringidos, e tive que afastar lembranças que tanto havia lutado para enterrar.

Já mais tranquilo, eu me recostei no assento, sentindo minha pulsação acelerar...

Então Eva me engoliu.

"Porra", murmurei, cravando os dedos no apoio dos braços da cadeira quando ela enfiou as unhas nos meus quadris.

A sensação de calor na cabeça do meu pau foi surpreendentemente intensa. Senti um movimento de sucção, e sua língua macia começou a me massagear no lugar certinho. Com meu coração batendo a mil, ouvi os outros se perguntarem se minha câmera e meu microfone estavam funcionando.

Endireitando a postura, inclinei-me para a frente para ativar o som. "Desculpem o atraso", eu disse com uma voz séria enquanto Eva mandava ver em mim. "Agora que já examinaram a proposta, vamos discutir os próximos passos para implementar os ajustes pedidos."

Eva soltou um gemido de aprovação, e a vibração de sua garganta reverberou em mim. Meu pau estava muito duro, e seus dedos me apertavam, mas só o suficiente para me fazer querer mais.

Tim Henderson, gerente de projeto e líder da equipe, foi o primeiro a falar. Eu mal conseguia me concentrar, e sua imagem veio à minha cabeça mais de memória do que através do monitor diante de mim. Ele era um sujeito alto, magro e pálido com uma cabeleira toda desalinhada que gostava de falar, o que para mim era ótimo, porque eu estava com a boca seca.

"Preciso de mais tempo para examinar isso tudo", ele começou, "mas já vou adiantando que o prazo está muito apertado. Tem muita coisa boa aqui, e estou empolgado para ver o que conseguimos fazer, mas a fase dos testes beta só poderia começar daqui a um ano, e não em seis meses."

"Foi o que você me falou seis meses atrás", lembrei, cerrando o punho enquanto Eva enfiava meu pau até a garganta. Minha nuca suava quando ela tirou meu pau da boca e começou a chupar mais de leve.

"Perdemos nosso melhor designer para a LanCorp..."

"E eu ofereci um substituto, que você recusou."

Henderson cerrou os dentes. Ele era um gênio da programação, uma mente brilhante, mas não tinha muito traquejo social e detestava interferências externas. Até teria o direito de exigir isso, caso não estivesse consumindo meu tempo e meu dinheiro.

"Uma equipe de criação tem um equilíbrio delicado", ele argumentou. "Não dá para pôr qualquer um no lugar de alguém que sai. Só agora encontramos a pessoa certa para o trabalho..."

"Obrigado", disse Jeff Simmons, abrindo um sorriso em seu rosto anguloso com o elogio.

"... e estamos progredindo", continuou Tim. "Nós..."

"Vocês continuam desrespeitando os prazos que impuseram a si mesmos." Minha voz saiu mais rouca do que deveria por causa da língua ágil e inquieta de Eva. Ela me lambia da base até a ponta do pau com movimentos enlouquecedores. Minhas coxas doíam de tão contraídas, e eu fazia força para me manter sentado na cadeira. Ela estava seguindo o contorno de cada veia, acariciando com a língua cada pedacinho latejante.

"Mas enquanto isso criamos uma experiência de usuário inovadora", ele rebateu. "Estamos fazendo o que foi pedido, e direito."

Eu queria deitar Eva na minha mesa e trepar com ela. Com força.

Para isso, precisava encerrar logo a maldita reunião.

"Ótimo. Agora só precisam ir mais depressa. Vou mandar uma equipe para ajudar vocês a atingir os objetivos no prazo. Eles vão..."

"Ei, espera aí, Cross", interrompeu Henderson, aproximando-se da câmera. "Se você mandar executivos para ficar fungando no nosso cangote isso só vai atrasar o trabalho! Você precisa deixar a parte do desenvolvimento por nossa conta. Se precisarmos de ajuda, pedimos."

"Se pensou que ia pegar meu dinheiro e ganhar um sócio sem voz ativa, então não sabia com quem estava se metendo."

"Vixi", Eva murmurou, com os olhos brilhando de divertimento por baixo da mesa.

Pus a mão embaixo da mesa e agarrei sua nuca. "O mundo dos aplicativos é altamente competitivo. Por isso vocês vieram até mim e me apresentaram um conceito de jogos eletrônicos inovador e intrigante, com um prazo de desenvolvimento de um ano que minha equipe considerou razoável e viável."

Parei para respirar um pouco, atormentado pela sensação dos lábios quentes subindo e descendo pelo meu pau. Eva estava pegando pesado, conduzindo-me com o ritmo acelerado dos movimentos de seu punho fechado. A parte da provocação e da excitação tinha acabado. Ela queria que eu gozasse. Imediatamente.

"Você está vendo as coisas da perspectiva errada, sr. Cross", disse Ken Harada, passando a mão pelo cavanhaque. "Prazos baseados em configurações técnicas não funcionam em processos organicamente criativos. Precisa entender que..."

"Eu não sou o vilão aqui." A vontade de remexer os quadris, de foder, estava acabando comigo. A agressividade se espalhou dentro de mim como uma onda, obrigando-me a fazer um esforço para manter minha fachada de civilidade. "Vocês garantiram a entrega no prazo de todos os elementos do cronograma e não estão cumprindo. Sou obrigado a intervir para garantir que as promessas vão se tornar realidade."

Ele desabou na cadeira, resmungando consigo mesmo.

Apertando com mais força o pescoço de Eva, tentei fazê-la reduzir o ritmo, mas em seguida desisti e comecei a empurrá-la para chupar mais rápido. Com mais força. Para me esvaziar. "O que vai acontecer é o seguinte: vocês vão trabalhar com a equipe que estou mandando. Se perderem mais um prazo, vou tirar Tim do comando do projeto."

"Nem fodendo!", ele gritou. "Esse aplicativo é meu! Você não pode tirar de mim."

Eu precisava ter tato naquele momento, mas meu cérebro estava se comportando como o de um animal no cio. "Você precisava ter lido o contrato com mais atenção. Faça isso hoje à noite, e amanhã voltamos a falar, depois que a nova equipe chegar."

Porque eu já estou quase chegando lá...

Senti um frio na espinha. Meu saco se contraiu. Eu estava a ponto de gozar, e Eva sabia. Ela sugava com força e passava a língua na parte mais sensível da cabeça do meu pau. Meu coração estava quase saindo pela boca, e as palmas das mãos estavam molhadas de suor.

Olhando para a meia dúzia de rostos furiosos do outro lado da linha e ouvindo os protestos explodindo no headset, o orgasmo me veio como o atropelamento de um trem de carga. Apertei o botão do mudo e soltei um grunhido bem alto enquanto jorrava na boca gulosa de Eva. Ela gemeu e começou a me masturbar com as duas mãos, apertando e espremendo para manter o fluxo de uma gozada que eu não conseguia controlar.

Senti o calor subir pelo meu rosto. Olhando impassivelmente para o monitor, tive que me segurar para não fechar os olhos e jogar a cabeça para trás, libertando-me para curtir o prazer todo especial de gozar para minha mulher. De gozar *por causa* dela.

À medida que a pressão foi se amenizando, soltei seu cabelo e acariciei seu rosto com a ponta dos dedos.

Voltei a acionar o microfone.

"O administrativo vai ligar para vocês daqui a alguns minutos", eu disse com a voz ainda rouca, "para acertar os detalhes da reunião de amanhã. Espero que possamos chegar a um bom acordo. Até lá."

Fechei o navegador e arranquei o headset. "Vem cá, meu anjo."

Puxei a cadeira para trás e a trouxe até mim sem que precisasse fazer nenhum esforço.

"Você é uma máquina!", ela disse ofegante, com a voz rouca como a minha, e os lábios vermelhos e inchados. "Não acredito que continuou falando sem piscar! Como é que...? Ei!"

O pedacinho de pano rendado que ela usava como calcinha foi ao chão em pedaços.

"Eu gostava dessa calcinha", ela falou, quase sem fôlego.

Eu a ergui e posicionei sua bunda na mesa de vidro, alinhando-a perfeitamente ao meu pau. "Você vai gostar muito mais disto aqui."

"Meu anjo."

Como uma gatinha sonolenta, Eva piscou para mim quando saí do banheiro do escritório. "Hã?"

Sorri ao vê-la ainda na minha cadeira. "Imagino que esteja bem."

"Nunca estive melhor." Ela ergueu uma das mãos e passou pelos cabelos. "Ainda estou desnorteada depois de tanto foder, mas de resto estou muito bem, obrigada."

"De nada." Fui até ela levando uma toalha de mão com água quente.

"Está tentando bater o recorde de orgasmos em um único dia?"

"É uma proposta interessante. Estou disposto a tentar."

Ela estendeu a mão como se fosse me empurrar. "Já chega, seu maníaco. Se me comer de novo, vou acabar entrando em estado vegetativo."

"Se mudar de ideia é só me avisar." Eu me ajoelhei diante dela e abri suas pernas. Bem depilada e rosadinha, sua boceta era linda. Perfeita.

Ela me observou enquanto a limpava, passando as mãos pelos meus cabelos. "Vê se não trabalha demais no fim de semana."

"Como se eu tivesse alguma coisa interessante para fazer sem você", murmurei.

"Dorme até mais tarde. Lê um livro. Planeja a festa."

Abri um sorrisinho. "Não me esqueci disso. Vou convidar o pessoal hoje à noite."

"Ah, é?" A tranquilidade abandonou seus olhos. "Que pessoal?"

"O que você quer conhecer."

"Você vai ligar pro pessoal?"

Fiquei de pé. "A gente vai se encontrar."

"Para fazer o quê?"

"Beber. Conversar." Fui até o banheiro, joguei a toalha no cesto de roupas sujas e lavei as mãos.

Eva foi atrás de mim. "Em um bar?"

"Não sei. Acho que não."

Ela encostou no batente da porta e cruzou os braços. "Algum deles é casado?"

"Sim." Pendurei a toalha de novo na argola. "Eu."

"Só você? Arnoldo vai estar lá?"

"Talvez. Provavelmente."

"Por que essas respostas tão secas?"

"Por que esse interrogatório todo?" Eu já sabia a resposta, mas perguntei mesmo assim. Minha mulher era ciumenta e possessiva. Para nossa sorte, eu gostava disso. E muito.

Ela encolheu os ombros, mas em um gesto de quem estava na defensiva. "Só queria saber o que ia fazer, mais nada."

"Posso ficar em casa, se você quiser."

"Não estou pedindo nada disso."

Havia um borrão preto na maquiagem sob seus olhos. Eu adorava usá-la por inteiro e deixá-la com cara de quem acabou de trepar. Nenhuma mulher ficava mais linda do que ela assim. "Então fala logo o que você quer."

Ela soltou um resmungo de frustração. "Por que não me conta o que vão fazer?"

"Eu não sei, Eva. Em geral a gente se encontra na casa de alguém para beber. Ou jogar baralho. Às vezes a gente sai."

"Ah, sim. Um grupo de bonitões saindo para beber e se divertir."

"Não tem nada de errado nisso. E quem disse que eles são bonitões?"

Ela me olhou feio. "Eles andam com você. Isso significa que são bonitos pelo menos o suficiente para não desaparecer do seu lado, ou confiantes a ponto de não se preocupar com isso."

Levantei a mão esquerda. Os rubis vermelhos da minha aliança de casamento refletiram a luz do ambiente. Eu nunca tirava a aliança e nunca pretendia tirar. "Você se lembra disto aqui?"

"Não estou preocupada com isso", ela murmurou, deixando os braços caírem na lateral do corpo. "Se não está satisfeito depois de tudo o que faz comigo, então precisa se tratar."

"Olha só quem fala, a mulher que não aguentou esperar nem quinze minutos." Ela pôs a língua para fora. "Isso, continua me provocando."

"Arnoldo não confia em mim, Gideon. Ele não quer que você fique comigo."

"A decisão não é dele. E alguns amigos seus também não vão gostar de mim. Sei que Cary está em cima do muro."

"E se Arnoldo disser para os outros o que pensa de mim?"

"Meu anjo." Fui até ela e a abracei. "Essa conversa sobre sentimentos é exclusiva do universo feminino."

"Para de ser machista."

"Você sabe que estou certo. Além disso, Arnoldo sabe como funcionam as coisas. Ele também já se apaixonou."

Ela me olhou com aqueles olhos especialmente lindos. "E você está apaixonado, sr. Cross?"

"Perdidamente."

*

Manuel Alcoa me deu um tapinha nas costas ao passar por mim. "Você me fez perder mil dólares, Cross."

Encostei no balcão da cozinha e enfiei a mão no bolso da calça jeans, segurando o celular. Eva ainda estava no voo, e eu estava em alerta para qualquer notícia sua ou de Raúl. Nunca tive medo de avião, nem me preocupei com a segurança de alguém que estava viajando. Até então.

"Como assim?", perguntei, dando um gole na cerveja.

"Você era o último cara que eu esperava ver com uma aliança no dedo e acabou sendo o primeiro." Manuel sacudiu a cabeça. "É de matar."

Baixei a garrafa. "Você apostou contra mim?"

"Pois é. Mas desconfio que alguém tinha informações privilegiadas." O gerente de investimentos estreitou os olhos na direção de Arnoldo Ricci, que encolheu os ombros.

"Se serve de consolo", afirmei, "eu também apostaria contra mim."

Manuel abriu um sorriso. "As latinas são demais, amigo. Sensuais, cheias de curvas. Animadas na cama e fora dela. Temperamentais. Apaixonadas." Ele soltou um resmungo de aprovação. "Boa escolha."

"Manuel!", Arash gritou da sala de estar. "Traz logo esses limões."

Fiquei olhando enquanto Manuel saía da cozinha com uma tigela de rodelas de limão. O apartamento de Arash era moderno e espaçoso, com uma vista panorâmica do East River. Não havia paredes, a não ser nos banheiros.

Contornando o balcão com tampo de granito, fui até Arnoldo. "Tudo certo com você?"

"Tudo." Seu olhar se voltou para o líquido cor de âmbar em seu copo de vidro. "Nem preciso perguntar o mesmo para você, dá para ver que está tudo ótimo. Fico feliz."

Nunca gostei de perder tempo com conversa fiada. "Eva acha que você tem algum problema com ela."

Ele me encarou. "Nunca fui desrespeitoso com ela."

"Não foi isso que Eva disse."

Arnoldo deu um gole e saboreou a bebida antes de engolir. "Entendo que você foi... como se diz?... aprisionado por essa mulher."

"Fisgado", corrijo, sem saber por que ele não falava em italiano de uma vez.

"Ah, sim." Ele abriu um leve sorriso. "Isso já aconteceu comigo, meu amigo, como você sabe. Não estou julgando ninguém."

Sabia que Arnoldo me entendia. Tínhamos nos conhecido em Florença, quando ele se recuperava da perda de uma mulher enchendo a cara e cozinhando como um louco, produzindo pratos cinco estrelas como se estivesse em uma linha de montagem. Fiquei fascinado com a dimensão de seu desespero, mas não conseguia entendê-lo de fato.

Tinha certeza de que aquilo jamais aconteceria comigo. Como o vidro opaco e à prova de balas do meu escritório, meu mundo era impenetrável. Sabia que jamais conseguiria explicar a Eva como me senti quando ela apareceu na minha frente pela primeira vez, toda calorosa e cheia de vida. Como uma explosão de cor em uma paisagem em branco e preto.

"*Voglio che sia felice.*" Uma afirmação bem simples, mas que ia direto ao ponto. *Quero que ela seja feliz.*

"Se a felicidade dela depende do que eu penso", ele respondeu em italiano, "então é pedir demais. Nunca vou dizer nada contra ela. Sempre vou tratar Eva com o mesmo respeito que trato você enquanto estiverem juntos. Mas tenho direito à minha própria opinião, Gideon."

Olhei para Arash, que estava arrumando os copos no bar da sala. Como era meu advogado de confiança, ele sabia do casamento e do vídeo de sexo de Eva, e não viu nenhum problema nisso.

"Nosso relacionamento é... complicado", expliquei, falando baixinho. "Ela já sofreu por minha causa tanto quanto eu por causa dela... talvez até mais."

"Não fico surpreso de ouvir isso e sinto muito." Arnoldo me observou atentamente. "Você não podia escolher uma das outras mulheres apaixonadas por você, que não dariam tanto problema? Uma que você poderia exibir e que não perturbaria sua vida nem um pouquinho?"

"Como diz Eva, que graça teria nisso?" O sorriso desapareceu do meu rosto. "Eva me desafia, Arnoldo. Me faz ver as coisas... pensar sobre as coisas... como nunca antes. E ela me ama. É diferente das outras." Ponho a mão no celular de novo.

"Você nunca permitiu que as outras chegassem perto."

"Eu não podia. Estava esperando por ela." Ele ficou pensativo, e eu complementei: "Aposto que Bianca também tinha seus problemas".

Ele deu risada. "Tinha mesmo. Mas minha vida é simples. Um pouquinho de complicação cai bem."

"Minha vida era organizada. Agora, é uma aventura."

Arnoldo ficou sério, e seus olhos demonstraram isso. "Essa loucura que você tanto ama nela é o que mais me preocupa."

"Não precisa se preocupar."

"Vou falar uma vez só, e depois nunca mais. Pode ficar bravo comigo se quiser, mas sei que preciso ser sincero."

Cerrei os dentes. "Desembucha de uma vez."

“Vi Eva e Brett Kline juntos. Os dois têm uma química bem parecida com a que Bianca e o homem por quem ela me largou tinham. Eu queria acreditar que Eva era capaz de ignorar isso, mas ela já provou que não é.”

Eu o encarei. “Eva teve suas razões. Fui eu que dei motivos para isso.”

Arnoldo deu mais um gole em sua bebida. “Então vou torcer para que você não dê mais motivo nenhum.”

“Ei”, gritou Arash. “Parem com essa história de ficar conversando em italiano e venham logo para cá.”

Arnoldo bateu seu copo em minha garrafa ao passar por mim.

Terminei minha cerveja sozinho, pensando um pouco no que ele tinha dito.

Em seguida, juntei-me ao restante do grupo.

4

"Por que está franzindo a testa, gata?", questionou Cary, com a voz baixa e sonolenta por causa do Dramin que tinha tomado antes da decolagem. Analisando as alternativas do menu para status de relacionamento, fiquei em dúvida sobre qual escolher. *Comprometida* ou *Enrolada*? Como *Casada* também era possível, *Todas as anteriores* me parecia uma opção válida.

Não seria divertido explicar tudo isso?

Olhando ao redor da cabine luxuosa do jatinho de Gideon, vi meu melhor amigo esparramado no sofá branco com as mãos atrás da cabeça. Alto e magro, ele era uma bela visão com sua camiseta levantada e a calça cargo bem baixa, expondo o magnífico abdome que estava ajudando a Grey Isles a vender jeans, cuecas e outras peças masculinas.

Cary não tinha pudor nenhum em aceitar o luxo e a conveniência oferecidos pela fortuna de Gideon. Ele ficou imediatamente à vontade nas instalações elegantes e moderníssimas do jatinho. Mesmo vestido de forma casual, parecia integrado àquele ambiente de aço polido e madeira nobre.

"Estou fazendo perfis nas redes sociais", respondi.

"Uau." Ele se sentou com uma elegância natural, numa postura surpreendentemente cautelosa. "É um grande passo."

"Pois é." Eu vivia me escondendo por causa de Nathan, com medo de que ele me encontrasse. "Mas está na hora. Sinto que... Enfim. Está na hora."

"Certo." Ele apoiou os cotovelos nos joelhos e juntou os dedos. "Então por que você está com essa cara de quem comeu e não gostou?"

"Bom, tem um monte de coisa que preciso levar em conta. Tipo, quanto de informação posso pôr aqui? Não preciso mais me preocupar com Nathan, mas as pessoas estão sempre de olho em Gideon."

Com os pensamentos voltados para ele, dei uma olhada em seu perfil, que aparecia com uma marquinha azul comprovando que era real. A visão de sua foto, em que ele aparece de terno preto e com a gravata azul que tanto adoro, fez meu corpo se contorcer de desejo. A foto tinha sido tirada no alto de um prédio em Manhattan, com o perfil da cidade desfocado e ele em destaque.

Gideon era ainda mais contagiante e cheio de vida pessoalmente. Olhei nos olhos dele, perdendo-me em seu azul quase sobrenatural. Seus cabelos pretos emolduravam seu rosto de anjo caído com suas mechas grossas, sedosas e escuras.

Poético? Sim. Mas o visual dele era capaz de inspirar sonetos inteiros. Isso sem falar no nosso casamento.

Quando a foto foi tirada? Antes de nos conhecermos? Ele estava com o olhar implacável e distante que o fazia parecer um sonho impossível.

"Casei", eu disse de uma vez, desviando os olhos do homem mais lindo que já tinha visto. "Com Gideon, claro. Com quem mais teria casado?"

Cary ficou paralisado enquanto eu tagarelava. "Como é?"

Enxuguei as mãos na legging. Era uma espécie de trapaça contar tudo quando ele estava dopado por causa do remédio, mas eu estava disposta a me aproveitar de qualquer vantagem que conseguisse. "Casamos no fim de semana passado, quando viajamos."

Cary ficou em silêncio por um longo e tenso minuto. Em seguida ficou de pé em um pulo. "Está de palhaçada comigo?"

Raúl virou a cabeça na nossa direção com movimentos lentos e tranquilos, mas seu olhar era atento e vigilante. Ele estava sentado em um canto, na dele, mas era impossível não notar sua presença.

"Por que tanta pressa?", esbravejou Cary.

"Sei lá, aconteceu." Eu não sabia explicar, porque também pensava que era cedo demais, mas Gideon era o único homem que eu seria capaz de amar daquela maneira. Quando pensei nisso, vi que ele tinha razão — nós só estávamos adiando o inevitável. E Gideon precisava da promessa de que eu seria para sempre sua. Meu marido incrível achava difícil acreditar que era amado. "E eu não me arrependo."

"Ainda." Cary passou as mãos pelos cabelos. "Cacete, Eva. Você não pode ir casando com o primeiro cara com quem tem um relacionamento sério."

"Não é isso", protestei, evitando olhar para Raúl. "Você sabe o que a gente sente um pelo outro."

"Claro. Mas vocês dois sozinhos já são malucos. Juntos então..."

Mostrei o dedo do meio para ele. "Vamos dar um jeito. Não é por causa de uma aliança que vamos desistir de melhorar."

Cary se sentou na poltrona à minha frente. "E que incentivo ele tem para melhorar? Já conseguiu o grande prêmio e pôs o nome no troféu. Agora você está presa em um mundo de sonhos doentios e mudanças de humor atordoantes."

"Espera aí", reclamei, incomodada com a dureza de suas palavras. "Você não ficou tão irritado assim quando contei que estava noiva."

"Porque pensei que fosse demorar no mínimo um ano para Monica organizar o casamento. Talvez até um ano e meio. Vocês iam ter um tempo para ver como ia ser morar juntos."

Deixei que ele falasse à vontade. Era melhor fazer isso a dez mil metros de altura do que em algum lugar público, com uma plateia inteira ouvindo.

Cary chegou mais perto de mim com seus olhos verdes implacáveis. "Eu vou ter um filho e não vou casar. Sabe por quê? Porque sei que sou perturbado demais. Não tenho que arrastar mais ninguém para essa vida. Se ele te amasse, pensaria mais em *você*, e no que é melhor para *você*."

"Que bom que você está feliz por mim, Cary. Fico muito contente."

Minhas palavras saíram carregadas de sarcasmo, mas isso não significava que não fossem sinceras à sua maneira. Eu tinha amigas para quem poderia ligar se quisesse ouvir que era uma mulher de sorte. Cary era meu melhor amigo porque sempre falava as coisas na lata, mesmo em situações em que era preciso maneirar.

Mas ele estava pensando só no lado obscuro da coisa. Não entendia que minha vida só ficou repleta depois que conheci Gideon. Que agora eu aceitava o fato de ser amada. E me sentia segura. Gideon tinha devolvido minha liberdade, eu não precisava mais viver com medo. Prometer ser fiel a ele e sua companheira era só uma forma de retribuição.

Voltei minha atenção para o seu perfil e vi que a postagem mais recente era sobre nosso noivado. Duvidava que ele tivesse postado aquilo pessoalmente, já que era ocupado demais para perder tempo com aquele tipo de coisa. Mas com certeza havia aprovado. Ele deixou bem claro que eu era importante o suficiente para ser a única informação de caráter pessoal a aparecer em seu perfil concentrado exclusivamente em negócios.

Gideon tinha orgulho de mim. Orgulho de ter casado comigo, uma louca com um histórico de péssimas escolhas. Não importava o que os outros pensavam. Quem tinha ganhado o grande prêmio e posto o nome no troféu era eu.

"Porra." Cary desabou na poltrona. "Agora você está fazendo eu me sentir um cuzão."

"Se a carapuça serve...", murmurei, clicando em um link para ver outras fotos de Gideon.

Foi um erro.

Todas as fotos de seu perfil eram relacionadas ao mundo dos negócios, mas aquelas em que ele tinha sido marcado não. Havia imagens dele ao lado de mulheres lindíssimas, que me atingiram como um soco no estômago.

Minha nossa, ele ficava lindo de smoking. Um moreno perigoso. Seu rosto era bonito e selvagem, suas feições e sua boca eram esculturais, e sua postura parecia até arrogante de tão confiante. Ele era um macho alfa no auge.

Eu sabia que aquelas fotos não eram recentes. E sabia que as mulheres que apareciam nelas não tinham conhecido em primeira mão as enlouquecedoras qualidades de Gideon na cama — ele tinha uma regra quanto a isso. Mas nada impediu o mal-estar que senti.

"Sou o último a saber?", perguntou Cary.

"É o único." Dei uma olhada para Raúl. "Pelo menos do meu lado. Gideon quer anunciar para o mundo todo, mas quero manter tudo sob sigilo."

Ele me observou atentamente. "Por quanto tempo?"

"Para sempre. Nosso próximo casamento vai ser o primeiro e único para o restante das pessoas."

"Está arrependida?"

Fiquei passada por Cary falar tudo aquilo sabendo que tinha alguém ouvindo. Eu vigiava cada movimento que fazia, porque sabia que estava sendo observada.

Não que a presença de Raúl tivesse alguma influência na sinceridade da minha resposta. "Não. Estou feliz por ter casado. Amo Gideon, Cary."

Eu estava feliz porque Gideon era meu. E tinha saudade dele. Principalmente depois de ter visto aquelas fotos.

"Eu sei que ama", Cary falou com um suspiro.

Incapaz de me conter, mandei uma mensagem do meu laptop para Gideon: **Estou com saudade.**

Ele respondeu quase imediatamente. **Manda o avião voltar.**

Abri um sorriso. Era uma reação típica dele. E não tinha nada a ver comigo. Desperdiçar combustível, o tempo dos pilotos... parecia loucura para mim. Mais que isso, seria uma prova de que me tornei absolutamente dependente de Gideon. Podia ser fatal para nosso relacionamento. Ele podia ter qualquer coisa, e qualquer uma, quando quisesse. Se eu me jogasse aos seus pés, nós dois perderíamos o respeito por mim. E eu perderia seu amor logo em seguida.

Voltei a fazer meu perfil e subi uma foto que tinha tirado com Gideon no celular, colocando como imagem de capa. Em seguida marquei Gideon e escrevi: *O amor da minha vida.*

Se era para ter fotos dele por ali, que pelo menos uma delas fosse comigo. Escolhi uma que era inegavelmente íntima. Estávamos deitados, com a cabeça colada, eu quase sem maquiagem e ele com um sorriso nos olhos. Era impossível que quem olhasse para aquela imagem não percebesse que tínhamos uma ligação profunda e que eu conhecia um lado dele que jamais se revelaria para o mundo.

De repente senti vontade de ligar para Gideon. Uma vontade tão forte que quase conseguia ouvir sua voz incrivelmente sexy, inebriante como a mais fina das bebidas, suave mas com um toque agressivo. Eu queria estar com ele, segurando sua mão, beijando seu pescoço e sentindo seu cheiro, que provocava uma reação primitiva de cobiça em mim.

Às vezes até me assustava com o quanto precisava dele, a ponto de abrir mão de qualquer coisa. Não havia pessoa no mundo com quem eu sentisse mais vontade de ficar, nem mesmo meu melhor amigo, que naquele momento precisava desesperadamente da minha companhia.

"Está tudo bem, Cary", garanti. "Não se preocupa."

"Eu ficaria ainda mais preocupado se achasse que você acredita no que está falando." Ele afastou a franja da testa com um movimento impaciente. "É cedo demais, Eva."

Fiz que sim com a cabeça. "Mas vai dar certo."

Precisava dar. Eu não conseguia imaginar minha vida sem Gideon.

Cary jogou a cabeça para trás e fechou os olhos. Poderia ser efeito do remédio, mas ele segurava o apoio para os braços da poltrona com força demais. Não digeriu a notícia muito bem. Eu não sabia o que dizer para tranquilizá-lo.

Chegou uma nova mensagem de Gideon: **Você ainda está indo na direção errada.**

Quase perguntei como ele sabia disso, mas deixei para lá. **Está se divertindo com seus amigos?**

Eu me divertiria mais com você.

Abri um sorriso. **Que bom.** Meus dedos fizeram uma pausa antes de acrescentar: **Contei pro Cary.**

Dessa vez a resposta não foi instantânea. **Continuam amigos?**

Ele ainda não me deserdou.

Gideon não respondeu, e eu disse a mim mesma para não me preocupar com isso. Ele estava com os amigos. Só por ter respondido eu já deveria me dar por satisfeita.

Mesmo assim, fiquei toda feliz quando recebi uma mensagem dele dez minutos depois.

Só não deixa de sentir saudade de mim.

Olhei para Cary, que estava me encarando. Os amigos de Gideon estariam tendo essa mesma reação?

Só não deixa de me amar, respondi.

Sua resposta foi simples e direta, como ele: **Fechado.**

"Califórnia, meu amor, eu estava com saudade." Cary desceu as escadas do avião olhando para o céu noturno. "Como é bom sair um pouco daquela umidade da Costa Leste."

Fui descendo atrás dele, ansiosa para chegar ao homem alto e imponente que nos esperava em um Suburban preto e reluzente. Victor Reyes era o tipo de homem que chamava a atenção. Em parte por ser policial, mas também por ser como era.

"Pai!" Saí correndo na direção dele, que desencostou do SUV e abriu os braços para mim.

Meu pai absorveu o impacto do meu corpo e me levantou do chão, abraçando-me com tanta força que eu mal conseguia respirar. "Que bom ver você, meu amor", ele disse.

Cary chegou até nós. Meu pai me pôs no chão.

"Cary." Meu pai apertou a mão de Cary, deu um abraço rápido nele e complementou com um tapinha nas costas. "Está bonitão, garoto."

"Eu me esforço."

"Já pegaram tudo?", meu pai perguntou. Olhou para Raúl, que tinha saído primeiro do avião e agora estava parado ao lado de um Mercedes preto estacionado.

Gideon tinha me dito para esquecer que Raúl estava lá, mas isso não era nada fácil.

"Já", respondeu Cary, ajeitando a mala no ombro. A minha, que era mais leve, ele carregava na mão. Mesmo com toda a minha maquiagem e três pares de sapato, Cary tinha trazido mais coisas que eu.

Eu adorava isso nele.

"Estão com fome?" Meu pai abriu a porta do passageiro para mim.

Eram pouco mais de nove horas na Califórnia, mas em Nova York já passava da meia-noite. Tarde demais para jantar, mas eu não me incomodaria de comer alguma coisa.

Cary respondeu antes mesmo de se sentar no banco de trás. "Morrendo."

Dei risada. "Você está sempre com fome."

"Você também, gata", ele rebateu, acomodando-se no meio do assento para poder se inclinar para a frente e participar da conversa. "A diferença é que não me sinto culpado por isso."

Nós nos afastamos do jatinho, que foi ficando cada vez menor. Dei uma olhada no meu pai, procurando algum sinal de opinião sobre o estilo de vida que eu teria como mulher de Gideon. Os jatinhos particulares. Os guarda-costas. Sabia o que ele pensava a respeito da riqueza de Stanton, meu padrasto. Estava torcendo para que pegasse mais leve com meu marido.

Ainda assim, eu sabia que essa mudança de rotina não era bem-vinda. Em outros tempos, desceríamos do avião e aproveitaríamos para ir até o Gaslamp para conseguir uma mesa no Dick's Last Resort, onde passaríamos uma hora ou mais dando risada, bebendo cerveja e comendo.

Havia uma tensão no ar que não existia antes. Nathan. Gideon. Minha mãe. Tudo isso pairava sobre nós.

Era péssimo. Muito mesmo.

"Que tal aquele lugar em Oceanside com cerveja escura e cascas de amendoim pelo chão?", sugeriu Cary.

"É." Eu me virei no assento para mostrar meu sorriso de gratidão para ele. "Seria divertido."

Um lugar informal e familiar. Era perfeito.

Deu para ver que meu pai também achava, porque abriu um sorrisinho quando olhei para ele. "Vamos lá."

Deixamos o aeroporto para trás. Peguei meu celular na bolsa e liguei para tentar conectá-lo ao som do carro, para poder colocar músicas que nos lembrassem de épocas menos complicadas.

As mensagens de texto apareceram tão depressa que logo encheram a tela.

A mais recente era de Brett. **Me liga quando estiver na cidade.**

E, bem nesse momento, "Golden" começou a tocar no rádio.

Eu estava subindo os degraus da varanda da casa do meu pai no dia seguinte quando meu celular começou a vibrar. Tirei o aparelho do bolso do short e senti uma pontada de alegria ao ver o rosto de Gideon surgir na tela.

"Bom dia", atendi, acomodando-me em uma das duas cadeiras de ferro fundido perto da porta. "Dormiu bem?"

"Até que não dormi mal." O adorado som de sua voz rouca produziu uma sensação deliciosa em mim. "Raúl falou que o café de Victor é capaz de acordar até um urso em hibernação."

Olhei para o Mercedes estacionado do outro lado da rua estreita. A película das janelas era tão escura que não dava para vê-lo lá dentro. Era meio assustador que Raúl já tivesse falado com Gideon a respeito do café que eu tinha levado antes mesmo de eu voltar para a casa. "Está tentando me intimidar mostrando que está me vigiando de perto?"

"Se eu quisesse intimidar você, não seria tão sutil."

Peguei a caneca de café que tinha deixado na mesinha antes de ir até Raúl. "Você sabe que esse seu tom de voz me irrita, né?"

"Você gosta de ser desafiada", ele respondeu, fazendo meus pelos se arrepiarem, apesar do tempo ensolarado e quente.

Abri um sorriso. "E então, o que vocês fizeram ontem à noite?"

"O de sempre. Bebemos. Enchemos o saco um do outro."

"Vocês saíram?"

"Só por algumas horinhas."

Apertei o telefone com força quando imaginei o grupo de bonitões à solta pela cidade. "Espero que tenha se divertido."

"Até que não foi ruim. Quais são seus planos para o dia?"

Notei na voz dele a mesma tensão que eu sentia. Infelizmente, o casamento não era a cura para o ciúme. "Quando Cary acordar e topar sair, vamos almoçar com meu pai. Depois vamos ver o dr. Travis."

"E à noite?"

Dei um gole no café, preparando-me para uma discussão. Sabia que ele estava preocupado com Brett. "O empresário da banda me mandou um e-mail dizendo onde retirar as entradas da ala VIP, mas decidi não ir ao show. Cary pode ir com outra pessoa, se estiver a fim. Não tenho muito a dizer, então posso falar com Brett amanhã, ou por telefone."

Ele bufou baixinho. "Espero que tenha uma boa ideia do que vai dizer."

"Vou simplificar as coisas. Com essa música circulando e a notícia do meu noivado, não é interessante que a gente seja visto em público. Espero manter a amizade e continuar em contato, mas por e-mail ou por mensagem é melhor, a não ser que você esteja comigo."

Ele ficou calado por tanto tempo que pensei que a ligação tivesse caído. "Gideon?"

"Preciso saber se você está com medo de se encontrar com ele."

Toda sem jeito, dei mais um gole no café. Já tinha esfriado, mas eu nem sentia o gosto. "Não quero brigar por causa de Brett."

"Sua solução é evitar o contato, então."

"Você e eu já temos motivos suficientes para brigar. Ele não vale o estresse."

Gideon ficou em silêncio de novo. Dessa vez esperei.

Quando ele voltou a falar, foi com um tom de voz confiante e definitivo. "Por mim tudo bem, Eva."

Meus ombros relaxaram, e alguma coisa dentro de mim se acalmou. Mas, paradoxalmente, senti um aperto no peito. Lembrei o que ele me falou uma vez: que aceitaria que eu amasse outro homem, desde que não o abandonasse.

Gideon me amava mais do que amava a si mesmo. Senti meu coração sangrar por causa disso. Não consegui me segurar.

"Você é tudo para mim", murmurei. "Penso em você o tempo todo."

"Comigo não é diferente."

"Sério?" Baixei ainda mais meu tom de voz, tentando manter a calma. "Porque o que sinto por você é muito forte. Eu fico... bom, com tesão. Sinto um desespero, uma *necessidade* de você. Minha cabeça entra em parafuso, e preciso de um tempo para me recuperar, não é fácil. Várias vezes quase larguei tudo o que estava fazendo para ir atrás de você."

"Eva..."

"Fico fantasiando entrar no meio de uma das suas reuniões e agarrar você. Já contei isso? Quando a vontade bate com muita força, quase consigo *sentir* você dentro de mim."

Ouvi um grunhido baixinho do outro lado da linha, e continuei: "Perco o fôlego toda vez que olho para você. Quando fecho os olhos, consigo ouvir sua voz. Acordei hoje de manhã quase em pânico por você estar tão longe. Daria *qualquer coisa* para ter você comigo. Queria chorar, porque sabia que não tinha como".

"Eva, por favor..."

"Se você vai se preocupar com alguma coisa, Gideon, que seja *comigo*. Porque não consigo ser racional quando o assunto é você. Sou louca por você. Literalmente. Não consigo pensar em um futuro sem você... fico apavorada."

"Puta merda. Você *nunca* vai ficar sem mim. Vamos envelhecer juntos. Morrer juntos. Não vou viver mais um único dia sem você."

Uma lágrima escorreu pelo canto do meu olho, e eu a enxuguei. "Preciso que você entenda que não pode se contentar em não me ter por inteiro. Não deveria estar se preocupando com isso, porque merece coisa muito melhor. Poderia ter qualquer uma..."

"Já chega!"

Tive um sobressalto com a aspereza de sua voz.

"Você nunca mais vai dizer isso para mim", ele esbravejou. "Ou, juro por Deus, meu anjo, vou castigar você."

Um silêncio de choque preencheu o espaço entre nós. As palavras que eu tinha dito ressoavam na minha mente, lembrando como eu era patética. Nunca quis ser dependente dele, mas era.

"Preciso ir", eu disse com a voz embargada.

"Não desliga. Pelo amor de Deus, Eva, somos *casados*. Estamos apaixonados um pelo outro. Isso não é vergonha nenhuma. E daí se é loucura? Somos nós. É assim que somos. Você precisa se acostumar com isso."

A porta de tela rangeu, e meu pai apareceu na varanda. Olhei para ele e disse: "Meu pai está aqui, Gideon. A gente se fala mais tarde".

"Você me faz feliz", ele falou, com o tom firme e profundo que usava quando estava anunciando uma decisão irrevogável. "Eu tinha esquecido como era essa sensação. Não desvaloriza o que significa para mim."

Nossa.

"Eu te amo." Encerrei a ligação e pus o celular sobre a mesa com a mão trêmula.

Meu pai sentou na outra cadeira com seu café. Estava usando bermuda e uma camiseta verde-oliva escura, mas estava descalço. Tinha feito a barba, e seus cabelos ainda estavam molhados, com as pontas ligeiramente enroladas secando ao vento.

Ele era meu pai, mas isso não me impedia de admirar o fato de que era lindo. Mantinha-se sempre em forma, e sua postura era naturalmente confiante. Dava para entender por que minha mãe não tinha conseguido resistir à tentação quando os dois se conheceram. E ainda não conseguia.

"Ouvi sua conversa", ele disse sem olhar para mim.

"Ah." Senti um frio na barriga. Já era ruim o suficiente ter desabafado com Gideon. Saber que meu pai tinha ouvido só tornava tudo ainda pior.

"Eu ia perguntar se você estava certa do que estava fazendo, ficando noiva em tão pouco tempo, e assim tão nova."

Puxei minhas pernas para cima da cadeira e as cruzei. "Imaginei que você fosse fazer isso."

"Mas agora acho que entendo como você se sente." Ele olhou para mim com seus olhos cinzentos e observadores. "Você se expressou muito melhor do que eu, quando isso ainda vinha ao caso. O máximo que consegui dizer foi um 'te amo', e não bastou."

Dava para ver que ele estava pensando na minha mãe. Não devia ser nada fácil para ele fazer isso olhando para mim, já que nós duas somos muito parecidas. "Gideon também acha que essas palavras não bastam."

Olhei para os dedos. Para a aliança que Gideon havia me dado para expressar seus sentimentos por mim, para a aliança que simbolizava seu comprometimento e era um tributo a uma época de seu passado em que se sentia amado. "Mas ele me mostra o que sente. O tempo todo."

"Conversei com ele algumas vezes." Meu pai fez uma pausa. "Preciso ficar me lembrando de que ele tem só vinte e poucos anos."

Isso me fez sorrir. "Ele é bem contido."

"E difícil de decifrar."

Meu sorriso se escancarou. "É um jogador de pôquer nato. Mas sempre cumpre o que diz."

Eu acreditava em Gideon sem hesitar. Ele sempre me dizia a verdade. O problema era o que preferia omitir.

"E quer casar com minha filha."

Encarei meu pai. "Você deu sua permissão."

"Gideon disse que sempre ia cuidar de você. Prometeu te manter segura e feliz." Meu pai olhou para a Mercedes estacionada do outro lado da rua. "Ainda não sei se acredito, apesar de ele ter mandado vigiar minha casa por sua causa. O fato de ter mentido sobre esperar para te pedir em casamento não ajudou."

"Ele não aguentou esperar, pai. Não fica remoendo isso. Gideon me ama demais."

Meu pai me encarou outra vez. "Você não parecia muito feliz conversando com ele."

"Não. Eu estava desesperada e insegura." Suspirei. "Sou louca por ele, mas odeio quando fico carente desse jeito. Nosso relacionamento precisa ter equilíbrio. Ser uma relação entre iguais."

"Essa é uma boa meta. Mantenha isso em mente. Ele também quer que seja assim?"

"Gideon quer que a gente fique junto. Em tudo. Mas tem uma reputação e um império, e eu quero vencer na vida por mim mesma. Não preciso construir um império, mas de uma reputação faço questão."

"Já conversou sobre isso com ele?"

"Ah, sim." Abri um sorriso. "Mas ele acha que a sra. Cross precisa fazer parte da Equipe Cross. E entendo o lado dele."

"É bom saber que você está pensando em tudo isso."

Meu pai fez uma pausa. "Mas?"

"Mas isso pode virar um problema sério, não?"

Adorava a maneira como meu pai me incentivava a refletir sem tentar me manipular ou me julgar. Ele sempre foi assim. "Sim. Acho que não chega a ser um impedimento, mas pode causar problema. Gideon não está acostumado a não conseguir o que quer."

"Então você vai fazer bem para ele."

"Ele também acha." Encolhi os ombros. "O problema não é Gideon. Sou eu. Ele sofreu um bocado na vida e acha que precisa lidar com as consequências sozinho. Não quero que se sinta assim. Quero que sinta que nós dois somos um só, e que estou aqui para dar todo o meu apoio. É uma mensagem difícil de passar considerando que faço questão de ter minha independência."

"Você é bem parecida comigo", ele disse com um leve sorriso, tão lindo que encheu meu coração de orgulho.

"Sei que vocês dois vão se dar bem. Ele é um bom sujeito, com um coração de ouro. Faria qualquer coisa por mim, pai." *Até mataria.*

Esse pensamento me deixou tonta. A possibilidade de que Gideon precisasse responder pela morte de Nathan ainda era bem real. Eu não podia permitir que nada acontecesse com ele.

"Ele vai me deixar pagar pelo casamento?" Meu pai deu risada. "Acho melhor perguntar o tipo de encrenca que vou arrumar com sua mãe fazendo isso."

"Pai..." Senti um aperto no peito outra vez. Depois de tudo o que discutimos sobre ele pagar minha faculdade, eu sabia que não adiantava dizer que não era preciso se endividar por minha causa. Era questão de honra, e ele era um homem orgulhoso. "Não sei o que dizer a não ser obrigada."

Ele abriu um sorriso de alívio, e nesse momento percebi que esperava encontrar resistência da minha parte também. "Tenho uns cinquenta mil. Sei que não é muito..."

Segurei sua mão. "É perfeito."

Já conseguia até ouvir minha mãe surtar. Eu me preocuparia com isso quando chegasse a hora.

A expressão no rosto do meu pai naquele momento fazia tudo valer a pena.

"Não mudou nada." Cary parou na calçada diante do antigo centro recreativo e tirou os óculos escuros. Seu olhar se dirigiu para a entrada do ginásio. "Estava com saudade daqui."

Segurei sua mão e entrelacei nossos dedos. "Eu também."

Fomos até lá e acenamos com a cabeça para o casal que estava fumando do lado de fora. Quando entramos, fomos recebidos pelos sons de um jogo de basquete. Dois times de três jogadores de cada lado disputavam uma partida de meia quadra, rindo e provocando um ao outro. Eu sabia por experiência própria que as atividades terapêuticas às vezes bastante heterodoxas do dr. Travis eram as únicas em que as pessoas se sentiam seguras e livres o bastante para rir.

Acenamos para os jogadores, que pararam para ver quem era, e em seguida fomos na direção da sala que ainda tinha a inscrição TREINADOR colada na porta. Estava entreaberta, e uma adorada figura descansava em uma cadeira surrada com os pés em cima da mesa. Jogava uma bola de tênis contra a parede e a apanhava de volta com habilidade, enquanto uma paciente que eu já conhecia fumava um cigarro eletrônico e falava sem parar.

"Minha nossa." Kyle se levantou correndo, abrindo a boca bonita e soltando uma nuvem de vapor. "Não sabia que vocês tinham voltado!"

Ela se lançou sobre Cary, mal me dando tempo de soltar sua mão.

O dr. Travis tirou as pernas da mesa e se levantou, abrindo um sorriso no rosto acolhedor. Estava vestido com sua habitual combinação de calça cáqui e camisa, deixando para as sandálias de couro nos pés e os brincos nas orelhas o toque pouco convencional. Seus cabelos castanho-claros estavam despenteados, e seus óculos de aro vermelho, caídos no nariz.

"Esperava que vocês fossem chegar depois das três", ele comentou.

"Em Nova York já são mais de três", respondeu Cary, desvencilhando-se de Kyle.

Eu desconfiava que Cary já tinha ido para a cama com aquela loirinha bonita, e que ela não tinha aceitado com a mesma facilidade que ele o fato de que a coisa não iria adiante.

O dr. Travis me deu um rápido abraço, e fez o mesmo com Cary. Vi meu amigo fechar os olhos e apoiar o rosto no ombro dele por um instante. Meus olhos se enchiam de lágrimas sempre que via Cary feliz. O dr. Travis era a figura mais próxima de um pai que ele tinha, e eu sabia o quanto o amava.

"Vocês dois estão cuidando um do outro lá na Big Apple?"

"Claro", respondi.

Cary apontou para mim. "Ela vai casar. E eu vou ter um filho."

Kyle soltou um suspiro de susto.

Dei um cutucão com o cotovelo nas costelas de Cary.

"Ai", ele reclamou, esfregando a lateral do corpo.

O dr. Travis piscou algumas vezes. "Parabéns. Vocês não perderam tempo."

"Eu que o diga", murmurou Kyle. "Quanto tempo faz? Um mês?"

"Kyle." O dr. Travis ajeitou a cadeira atrás da mesa. "Você nos dá um minutinho?"

Ela soltou uma risadinha de deboche e foi até a porta. "Você é bom, doutor, mas acho que vai precisar de bem mais que isso."

"Então você está noiva." Kyle deu mais uma tragada no cigarro eletrônico, sem tirar os olhos de Cary, que jogava com o dr. Travis, tentando enterrar a bola. Estávamos sentadas na antepenúltima fileira das arquibancadas desgastadas, a uma distância suficiente para que não ouvíssemos a sessão de terapia que se desenrolava na quadra.

Cary ficava inquieto quando se abria, e o dr. Travis logo entendeu que mantê-lo fisicamente ativo era uma boa forma de fazê-lo falar.

Kyle me olhou. "Sempre pensei que vocês dois fossem acabar juntos."

Dei risada e sacudi a cabeça. "As coisas não são assim. Nunca foram."

Ela encolheu os ombros. Seus olhos tinham a cor do céu de San Diego, marcada pelo delineador de um azul bem vivo. "Você conhece faz tempo esse cara com quem vai casar?"

"Tempo suficiente."

O dr. Travis acertou um arremesso da zona morta e bagunçou os cabelos de Cary de brincadeira. Pela maneira como me olhou, vi que tinha chegado minha vez.

Fiquei de pé e comecei a me alongar. "Mais tarde a gente se fala", eu disse para Kyle.

"Boa sorte."

Contorci a boca e desci as escadas para ir até o dr. Travis.

Ele era mais ou menos da altura de Gideon, então parei no último degrau para um breve momento de contato visual. "Já pensou em mudar para Nova York, doutor?"

Ele abriu seu sorriso torto. "Já pago impostos suficientes na Califórnia."

Soltei um suspiro dramático. "Não custa tentar."

Ele pôs a mão no meu ombro quando desci para a quadra. "Cary também tentou. Fico honrado."

Fomos até sua sala. Fechei a porta enquanto ele abria uma cadeira de metal, sentando com as pernas abertas e os braços apoiados. Era uma de suas manias. Ele só ficava atrás da mesa quando estava descansando — quando o assunto era trabalho, sua postura era outra.

"Me conta sobre o noivo", ele falou, enquanto eu me acomodava no lugar de sempre, o sofá de vinil verde remendado com fita isolante e decorado com a assinatura de pacientes.

"Qual é?", eu disse. "Nós dois sabemos que Cary já contou tudo."

Cary sempre iniciava suas sessões falando de mim e da minha vida. Isso quebrava o gelo para falar de si mesmo.

"E eu já sei quem é Gideon Cross." O dr. Travis batucava com o pé no chão de uma forma que não o fazia parecer inquieto ou impaciente. "Mas quero ouvir a respeito do homem com quem você vai se casar."

Pensei por um minuto na minha resposta, e ele permaneceu em silêncio, sem me apressar, apenas observando. "Gideon é... Ele é tantas coisas. É complicado. Temos muito para resolver, mas vamos chegar lá. Meu problema mais urgente é o que sinto pelo cantor com que eu... saía."

"Brett Kline?"

"Você lembra o nome dele."

"Foi Cary quem me lembrou, mas me recordo de conversar com você sobre ele."

"Pois é." Olhei para minha deslumbrante aliança, remexendo-a no dedo. "Sou muito apaixonada pelo Gideon. Ele mudou minha vida de diversas formas. Faz com que eu me sinta linda e valorizada. Sei que parece muito cedo para dizer isso, mas acho que ele é perfeito para mim."

O dr. Travis sorriu. "Com minha esposa foi amor à primeira vista. Ainda estávamos na escola, mas eu sabia que era com ela que ia casar."

Meu olhar se voltou para as fotos da mulher dele em cima da mesa. Havia uma em que ela era bem jovem, ao lado de outra mais recente. O consultório era uma bagunça de papéis, equipamentos esportivos, livros e pôsteres antigos de atletas já falecidos, mas as molduras e os vidros que protegiam as fotos estavam impecáveis.

"Não entendo por que Brett ainda tem algum efeito sobre mim. Não quero nada com ele. Não me vejo com ninguém além de Gideon. Nem em termos de sexo. Mas não consigo ser indiferente a Brett."

"E por que deveria ser?", ele questionou. "Brett fez parte da sua vida em um momento crucial, e o fim dessa relação provocou uma espécie de epifania em você."

"Meu... interesse — essa não é a palavra certa — não parece ser nostálgico."

"Não, claro que não. Eu diria que você está arrependida de alguma forma. Analisando possibilidades. Era uma relação altamente sexualizada, então ainda pode haver alguma atração física, mesmo sabendo que não é isso que você quer para sua vida."

Tive quase certeza de que ele estava certo quanto a isso.

Seus dedos começaram a batucar na cadeira. "Você disse que seu noivo é uma pessoa complicada, e que vocês têm algumas coisas para resolver. Com Brett era bem simples. Você sabia o que gostava de fazer com ele. Nos últimos meses, você mudou de cidade, foi morar mais perto da sua mãe, ficou noiva. De vez em quando, pode bater um desejo de que as coisas sejam mais simples."

Fiquei olhando para ele enquanto absorvia suas palavras. "Como consegue me fazer entender tudo assim tão fácil?"

"É a prática."

"Não quero estragar tudo com Gideon", o medo me obrigou a dizer.

"Você tem alguém com quem conversar em Nova York?"

"Fazemos terapia de casal."

O dr. Travis balançou a cabeça. "Isso é bom. Ele também está disposto a melhorar. Ele sabe?"

Sobre Nathan? "Sim."

"Estou orgulhoso de você, mocinha."

"Vou evitar o contato com Brett, mas fico me perguntando se não estou fugindo da raiz do problema. Um alcoólatra que não bebe continua sendo alcoólatra. O problema ainda existe, só está sendo evitado."

"Não é bem assim, mas é interessante essa analogia da dependência. Você tem uma tendência ao comportamento autodestrutivo no que diz respeito a homens. Isso acontece com muitas pessoas com seu histórico, então não se trata de algo inesperado, e já lidamos com isso antes."

"Eu sei." Era por isso que sentia tanto medo de me perder em Gideon.

"Tem algumas coisas que precisam ser levadas em conta", o dr. Travis continuou. "Você está noiva de um homem que, pelo menos na aparência, é do tipo que sua mãe gostaria. Considerando como se sente em relação à dependência da sua mãe dos maridos, pode haver alguma resistência."

Franzi o nariz.

Ele balançou o dedo para mim. "É uma possibilidade. A outra é que você sinta que não merece o que encontrou nele."

Meu estômago se revirou. "E eu mereço Brett?"

"Eva." Ele abriu um sorriso gentil. "Se está me perguntando isso... descobrimos o problema."

5

"Nem reconheci você sem o terno e a gravata", disse Sam Yimara quando me sentei diante dele. Era um sujeito compacto, com bem menos de um metro e oitenta, mas musculoso. Sua cabeça era raspada e tatuada, e ele tinha alargadores nas orelhas.

O Pete's 69th Street Bar não ficava na rua 69, então não tinha ideia de onde viera o nome. Sabia que o nome da banda Six-Ninths vinha daquele local, porque tocaram lá durante alguns anos. Também sabia que o banheiro dos fundos era um dos lugares onde Brett Kline comia minha mulher.

Só por isso, ele já merecia levar uma boa surra. Ela era digna de palácios e ilhas particulares, e não banheiros imundos de bar.

O Pete's não chegava a ser uma espelunca, mas também não tinha nenhuma classe. Era só um bar de praia mal iluminado e ponto de encontro dos estudantes da SDSU, que iam beber ali até esquecer o que tinham feito e com quem tinham trepado.

Depois que eu mandar demolir o lugar, eles vão esquecer também que um bar tinha existido ali.

A escolha do local foi deliberada e brilhante por parte de Yimara. O bar me deixava com os nervos à flor da pele e mostrava bem o que estava em risco. Se minha decisão de aparecer sozinho e de calça jeans e camiseta o surpreendeu, então eu podia considerar que tinha me saído bem.

Eu me recostei no assento, observando-o com atenção. Havia alguns clientes no bar, a maioria do lado de fora. Apenas algumas pessoas estavam no interior decorado com tema praiano. "Decidiu aceitar a oferta?"

"Pensei a respeito." Ele cruzou as pernas e se inclinou para apoiar o braço. Não era inteligente o bastante para ser cauteloso e estava confiante demais. "Mas, considerando que quem sugeriu o valor foi você, pensei que a privacidade de Eva valesse mais que um milhão de dólares."

Sorri por dentro. "A paz de espírito de Eva não tem preço. Mas, se está pensando que vou subir a oferta, está delirando. Você ainda vai ser processado. E existe um detalhe muito importante nessa história, que é o fato de Eva ter sido filmada sem saber, o que torna o caso muito diferente de um vídeo gravado de comum acordo que vem a público."

Ele cerrou os dentes. “Pensei que você quisesse manter o caso em sigilo, e não ir para o tribunal. Eva só ia se expor com um processo. Já conversei com Brett, e acertamos tudo.”

Meus ombros ficaram tensos. “Ele viu a filmagem?”

“Está tudo com ele.” Sam enfiou a mão no bolso e sacou um pen drive. “Aqui tem uma cópia para a Eva. Achei que você fosse querer ver pelo que está pagando.”

A ideia de Kline vendo esse tipo de imagem de Eva fez a raiva se espalhar pelo meu corpo. Só o fato de ele ter lembranças com ela já era quase insuportável. Um registro em vídeo era inaceitável.

Segurei o pen drive com força. “Vão descobrir que essa filmagem existe, isso eu não posso impedir. Você conversou com um monte de jornalistas enquanto tentava vender o vídeo. O que posso fazer é destruir você. É minha opção preferida também. Quero ver você cair, seu merdinha.”

Sam se remexeu no assento.

Eu me inclinei para a frente. “Você não pegou só Eva e Kline com sua câmera indiscreta. Filmou um monte de outras vítimas sem consentimento. Sou o dono deste bar. Porra, sou o dono da banda. Não preciso me esforçar muito para encontrar clientes e fãs do Six-Ninths que foram filmados ilegalmente no banheiro.”

O último traço de pretensão em seu rosto desapareceu completamente.

“Se você fosse esperto”, continuei, “teria tentado conseguir alguma coisa no longo prazo, não só um ganho imediato. Em vez disso, vai assinar o contrato que vou pôr na sua frente e sair daqui com um cheque de duzentos e cinquenta mil.”

Ele se empertigou todo. “Nem fodendo! Você disse um milhão. O acordo foi esse.”

“Mas você não aceitou.” Levantei. “E a oferta não está mais de pé. Se demorar muito para decidir, esta também não vai mais estar. Vou simplesmente jogar você na cadeia. Pelo menos posso dizer para Eva que tentei.”

Enquanto saía, enfiei o pen drive no bolso, e o incômodo provocado foi imediato. Troquei um olhar com Arash quando passei pelo banquinho no balcão onde ele estava sentado à espera da deixa para entrar em ação.

Ele se levantou. “É sempre um prazer ver você fazer alguém cagar na calça”, Arash falou antes de ir para o lugar de onde saí com o contrato e o cheque na mão.

Saí do bar escuro para o sol de San Diego. Eva não queria que eu visse aquele vídeo. Ela me fez prometer. Eu não veria.

Mas minha mulher ainda tinha sentimentos por Kline. Ele permanecia uma ameaça. Ver os dois juntos talvez me oferecesse a informação de que precisava para combatê-lo.

Ela teria se entregado sexualmente a ele da mesma forma que para mim? Sentia o mesmo desespero e desejo por ele? Gozava com ele da mesma maneira que comigo?

Fechei os olhos com força para afastar esses pensamentos, mas não consegui me livrar deles.

Relembrando minha promessa, atravessei o estacionamento na direção do carro alugado.

É idiotice minha estar tão empolgada em ser sua "amiga" quanto em ser sua mulher?

Ri por dentro ao ler e responder a mensagem de Eva. **Estou mais empolgado em ser seu amante do que seu marido.**

Tarado.

Isso me fez rir em voz alta.

"Que barulho foi esse?" Arash me olhou por cima da tela do tablet, esparramado no sofá da minha suíte de hotel. "Isso foi uma risada, Cross? Sério que você está rindo? Ou foi um derrame?"

Mostrei o dedo do meio para ele.

"Fala sério", ele respondeu. "Dedo do meio?"

"A Eva diz que é um clássico."

"Em uma garota como Eva tudo fica bem. Em você não."

Abri outra janela e entrei em um dos meus perfis nas redes sociais, adicionando o status *Noivo de* ao nome de Eva, agora que éramos "amigos". Enquanto esperava sua confirmação, entrei em seu perfil e abri outro sorriso ao ver sua imagem de capa. Ela estava se revelando ao mundo pela primeira vez, e como minha esposa.

Mandei uma mensagem quando Eva confirmou o status. **Agora você é as duas coisas.**

Estou mantendo minha parte do acordo.

Meu olhar se moveu da janela de mensagens para a foto em seu perfil. Passei a mão em seu rosto com a ponta dos dedos, controlando-me para não sair correndo para vê-la. Era cedo demais. Ela precisava de todo o espaço que eu fosse capaz de proporcionar.

Eu tb, anjo.

O teatro não era imenso, mas também não era pequeno, nem muito difícil de encher. Era melhor para o Six-Ninths anunciar que os ingressos estavam esgotados do que correr o risco de ter assentos vazios em sua cidade de origem. Christopher devia ter pensado nisso.

Meu irmão era bom no que fazia. Mas eu tinha aprendido que não devia falar isso para ele. Só o tornaria um cretino ainda maior.

Enquanto a plateia esvaziava, tomei o caminho dos bastidores. Não era minha praia, apesar do acesso privilegiado que tinha como acionista principal da Vidal Records. Kline definitivamente estaria mais em casa que eu.

Não podia esperar até a manhã seguinte, apesar de saber que era melhor. Ele estaria exausto, e provavelmente de ressaca. A vantagem então seria *minha*.

Eu não podia esperar tanto. Ele estava com o vídeo. Já tinha visto pelo menos uma vez. Talvez até mais. Não conseguia nem cogitar a hipótese de que o visse de novo. Arrancar aquilo das mãos dele era prioridade.

E queria que Kline soubesse que eu estava por perto antes que encontrasse Eva. Estava marcando meu território, por assim dizer, e escolhi fazer isso vestindo a calça e a camiseta com que me encontrei com Yimara. Tudo o que dizia respeito a Eva era assunto pessoal, não negócios, e eu queria que isso ficasse bem claro para Kline assim que pusesse os olhos em mim.

Passei pelo palco e entrei no caos. Havia um monte de mulheres drogadas ou bêbadas amontoadas no corredor estreito. Dezenas de homens tatuados e perfurados de piercing desmontavam e embalavam equipamentos, uma tarefa que executavam com eficiência e precisão. Música pesada emanava de alto-falantes ocultos, em conflito com sons que escapavam dos camarins individuais. Abri caminho pelo pandemônio à procura de cabelos espetados e descoloridos.

Uma figura loira dolorosamente familiar saiu por uma porta aberta alguns metros à frente, com os cabelos caídos sobre os ombros, um corpo cheio de curvas e uma bela bunda.

Desacelerei o passo. Meu coração disparou. Kline apareceu logo em seguida, com uma cerveja em uma mão e a outra estendida para ela, que a segurou e o puxou pelo corredor.

Eu conhecia a delicadeza daquela mão, a maciez da pele. A firmeza da pegada. Já tinha sentido aquelas unhas cravadas nas minhas costas, e aqueles dedos agarrando meus cabelos enquanto ela gozava com a boca colada à minha. A eletricidade do toque. O instinto primitivo que despertava.

Fiquei paralisado, com um nó no estômago. Ela estava perto demais de Kline. Seu ombro quase roçava a parede. Ela remexia os quadris provocativamente, e seus dedos passeavam de forma sugestiva pela barriga de Kline. Ele abriu um sorrisinho presunçoso e malicioso, passando a mão em seu braço em um movimento de pura intimidade.

Qualquer um que os visse juntos acharia que eram amantes.

A fúria tomou conta de mim. Comecei a irradiar uma escuridão doentia.

Dor. No fundo da alma. Perdi o fôlego e o controle.

Um braço de mulher me agarrou pelo ombro. Ela enfiou uma mão dentro da minha camiseta para tocar meu peito, enquanto com a outra pegava meu pau. O cheiro de perfume invadiu minhas narinas, e eu me livrei do toque de forma abrupta enquanto uma morena magra e alta com olhos azuis carregados de maquiagem tentava me agarrar pela frente.

"Cai fora!", grunhi, olhando feio para as duas, que recuaram e me chamaram de babaca.

Em outros tempos, eu teria comido as duas, transformando a sensação de ser caçado em uma situação de controle total.

Depois de Hugh, aprendi a lidar com predadores sexuais. A colocá-los em seu devido lugar.

Fui seguindo em frente, abrindo caminho aos empurrões, lembrando da sensação do meu punho fechado atingindo o queixo de Kline. Da firmeza e resistência de seu tronco. Do som do ar sendo expulso de seu corpo quando bati nele com toda a força.

Queria vê-lo estatelado no chão. Ensanguentado. Destruído.

Kline se inclinou na direção dela, falando em seu ouvido. Minhas mãos se fecharam. Ela jogou a cabeça para trás e deu risada, e eu detive meus passos, assustado e confuso. Apesar do barulho ao redor, aquele som não era o que eu esperava ouvir.

A risada não era de Eva.

Era aguda demais. A risada da minha mulher era grave e sexy. Totalmente única, como a pessoa a quem pertencia.

Ela virou a cabeça e eu a vi de perfil. Não era Eva. O corpo e os cabelos eram parecidos. O rosto não.

Que porra é essa?

Minha mente se deu conta do que estava acontecendo. Era a garota do clipe de "Golden". A dublê de Eva.

Os roadies e as groupies mantinham uma atividade frenética ao meu redor, mas meus olhos permaneciam fixos no local onde Kline acariciava e seduzia uma imitação mal arranjada da minha incomparável esposa.

Meu telefone vibrou no bolso, provocando-me um sobressalto. Soltei um palavrão e peguei o aparelho. Era uma mensagem de Raúl. **Ela acabou de entrar.**

Então ela mudou de ideia sobre o encontro com Kline. Manipulando a situação a meu favor, digitei a resposta: **Para o corredor à esquerda do palco. Agora.**

Certo.

Eu me encostei na parede e me escondi atrás de caixotes empilhados em carrinhos de mão. Os minutos passaram devagar.

Pressenti sua presença antes de vê-la, experimentando com toda a força o frenesi do reconhecimento. Quando virei a cabeça, eu a encontrei facilmente. Ao contrário da impostora, que usava um vestidinho curto, Eva estava com uma calça jeans que revelava todas as suas curvas, uma blusinha cinza básica, uma sandália de salto alto e brincos de argola. Um visual informal.

O desejo me sacudiu com uma força brutal. Ela era a mulher mais linda que eu já tinha visto, e com certeza a mais sexy de todo o mundo. As outras envergavam o pescoço quando Eva passava, invejando sua beleza e sensualidade naturais. Os homens a olhavam com um interesse intenso, mas ela parecia nem reparar. Sua atenção estava voltada para Kline.

Eva estreitou os olhos ao contemplar a mesma cena que eu tinha visto pouco antes. Observei enquanto avaliava a situação, e percebi quando chegou à mesma conclusão que eu. Uma infinidade de emoções transpareceu em seu rosto. Devia ser estranho para Eva ver um antigo amante tentando reviver de forma tão desesperada um momento que experimentou com ela.

Para mim, aquilo era inconcebível. Se eu não pudesse ter Eva, não queria ter mais ninguém.

Ela jogou os ombros para trás e ergueu o queixo. Em seguida, um sorriso apareceu em seu rosto. Sua expressão era compreensiva, pacífica. Tinha descoberto o que precisava.

Eva passou por mim sem me ver, mas Raúl veio falar comigo.

"Que estranho", ele comentou, com a atenção voltada para Kline quando viu minha esposa e ficou visivelmente tenso.

"É perfeito", respondi quando Eva o cumprimentou estendendo a mão esquerda para ele. A aliança em seu dedo reluzia, era impossível não notá-la. "Me mantenha informado."

Fui embora.

Senti meus músculos queimarem depois da octogésima flexão de braço, com os olhos voltados para o pen drive caído no tapete diante de mim. A maneira como lidei com Yimara e Kline fora eficiente, mas não satisfatória. Eu ainda estava tenso e agitado, louco por uma briga.

Meus olhos arderam quando o suor escorreu da minha testa. Meu peito ofegava de cansaço. Saber que Eva tinha saído com Cary e alguns amigos da

Califórnia só me deixou ainda mais tenso. Eu sabia o quanto ela ficava atiçada quando bebia e dançava. E adorava comê-la quando estava toda suada, molhadinha e cheia de tesão.

Minha nossa. Meu pau ficou ainda mais duro e começou a latejar. Meus braços tremiam, à beira da fadiga muscular. As veias dos antebraços e das mãos estavam saltadas. Eu precisava de um banho frio, mas não podia me masturbar. Tinha que guardar tudo para Eva. Cada gota.

Meu laptop apitou, e eu diminuí o ritmo, chegando à centésima flexão antes de me levantar. Peguei o pen drive, atirei sobre a mesa e peguei a toalha pendurada no encosto da cadeira. Enxuguei o rosto antes de abrir a janela de mensagens na tela, porque esperava encontrar informações atualizadas sobre a noite de Eva. Em vez disso, dei de cara com uma mensagem dela.

Em que quarto você está?

Fiquei olhando para a tela por um momento, sem entender a pergunta. Outro apito anunciou a chegada de uma mensagem de Raúl: **Ela está indo pro seu hotel.**

O ímpeto da malhação se voltou para a expectativa de ver minha inteligente e deliciosa esposa: **4269.**

Tirei o telefone do gancho e liguei para o serviço de quarto. "Uma garrafa de Cristal", pedi. "Duas taças, morangos e chantili. Em dez minutos. Obrigado."

Pus o telefone de volta e joguei a toalha sobre o pescoço. Uma rápida olhada no relógio revelou que eram duas da manhã.

Quando a campainha tocou, desliguei todas as luzes e abri a cortina que escondia a visão do mar iluminado pelo luar.

Abri a porta e encontrei Eva e o serviço de quarto à minha espera. Vestida como a tinha visto, ela parecia uma menina levada, o que renovou minha ereção imediatamente. Seus cabelos estavam úmidos e seu rosto brilhava, com a maquiagem um pouco desfeita. Ela cheirava a álcool e suor.

Se o rapaz do serviço de quarto não estivesse logo atrás dela, eu teria pulado sobre Eva antes mesmo que se desse conta do que estava acontecendo.

"Puta que pariu", ela murmurou, olhando-me dos pés à cabeça.

Baixei os olhos. Ainda estava superaquecido, com a pele coberta de suor. Minha calça estava molhada, chamando a atenção para a ereção que não fiz questão nenhuma de esconder. "Desculpa, você me pegou no meio da malhação."

"O que você está fazendo em San Diego?", ela perguntou, ainda no corredor.

Dei um passo atrás e fiz sinal para que entrasse.

Eva não se moveu. "Não vou ser atraída para sua loucura de deus do sexo antes que você me responda."

"Estou aqui a negócios."

"Porra nenhuma." Ela cruzou os braços.

Eu a peguei pelo cotovelo e a puxei para dentro. "Posso provar."

O rapaz empurrou o carrinho com meu pedido atrás dela.

"Você está otimista demais", ela murmurou, olhando o pedido enquanto eu assinava o recibo.

Esperei o rapaz sair, fui até o telefone ao lado do sofá e liguei para o quarto de Arash.

"Está falando sério?", ele atendeu, com a voz grogue. "Tem gente que precisa dormir, Cross."

"Minha esposa quer falar com você."

"Quê?" Ouvi os lençóis se remexendo. "Onde você está?"

"No meu quarto." Entreguei o fone para Eva. "É meu advogado."

"Você está louco?", ela perguntou. "São cinco horas da manhã em Nova York! E é domingo!"

"Ele está no quarto ao lado. Pega o telefone. Pergunta se eu vim para cá a trabalho."

Ela veio até mim e arrancou o aparelho da minha mão. "Acho melhor você procurar outro emprego", Eva disse para ele. "Seu chefe é maluco."

Ele respondeu, e ela soltou um suspiro. "Antes." Ela olhou para mim. "Sorte dele que é bonitão. Ainda assim, precisa consultar um psiquiatra. Desculpa ter te acordado. Pode voltar a dormir."

Eva me entregou o telefone. Eu o peguei e pus na orelha. "Como ela disse, pode voltar a dormir."

"Gosto dela. Não facilita as coisas para você."

Dei uma boa olhada para Eva. "Também gosto. Boa noite."

Desliguei e estendi as mãos em sua direção.

Eva deu um passo atrás, evitando o contato. "Por que não me contou que estava aqui?"

"Não queria atrapalhar seus planos."

"Não confia em mim?"

Levantei as sobrancelhas. "Olha só quem fala, a mulher que rastreou meu telefone."

"Só queria saber se você estava na cobertura!" Ela fez um biquinho quando a encarei. "E... estava com saudade."

"Estou bem aqui, meu anjo." Abri os braços para ela. "Pode vir me pegar."

Ela torceu o nariz. "Preciso tomar banho. Estou fedendo."

"Nós dois estamos suados." Fui até ela, que dessa vez não recuou. "E adoro seu cheiro. Você sabe disso."

Pus as mãos em sua cintura e fui subindo para acariciar as costelas delicadas, logo abaixo dos peitos volumosos. Toquei neles por cima da roupa, sentindo seu peso, apertando de leve.

Nunca tive fetiche por uma parte do corpo feminino em particular até conhecer Eva. Eu idolatrava cada centímetro de seu corpo, adorava suas curvas generosas.

Passei os polegares por cima dos mamilos, sentindo-os enrijecer. "Eu adoro sentir você."

Baixando a cabeça, passei a boca em seu pescoço, roçando nela meus cabelos molhados.

Eva resmungou. "Isso não é justo. Você aí todo sarado e suado, não tenho como resistir."

"Nem precisa." Enfiei as mãos sob a blusa e abri o sutiã. "Me deixa ter você, Eva."

Respirei fundo quando ela enfiou a mão na minha calça e pegou meu pau.

"Hum", ela murmurou. "Olha o que eu achei."

"Meu anjo." Apertei sua bunda. "Me diz que vai querer exatamente o que estou a fim de fazer com você."

Ela me encarou com os olhos semicerrados. "E o que seria?"

"Bem aqui. No chão. Com a calça enroscada em um tornozelo, a blusa puxada para cima, a calcinha de ladinho. Quero meu pau dentro de você, te enchendo de porra." Passei a língua pela veia pulsante em seu pescoço. "Posso cuidar de você quando formos para a cama, mas agora... quero só usar seu corpo."

Ela estremeceu. "Gideon."

Passando um braço por trás de suas coxas, arranquei seus pés do chão e a deitei com cuidado no carpete. Minha boca encontrou a dela, quente e úmida, e sua língua acariciou a minha. Seus braços envolveram meu pescoço, tentando me abraçar. Eu permiti, montando sobre ela e abrindo sua calça.

Sua barriga era lisinha e macia, e ela se encolheu com uma risadinha quando meus dedos roçaram seu corpo. Esse acesso de cócegas me fez sorrir enquanto nos beijávamos, e a alegria que invadiu meu peito foi tamanha que me senti pequeno demais para contê-la.

"Você vai ficar comigo", eu disse. "Acordar comigo."

"Vou." Ela ergueu os quadris para me ajudar a abaixar sua calça.

Tirei uma das pernas e deixei a outra enroscada, afastando suas coxas com as mãos para poder vê-la. A calcinha saiu do lugar quando tirei a calça justa dela, e estava exatamente como eu queria.

Ela era minha esposa. Minha posse mais valiosa. Eu a idolatrava. Mas também gostava de vê-la toda putinha e safada. Como um objeto pessoal para meu prazer. A única mulher capaz de silenciar minhas lembranças e me libertar.

"Meu anjo." Fui deslizando para baixo, com a boca salivando de expectativa para sentir seu gostinho.

"Não", ela protestou, cobrindo-se com as mãos.

Segurei seus pulsos ao lado do corpo e olhei feio para ela.

"Quero você assim mesmo."

"Gideon..."

Dei uma lambida por cima da seda, e ela arqueou com um gemido, cravando os calcanhares no carpete e elevando a boceta na direção da minha boca. Puxei a calcinha mais de lado com os dentes e descobri sua pele inacreditavelmente macia. Soltei um grunhido áspero, e meu pau começou a doer de tão duro.

Envolvendo seu clitóris com os lábios, eu a chupei e lambi. Ela ficou tensa. Soltei sua mão, ciente de que agora era minha, incapaz de resistir.

"Ah", ela murmurou, estremecendo. "Sua boca..."

Abrindo ainda mais suas pernas com os ombros, enfiei a língua nela para fazê-la gozar. Seus dedos agarraram meus cabelos, puxando-os dolorosamente pela raiz, guiando-me até chegar ao clímax com um grito exaltado. Ela ficou mais quente e mais molhada.

Esfregando seu clitóris, enfiei dois dedos dentro dela, arrastando meus quadris no chão ao sentir sua maciez e seu aperto. Meu pau ansiava para sentir seu calor, sabendo como era incrível a contração que ela proporcionava.

"Por favor", implorou Eva, remexendo os quadris contra meus dedos, precisando do meu pau deslizando para dentro dela.

Eu queria foder. E gozar. Não porque precisava trepar, mas porque precisava *dela*.

Seu corpo se contorceu e enrijeceu com mais um orgasmo, e ela arqueou o pescoço quando gritou.

Limpando a boca em sua coxa, fiquei de joelhos e abaixei a calça. Pus uma das mãos no chão e usei a outra para direcionar meu pau, roçando a cabeça latejante nela. Meti com força, usando todo o peso do meu corpo para impulsionar o movimento, penetrando sua boceta apertada com um grunhido.

"*Gideon.*"

"Minha nossa." Esfreguei minha testa suada em seu rosto, querendo que seu cheiro se misturasse ao meu. Suas unhas estavam em minhas costas, cravadas fundo. Queria que ela me marcasse, que ela me ferisse.

Agarrando sua bunda, eu a suspendi, deixando-a inclinada, e cravei os pés no chão para conseguir todo o impulso de que precisava para entrar até o fim. Eva perdeu o fôlego e remexeu os quadris, ajeitando-se para me receber.

"Se abre para mim", sussurrei por entre os dentes cerrados, resistindo à vontade de gozar antes que ela recebesse todo o meu pau. "Me deixa entrar."

A boceta dela se contraiu, sugando-me. Segurei seus ombros no chão para mantê-la imóvel enquanto investia contra ela, que cedeu, deixando-me fazer o que quisesse.

A sensação de tê-la envolvendo meu pau por inteiro era tudo de que eu precisava. Envolvendo seu corpo com o meu, eu a abracei, beijando-a com força, e gozei com uma violência que fez meus braços tremerem.

O vapor dominava o ambiente ao redor quando abracei Eva dentro da banheira gigantesca da suíte. Seus cabelos molhados estavam caídos sobre meu peito, e seus braços estavam apoiados nos meus, que a enlaçavam pela cintura.

"Garotão."

"Sim?" Dei um beijo em sua cabeça.

"Se não estivéssemos mais juntos — não que isso vá acontecer, é só uma pergunta hipotética —, você iria para a cama com alguém parecida comigo? Quer dizer, sei que não sou seu tipo, mas você procuraria alguém com uma aparência que lembrasse a minha para fingir que está comigo?"

"Não vou pensar em uma situação que nunca vai acontecer."

"Gideon." Ela se inclinou para o lado, erguendo a cabeça para me olhar. "Eu entendo. Me perguntei se conseguiria algum consolo ficando com alguém parecido com você. De repente, se ele for moreno e tiver um cabelo parecido com o seu..."

Eu a apertei com mais força. "Eva. Não venha me falar das suas fantasias com outros homens."

"Como sempre, você não está me escutando."

"Que porra de conversa é essa?" Claro que eu sabia. Mas não havia como explorar o assunto sem me fazer de desentendido.

"Brett está dormindo com aquela menina do clipe de 'Golden'. Aquela que parece comigo."

"Não existe ninguém que chegue aos seus pés." Eva revirou os olhos. "Ela pode até ter suas curvas", reconheci, "mas o jeito não tem nada a ver com o seu. Não tem seu senso de humor, sua presença de espírito. Nem seu coração."

"Ah, Gideon."

Passei os dedos molhados em suas sobrancelhas. "Apagar as luzes também não ia ajudar. Uma loirinha gostosinha qualquer não teria seu cheiro. Não se mexeria como você. Não me tocaria do mesmo jeito, não precisaria de mim da mesma maneira."

Sua expressão se amenizou, e ela me deu um beijo no ombro. "Foi o que pensei também. Eu não ia conseguir. E, quando vi Brett com aquela menina, soube que você também não."

"Não mesmo, com ninguém. Nunca." Dei um beijo em seu nariz. "Você mudou o significado do sexo para mim, Eva. Não tenho como voltar atrás. Não adianta nem tentar."

Ela se virou para montar em mim, fazendo a banheira transbordar. Olhei para minha esposa e observei seus cabelos claros, as marcas deixadas pela maquiagem, a água que cobria sua pele dourada.

Seus dedos massagearam minha nuca. "Meu pai quer pagar o casamento."

"Ah, é?"

Ela confirmou com um aceno de cabeça. "Preciso saber se você concorda."

Eu concordaria com qualquer coisa enquanto minha mulher estivesse nua, molhada e toda acesa abraçada comigo. "Já tive o casamento que queria. Dessa vez, você pode fazer como quiser."

Seu sorriso reluzente e o beijo entusiasmado que me deu eram a recompensa que eu mais queria. "Te amo."

Eu a puxei mais para perto.

Eva mordeu o lábio inferior antes de dizer: "Minha mãe vai surtar. Ela é capaz de gastar cinquenta mil dólares só com flores e convites".

"Então diz que seu pai vai pagar a cerimônia e sua mãe, a festa. Problema resolvido."

"Ah, gostei. É sempre muito bom ter você por perto, sr. Cross."

Eu a levantei e lambi seu mamilo. "Me deixa dar mais uma prova disso, então."

O quarto já estava se iluminando com os primeiros raios de luz da manhã quando a respiração de Eva assumiu o ritmo profundo de quem já pegou no sono. Eu me desvencilhei de seus braços e das cobertas com o máximo de cuidado, colocando-me de pé ao lado da cama para observá-la. Seus cabelos estavam caídos sobre os ombros, e suas bochechas e seus lábios ainda estavam vermelhos por causa do sexo. Esfreguei meu peito com a mão, em uma tentativa de desfazer o aperto que sentia.

Deixá-la nesses momentos era sempre complicado, e se tornava mais difícil a cada dia. Meu corpo doía por ter que se separar do dela.

Fechei as cortinas do quarto, fui para a sala e fiz o mesmo lá, escurecendo o ambiente.

Em seguida me deitei no sofá e dormi.

Acordei com a luz incomodando meus olhos fechados. Pisquei algumas vezes, esfreguei os olhos pesados e vi que as cortinas estavam entreabertas, permitindo que o sol atingisse meu rosto. Eva veio andando até mim, com os raios luminosos emoldurando seu corpo nu.

"Ei", ela murmurou, ajoelhando-se ao meu lado. "Você disse que eu ia acordar com você."

"Que horas são?" Olhei para o relógio e vi que fazia só uma hora e meia que estava dormindo. "Você precisa dormir mais."

Ela deu um beijo na minha barriga. "Não durmo bem sem você."

Uma sensação de lamento tomou conta de mim. Minha esposa precisava de coisas que eu não tinha como oferecer. Ela me acordou com a luz e não com o toque, pois tinha medo da minha reação. A cautela se justificava. No meio de um pesadelo, o toque de uma mão poderia me fazer despertar distribuindo socos.

Afastei os cabelos do rosto dela. "Desculpa." *Por tudo. Por fazer você abrir mão de tanta coisa por mim.*

"Shh." Eva levantou o elástico da minha calça de moletom e pôs a mão no meu pau. Estava duro para ela. Como não estaria, se veio andando até mim pelada e com os olhos quase cerrados?

Eva abocanhou a cabeça do meu pau.

Fechei os olhos e soltei um grunhido.

O que me acordou em seguida foi uma batida na porta. Eva se mexeu em meus braços, encolhida junto a mim no sofá estreito.

"Caralho", murmurei, abraçando-a com mais força.

"Ignora."

As batidas continuaram.

Levantei a cabeça e gritei: "Vai embora".

"Trouxe café e croissants", Arash gritou de volta. "Abre a porta, Cross, já é mais de meio-dia, e quero conhecer sua esposa."

"Minha nossa."

Eva piscou algumas vezes. "É seu advogado."

"Era." Eu me sentei e passei as mãos pelos cabelos. "Nós vamos embora, eu e você. Em breve. Para bem longe."

Ela me deu um beijo nas costas. "Parece uma boa ideia."

Vesti a calça de moletom e fiquei de pé. Eva aproveitou a chance para me dar um tapa na bunda.

"Eu ouvi isso!", Arash gritou. "Para com essa palhaçada e abre logo."

"Você está demitido", falei enquanto ia até a porta. Olhei para trás para dizer a Eva para se vestir, mas ela já estava correndo para o quarto.

Arash estava parado na porta com um carrinho de serviço de quarto. "Que porra é essa? Está maluco?"

Tive que sair do caminho para não ser atropelado.

"Pode parar com a choradeira." Ele sorriu, empurrando o carrinho para um canto e me encarando. "Deixa a maratona de sexo para a lua de mel."

"Não vai na dele, não!", Eva gritou da porta do quarto.

"Pode deixar." Eu me virei para ela. "Ele não trabalha mais comigo."

"Você não consegue ficar bravo comigo por muito tempo", disse Arash, seguindo-me pela sala. "Uau, olha só suas costas. Parece que você entrou em uma briga com um leão. Não é à toa que parece tão cansado."

"Cala a boca." Recolhi minha camiseta do chão.

"Você não me disse que Eva também estava em San Diego."

"Porque não é da sua conta."

Ele ergueu as mãos em sinal de rendição. "Trégua?"

"Não quero ouvir uma palavra sobre Yimara", eu disse baixinho. "Eva não pode se preocupar com isso."

Arash ficou mais sério. "Pode deixar. Não toco no assunto."

"Certo." Fui até o carrinho e servi duas xícaras de café, preparando o de Eva da maneira como ela gostava.

"Também quero café", ele falou.

"Pode pegar."

Arash abriu um sorriso malicioso quando veio até mim. "Ela vai sair do quarto?" Encolhi os ombros. "Não está brava, né?"

"Duvido." Pus as duas xícaras na mesinha e fui até a parede onde ficavam os controles de acionamento da cortina. "Precisa de muito para ela se irritar."

"Você é bom nisso." Ele sorriu e se sentou em uma poltrona. "Dá para ver naquele vídeo de vocês dois brigando no Bryant Park."

Encarei Arash enquanto a luz do sol invadia a sala. "Você deve odiar seu trabalho."

"Você não ia ficar curioso se eu casasse com uma garota que só conheço há dois meses?"

"Eu ia mandar meus pêsames a ela."

Ele deu risada.

A porta se abriu e Eva apareceu vestida com as roupas da noite anterior. Seu rosto estava lavado, mas as olheiras e a boca inchada eram uma prova de que tinha sido muito bem comida. Descalça e com os cabelos despenteados, estava deslumbrante.

O orgulho transbordou do meu peito. Sem a maquiagem, as sardas em seu nariz a deixavam ainda mais linda. Seu corpo inteiro dizia que ela era uma delícia, sua postura exalava confiança e o brilho de divertimento em seus olhos dizia que ninguém jamais teria um momento de tédio ao seu lado. Eva era a realização de todas as expectativas, esperanças e fantasias que um homem poderia ter. E era toda minha.

Fiquei olhando para ela. Arash também.

Eva corrigiu a postura e abriu um sorriso tímido. "Oi."

O som da voz dela o tirou do transe. Ele se levantou tão depressa que derramou o café. "Merda. Desculpa. Oi."

Arash pôs a xícara na mesinha e limpou a calça antes de ir até ela e estender a mão. "Sou Arash."

Ela o cumprimentou. "Prazer. Sou Eva."

Eu me juntei a eles, puxando Arash pelo antebraço. "Já pode parar de babar."

Ele me olhou feio. "Muito engraçado, seu babaca."

Eva deu risada e encostou a cabeça em mim quando a abracei pelos ombros.

"É bom ver que tem gente que não tem medo dele", ela comentou.

Arash deu uma piscadinha, todo galanteador. "Sei como ele pensa."

"Sério? Também quero saber."

"Nada disso", interrompi.

"Para de ser desmancha-prazeres, garotão."

"É, garotão", Arash provocou. "O que tem a esconder?"

Sorri. "Seu cadáver."

Ele olhou para minha esposa e suspirou. "Está vendo o que tenho que aguentar?"

6

Aquele almoço ao ar livre na lindíssima San Diego, com os três homens mais importantes da minha vida, estava sendo memorável. Eu estava sentada entre Gideon e meu pai, com Cary à minha frente.

Se me perguntassem alguns meses antes, diria que não via graça nenhuma nas palmeiras. Mas, depois de passar um tempo sem vê-las, minha opinião tinha mudado. Ao ver as árvores oscilarem suavemente com a brisa do mar, senti uma paz de espírito que sempre quis, mas raramente alcancei. As gaivotas competiam com os pombos pelas migalhas caídas, e o barulho das ondas ajudava a encobrir o ruído do restaurante lotado.

Os olhos do meu melhor amigo estavam escondidos atrás de óculos escuros, mas o sorriso em seu rosto era visível. Meu pai estava de bermuda e camiseta, e começou a refeição estranhamente quieto. Ele se soltou depois de uma cerveja e ficou tão à vontade quanto Cary. Meu marido usava uma calça cargo marrom e uma camiseta branca. Era a primeira vez que eu o via de roupa clara. Parecia tranquilo e relaxado por trás dos óculos escuros de aviador, com os dedos entrelaçados aos meus sobre o apoio para os braços da cadeira.

"Um casamento no fim da tarde", pensei em voz alta. "No pôr do sol. Só com a família e os amigos mais próximos." Olhei para Cary. "Você vai ser meu padrinho."

Ele curvou o canto da boca em um sorriso preguiçoso. "É bom mesmo."

Eu me virei para Gideon. "E do seu lado, já sabe quem vai ficar?"

Ele contorceu a boca de forma quase imperceptível, mas eu notei. "Ainda não decidi."

Meu bom humor se dissipou um pouco. Estava me perguntando se Arnoldo seria ou não apropriado, levando em conta o que pensava de mim? Fiquei preocupada com a possibilidade de azedar a relação entre os dois.

Gideon era uma pessoa reservada. Apesar de não poder afirmar com certeza, achava que era apegado aos amigos, ainda que não fossem muitos.

Apertei sua mão. "Vou convidar Ireland para ser a madrinha."

"Ela vai gostar."

"E Christopher?"

"Sei lá. Se tivermos sorte, ele nem aparece."

Meu pai franziu a testa. "De quem estamos falando?"

"Dos irmãos de Gideon", respondi.

"Você não se dá bem com seu irmão?"

Como não queria que meu pai tivesse restrições a meu marido, apressei-me em explicar: "Christopher não é um cara muito legal".

"É um tremendo de um babaca, na verdade", interveio Cary. "Sem querer ofender, Gideon."

"Fica tranquilo." Ele encolheu os ombros e esclareceu melhor a situação para meu pai. "Christopher me vê como um rival. Não é assim que eu queria que as coisas fossem, mas não depende só de mim."

Meu pai balançou a cabeça devagar. "É uma pena."

"Já que estamos tratando do casamento", Gideon retomou o assunto, "para mim seria um prazer cuidar do transporte. Queria muito poder colaborar também."

Respirei fundo, pois sabia que a sinceridade e o tato com que meu marido dizia as coisas tornavam suas ofertas difíceis de recusar — e meu pai em breve entenderia isso.

"É muita generosidade da sua parte, Gideon."

"A oferta está de pé. Em questão de uma hora, podemos colocar você dentro de um avião. Assim fica mais fácil conciliar sua agenda com a da Eva, e vocês podem ter mais tempo para organizar as coisas juntos."

Meu pai preferiu não responder de imediato. "Obrigado. Vou precisar de um tempo para me acostumar com a ideia. Não quero causar nenhum incômodo."

Gideon tirou os óculos escuros, revelando seus olhos. "É para isso que serve o dinheiro. Só quero fazer sua filha feliz. Tente deixar isso mais fácil para mim, sr. Reyes. Todos nós queremos ver um sorriso no rosto dela pelo maior tempo possível."

Nesse momento me dei conta do motivo por que meu pai não queria que Stanton pagasse nada. Meu padrasto não fazia nada por mim, e sim pela minha mãe. Já Gideon só pensava em *mim* quando tomava suas decisões. Eu sabia que isso ia agradá-lo.

Olhei para Gideon e disse que o amava silenciosamente com os lábios.

Ele apertou minha mão com tanta força que até doeu. Não me incomodei.

Meu pai sorriu. "Se é para fazer Eva feliz, quem sou eu para negar?"

O cheiro de café despertou meus sentidos na manhã seguinte. Pisquei algumas vezes, olhando para o teto do meu apartamento no Upper West Side e abri um sorriso sonolento ao ver Gideon ao lado da minha cama, tirando a blusa. A visão de seu peito musculoso e sua barriga tanquinho quase compensou o fato de ter passado a noite sozinha depois de adormecer em seus braços.

"Bom dia", murmurei enquanto rolava para o lado e o via tirar a calça do pijama.

Quem inventou essa história de que segunda-feira é um saco obviamente nunca acordou com Gideon Cross sem roupa ao seu lado.

"Vai ser mesmo", ele falou, enfiando-se debaixo das cobertas.

Estremeci toda quando sua pele fria encostou na minha. "Ui!"

Seus braços me envolveram, e sua boca colou no meu pescoço. "Me esquenta, meu anjo."

Quando terminei de aquecê-lo, ele estava todo suado, e o café que tinha trazido para mim estava frio.

Não me incomodei nem um pouco com isso.

Eu estava de ótimo humor quando cheguei ao trabalho. O sexo matinal contribuiu bastante para isso, claro, além da visão de Gideon se arrumava, deixando de ser o homem que só eu conhecia para se tornar um magnata global moreno e perigoso. Meu dia só melhorou quando desci no vigésimo andar e vi Megumi sentada à mesa da recepção.

Acenei para ela do outro lado do vidro, mas o sorriso desapareceu do meu rosto quando dei uma boa olhada em suas feições. Ela estava pálida, com olheiras carregadas. Seus cabelos geralmente bem arrumados de corte assimétrico pareciam sem vida, e ela estava usando uma camisa de manga comprida e uma calça preta que não combinavam em nada com o calor do verão.

"Oi", cumprimentei quando ela abriu a porta para mim. "Tudo bem com você? Estava preocupada."

Ela abriu um sorriso sem jeito. "Desculpa não ter ligado de volta."

"Não esquenta. Viro uma antissocial de carteirinha quando fico doente. Tenho vontade de me esconder na cama e não falar com ninguém."

Seu lábio inferior começou a tremer, e seus olhos se encheram de lágrimas.

"Está tudo bem?" Olhei ao redor, preocupada com sua privacidade, já que havia outros funcionários da agência passando pela recepção. "Você foi ao médico?"

Ela começou a chorar.

Fiquei paralisada por um instante, sem reação. "Megumi, o que aconteceu?"

Ela tirou o headset e se levantou, com lágrimas escorrendo pelo rosto, sacudindo a cabeça violentamente. "Não posso falar sobre isso agora."

"Quando você pode fazer uma pausa?"

Mas ela já estava correndo para o banheiro e me deixou falando sozinha.

Fui até meu cubículo, guardei a bolsa e depois fui até a mesa de Will Granger. Ele não estava lá, mas o encontrei na sala do café.

"Olá." Seus olhos pareciam tão preocupados quanto os meus por trás dos óculos de armação quadrada. "Você viu Megumi?"

"Vi. Ela está bem abatida. E começou a chorar quando perguntei se estava tudo bem."

Ele passou a caixa de leite semidesnatado para mim. "Seja o que for, não é bom."

"Não gosto de não saber o que aconteceu. Minha cabeça fica a mil. No momento estou pensando em câncer e mais um monte de coisas ruins."

Will encolheu os ombros, sem jeito. Com suas costeletas bem aparadas e suas camisetas com estampas esquisitas, era o tipo de cara simpático e relaxado de quem era impossível não gostar.

"Eva." Mark enfiou a cabeça pela porta. "Tenho novidades."

Os olhos reluzentes do meu chefe me diziam que ele estava empolgado com alguma coisa. "Sou toda ouvidos. Quer café?"

"Claro. Obrigado. Vejo você na minha sala." Ele saiu de novo para o corredor.

Will pegou seu copo de café no balcão. "Divirta-se", disse, e saiu.

Fiz o café às pressas, e fui direto para a sala de Mark. Ele havia tirado o paletó e estava lendo alguma coisa em seu monitor, então abriu um sorriso quando desviou os olhos da tela para mim.

"Chegou mais uma SDP." Seu sorriso se escancarou. "E pediram que fosse feita por mim."

Fiquei toda tensa. Coloquei seu café sobre a mesa e perguntei em um tom cauteloso: "É mais um produto das Indústrias Cross?".

Por mais que amasse Gideon e admirasse tudo o que tinha conquistado, não queria estar sempre à sombra dele. Tínhamos uma identidade como casal, mas também éramos duas personalidades distintas, com carreiras que seguiam por caminhos separados. Eu gostava de ir para o trabalho com meu marido, mas tinha que me despedir dele na hora de tratar de negócios. Precisava daqueles momentos em que não era a única prioridade da minha vida.

"Não, é algo ainda mais graúdo."

Levantei as sobrancelhas. Não conseguia pensar em nada maior que as Indústrias Cross.

Mark mostrou uma foto de uma caixa vermelha e preta do outro lado da mesa. "É a nova plataforma de jogos da LanCorp, PhazeOne."

Eu me acomodei do outro lado da mesa sentindo um enorme alívio por dentro. "Legal. Parece divertido."

Já passava um pouco das onze quando Megumi ligou para perguntar se eu estava livre pro almoço.

"Claro", respondi.

"Vamos em algum lugar tranquilo."

Pensei em duas opções. "Já sei. Pode deixar."

"Legal. Obrigada."

Sentei à minha mesa. "Como foi sua manhã?"

"Bem ocupada. Tinha um monte de coisas para pôr em dia."

"Se precisar de ajuda me avisa."

"Obrigada, Eva." Ela respirou fundo, soltando um suspiro trêmulo, esforçando-se para manter a compostura. "Agradeço pela ajuda."

Desligamos. Liguei para o escritório de Gideon, e seu secretário atendeu.

"Oi, Scott. É a Eva. Tudo bem?"

"Tudo bem." A simpatia transbordava em sua voz. "Precisa de alguma coisa?"

Meus pés batucavam o chão de madeira, inquietos. Eu estava preocupadíssima com minha amiga. "Você pode pedir para Gideon me ligar quando tiver um minutinho?"

"Vou passar a ligação agora mesmo."

"Ah. Legal. Obrigada."

"Só um momentinho."

Um instante depois, ouvi a voz que tanto amava. "Está precisando de alguma coisa, Eva?"

Fiquei um pouco assustada com a maneira brusca como falou. "Está ocupado?"

"Estou em reunião."

Merda. "Desculpa. Tchau."

"Eva..."

Desliguei com a intenção de ligar para Scott, para que não passasse minhas ligações a qualquer hora e assim não me fizesse passar vergonha. Antes que eu pudesse digitar o número, a luz de uma nova chamada começou a piscar no aparelho. "Escritório de Mark Garrity..."

"Nunca mais desligue na minha cara", Gideon esbravejou.

Fiquei assustada com seu tom de voz. "Você não está em reunião?"

"Estava. Agora estou cuidando de você."

Como se eu precisasse de alguém para resolver as coisas por mim. Sabia muito bem me virar sozinha. "Na verdade, liguei para Scott deixar um recado para você me ligar quando pudesse, e ele passou a ligação. Não deveria ter feito isso se você estava no meio de uma..."

"Ele só estava cumprindo uma ordem de sempre me passar suas ligações. Se quer deixar um recado, pode mandar um e-mail ou um SMS."

"Desculpa se não sei quais são as regras de etiqueta para entrar em contato com você!"

"Não se preocupa com isso agora. Só me diz do que precisa."

"Nada, não. Esquece."

Ele bufou com força. "Não brinca comigo, meu anjo."

Eu me lembrei da última vez em que liguei para ele no trabalho e fui atendida com esse mesmo tom. Se alguma coisa o estava incomodando, Gideon não parecia nem um pouco disposto a me contar.

Inclinei-me sobre a mesa e baixei o tom de voz. "Gideon, esse seu comportamento está me irritando. Não quero que você 'cuide de mim' quando está irritado. Se está ocupado demais para falar, não deveria ter dito a Scott para sempre passar minhas ligações."

"Para você nunca estou indisponível."

"Sério mesmo? Porque você parece bem indisponível agora."

"Puta que pariu."

O tom exasperado de sua voz me proporcionou uma pontada de satisfação. "Não mandei uma mensagem de celular porque não queria interromper. Não mandei e-mail porque o assunto é meio urgente, e não sei de quanto em quanto tempo você vê sua caixa. Imaginei que mandar um recado pelo Scott seria o ideal."

"E agora você tem toda a minha atenção. Me diz o que você quer."

"Quero que desligue o telefone e volte para sua reunião."

"E o que vai conseguir", ele rebateu, com uma tranquilidade ameaçadora, "é me fazer descer até sua mesa se não parar com a conversa mole e não explicar por que ligou."

Olhei feio para a foto dele. "Você está me deixando com vontade de procurar um emprego novo em Nova Jersey."

"E você está me deixando maluco." Ele grunhiu baixinho. "Não consigo fazer nada quando estamos brigados, sabe disso. Me diz logo do que precisa, Eva, e me perdoa por enquanto. Podemos discutir e fazer as pazes transando mais tarde."

A tensão abandonou meu corpo. Como continuar brava depois daquela admissão do quanto o deixo vulnerável?

"Ai, saco", murmurei. "Detesto quando você fala alguma coisa sensata depois de me irritar."

Ele soltou um ruído de satisfação. Comecei a me sentir melhor imediatamente.

"Anjo." Sua voz assumiu o tom sensual e caloroso de que eu tanto gostava. "Você definitivamente não é uma pessoa calma e quietinha."

"Do que você está falando?"

"Não esquenta com isso. Você é perfeita. Me diz por que ligou."

Eu conhecia aquele tom de voz. Por algum motivo, Gideon estava excitado. "Você é tarado. Sério mesmo." Sorte minha. "Enfim, garotão, queria ver se você podia me emprestar uma sala de reuniões para almoçar com a Megumi. Ela voltou ao trabalho, mas está muito mal, e acho que precisa conversar, mas não tem nenhum lugar aqui perto que ofereça um pouco de silêncio e privacidade."

"Pode usar minha sala. Vou comer e você pode usar o escritório enquanto eu estiver fora."

"Sério mesmo?"

"Claro. E aproveito para lembrar que, quando vier trabalhar nas Indústrias Cross, vai ter sua própria sala onde almoçar."

Joguei a cabeça para trás. "Cala a boca."

A pesquisa para a SDP do PhazeOne me manteve ocupada, mas eu estava ansiosa pela conversa com Megumi, então aquela última hora antes do almoço pareceu se arrastar.

Fui até a mesa da recepção ao meio-dia. "Espero que não pareça muito esquisito", eu falei quando ela pegou a bolsa, "mas vamos almoçar na sala de Gideon. Ele não está, e podemos ter privacidade."

"Ah, puxa." Ela me olhou como quem pede desculpas. "Desculpa, Eva. Me esqueci de dar os parabéns. Will me contou sobre o noivado, mas acabei esquecendo."

"Tudo bem. Não se preocupa com isso."

Ela segurou e apertou minha mão. "Estou muito feliz por você."

"Obrigada."

Minha preocupação aumentou ainda mais. Megumi adorava uma fofoca. A amiga que eu conhecia teria ficado sabendo do meu noivado antes mesmo que eu.

Pegamos o elevador para o último andar. O hall das Indústrias Cross era imponente como Gideon. Muito maior que o das outras empresas do prédio, decorado com lírios brancos e samambaias em vasos suspensos. O nome da corporação estava grafado na porta de vidro opaco em uma fonte masculina e elegante.

"Estou impressionada", Megumi murmurou enquanto esperávamos que a recepcionista liberasse nossa entrada.

A ruivinha que costumava ficar na recepção devia estar almoçando, porque quem abriu a porta foi um rapaz de cabelos escuros.

Ele ficou de pé quando nos aproximamos. "Boa tarde, srta. Tramell. Scott falou que vocês já podem entrar."

"O sr. Cross já saiu?"

"Não sei. Acabei de vir para cá."

"Certo. Obrigada." Conduzi Megumi pelo corredor que levava à sala de Gideon, e chegamos quando ele estava saindo.

Um orgulho e um sentimento possessivo tomaram conta de mim. E prazer também, quando ele acelerou o passo ao me ver. Nós nos encontramos na metade do corredor.

"Oi", cumprimentei.

Ele retribuiu o cumprimento com um aceno de cabeça e estendeu a mão para Megumi. "Acho que ainda não fomos apresentados formalmente. Gideon Cross."

"Megumi Kaba." Ela apertou sua mão com confiança e firmeza. "Meus parabéns para você e para a Eva."

Um leve sorriso apareceu em sua boca sensual. "Sou um homem de sorte. Fiquem à vontade. Se precisarem de alguma coisa, é só ligar para a recepção que Ron providencia."

"Vamos ficar bem", respondi. "Ninguém vai nem saber que demos a maior festança enquanto você estava fora."

O sorriso dele se escancarou. "Que bom. Tenho uma reunião mais tarde. Copos e garrafas de bebidas espalhados são uma coisa bem fácil de explicar."

Pensei que ele fosse sair naquele momento. Em vez disso, segurou meu rosto entre as mãos, inclinou minha cabeça e colou a boca na minha em um beijo lento e carinhoso que estampou estrelinhas no lugar dos meus olhos.

Em seguida, murmurou no meu ouvido: "Estou ansioso para fazermos as pazes mais tarde".

Meus dedos dos pés se contraíram dentro dos sapatos.

Ele se afastou e voltou a ser a pessoa reservada que mostrava para o restante do mundo. "Bom almoço, senhoritas."

Gideon saiu pelo corredor com seu andar confiante e naturalmente sensual que atraía olhares por onde passava.

"E você ainda está de pé", Megumi murmurou, balançando a cabeça. "É de matar."

Era impossível explicar o quanto Gideon me deixava abalada e necessitada, com as pernas bambas. "Vamos lá", eu disse quase sem fôlego. "Vamos comer."

Ela entrou comigo na sala de Gideon. "Acho que não consigo."

Enquanto observava a sala gigantesca, com suas vistas panorâmicas e decoração monocromática, fui até o bar, onde nosso almoço estava à espera. Eu me lembro da sensação de quando entrei pela primeira vez naquele escritório. Apesar dos diversos ambientes onde os visitantes podiam sentar e esperar, a riqueza e o luxo do local impediam as pessoas de se sentir totalmente à vontade.

O homem com quem me casei tinha muitas facetas diferentes. Seu escritório era uma delas. O aspecto clássico em estilo europeu da decoração de sua cobertura era outra.

"Você tem alguma experiência com BDSM?", Megumi perguntou, fazendo minha atenção se voltar para ela.

A surpresa com a pergunta me fez derrubar os guardanapos e os talheres que estava segurando. Eu me virei para ela, que olhava pela janela para a vista da cidade. "Essa sigla envolve uma série de coisas."

Megumi esfregou o pulso. "Ser amarrada e amordaçada. Ficar indefesa."

"Já fiquei indefesa, sim."

Ela se virou para mim. Seus olhos eram como duas sombras no rosto pálido. "Você gostou? Ficou excitada?"

"Não." Fui até o sofá mais próximo e me sentei. "Mas não estava com a pessoa ideal para isso."

"Você ficou com medo?"

"Apavorada."

"Ele sabia disso?"

O cheiro da comida, que a princípio abriu meu apetite, começou a fazer meu estômago se revirar. "Por que está me perguntando essas coisas, Megumi?"

Ela respondeu levantando a manga da camisa, revelando um pulso que de tão roxo parecia preto.

7

Já eram mais de oito horas quando entrei no apartamento de Eva e a encontrei sentada no sofá modular branco com Cary, segurando uma taça de vinho tinto com as duas mãos.

Minha esposa preferia móveis mais tradicionais, mas dava para ver alguns toques pessoais de sua mãe e de seu colega de apartamento na decoração. Não que eu não gostasse das peças escolhidas por Monica e Cary, mas ansiava pelo dia em que dividiria um lar com Eva que refletisse *nosso* gosto e o de mais ninguém.

Mesmo assim, aquele apartamento sempre seria um lugar especial para mim. Jamais me esqueceria da maneira como encontrei Eva nele pela primeira vez. Nua sob um robe de seda que ia até as coxas, com o rosto já maquiado para sair, e uma tornozeleira de diamantes reluzindo para mim. Provocando.

Perdi totalmente as estribeiras. Eu a ataquei com a boca e com as mãos, penetrando-a com os dedos e a língua. Não cheguei nem a pensar em levá-la ao "matadouro". E, se tivesse cogitado a hipótese, não teria conseguido esperar. Ela era diferente de todas as outras. Não só por ser quem era, mas também pela pessoa que *eu* me tornava ao seu lado.

Eu não ia permitir que a administração do edifício alugasse o apartamento depois que ela saísse. Era um lugar que continha muitas lembranças, boas e ruins.

Cumprimentei Cary com um aceno de cabeça e fui me sentar ao lado de Eva. Ele estava vestido para sair, enquanto ela usava uma camiseta das Indústrias Cross e estava de cabelos presos. Pela maneira como os dois me olharam, vi que havia alguma coisa errada.

Tínhamos alguns assuntos para discutir, mas o que quer que estivesse incomodando Eva era prioridade.

Cary se levantou. "Já estou indo. Qualquer coisa me liga."

Ela fez que sim com a cabeça. "Divirta-se."

"Pode deixar, gata."

Ele fechou a porta atrás de si, e Eva apoiou a cabeça no meu ombro. Envolvendo-a com o braço, eu me ajeitei no sofá e a puxei para mais perto. "Fala comigo, meu anjo."

"É Megumi." Eva suspirou. "Ela estava gostando de um cara, mas as coisas não iam bem. Ele desaparecia e reaparecia quando desse na telha, não queria saber de compromisso. Ela terminou tudo. Mas depois de um tempo, ele apareceu de novo, e Megumi permitiu que se aproximasse. Eles tiveram a ideia de experimentar um pouquinho de sadomasoquismo, mas as coisas saíram do controle."

A menção ao sadomasoquismo me deixou em alerta. Passei as mãos por suas costas e a puxei para junto de mim. Eu tinha paciência de sobra para que meus desejos não entrassem em conflito com os medos dela. Até esperava alguns contratempos, mas não queria que as experiências fracassadas de outras pessoas se tornassem obstáculos para Eva e para mim.

"Parece ter sido uma má ideia desde o começo", comentei. "Pelo menos um dos dois deveria saber o que estava fazendo."

"O problema foi esse." Ela se afastou para me olhar. "Falei sobre isso com Megumi. Ela disse não, e *várias* vezes, mas então foi amordaçada. Ele se divertiu com o sofrimento dela, Gideon. E agora está aterrorizando a menina com mensagens e fotos que tirou naquela noite. Ela pediu para ele parar, mas não adiantou. O sujeito é doente. Tem alguma coisa errada com ele."

Refleti sobre a melhor maneira de responder. Apostei na indiferença. "Eva. Ela terminou com o cara, depois permitiu uma reaproximação. Ele pode achar que ela não está falando sério."

Eva se afastou e se levantou do sofá com um movimento apressado de suas pernas curvilíneas. "Nem tenta arrumar desculpa para o que ele fez! Ela está toda machucada. Já faz uma semana, e os hematomas ainda estão pretos. Ela passou dias sem conseguir sentar!"

"Não estou arrumando desculpa para ninguém", disse, levantando também. "Jamais justificaria nenhum tipo de abuso — você sabe disso. Não tenho muitas informações sobre essa história, mas conheço a *sua*. O contexto era outro. Nathan era uma aberração da natureza."

"Não estou me projetando nela, Gideon. Eu vi as fotos. Vi os pulsos dela, o pescoço. Li as mensagens. Ele ultrapassou todos os limites. É um sujeito perigoso."

"Mais uma razão para ficar fora disso."

Eva pôs as mãos na cintura. "Minha nossa. Não acredito que você disse isso! Ela é minha amiga."

"E você é minha esposa. Conheço esse olhar. Existem batalhas que não cabe a você lutar. Não vai enfrentar esse sujeito como fez com minha mãe e com Corinne. Não vai se meter nessa história."

"Por acaso eu disse que ia fazer isso? Não. Não sou idiota. Pedi para Clancy encontrar o cara e ter uma conversinha com ele."

Fiquei gelado por dentro. Benjamin Clancy era funcionário do padrasto dela, não meu. Eu não tinha nenhum controle sobre ele. "Você não devia ter feito isso."

"E o que eu ia fazer? Nada?"

"De preferência. Ou poderia ter falado com Raúl."

Ela jogou as mãos para cima. "Por que eu faria isso? Não tenho intimidade com ele para pedir um favor pessoal."

Tentei controlar minha aflição. "Já falamos sobre isso. Ele trabalha para você. Não precisa pedir favor nenhum, é só dizer o que quer que ele faça."

"Raúl trabalha para *você*. Além disso, não sou nenhuma mafiosa para mandar um capanga ensinar lições às pessoas. Pedir para uma pessoa em quem confio, como uma amiga, para ajudar outra amiga."

"Pode justificar como quiser, mas o resultado é o mesmo. Ben Clancy é pago para proteger os interesses do seu padrasto. Ele cuida de você porque essa é uma forma de controlar a segurança e a reputação de Stanton."

Eva estrilou. "Como você sabe quais são os motivos dele?"

"Meu anjo, vamos simplificar as coisas. Se concentra no fato de que sua mãe e Stanton vêm invadindo sua privacidade há um bom tempo. Se continuar recorrendo a eles, vai dar liberdade para que isso continue."

"Ah." Eva mordeu o lábio inferior. "Eu não tinha pensado na situação por esse ângulo."

"Você mandou um segurança profissional ter uma 'conversinha' com o cara. Mas não pensou em tudo o que poderia dar errado. Se tivesse pedido a ajuda do Raúl, ele saberia que precisava tomar muito cuidado." Cerrei os dentes. "Porra, Eva. Não dificulta as coisas para mim, preciso manter você segura!"

"Ei." Ela veio até mim. "Não precisa se preocupar. Contei tudo assim que você passou pela porta. E Clancy estava comigo até uma hora atrás, quando me deixou em casa depois da aula de krav maga. Não aconteceu nada que me pusesse em perigo."

Eu a puxei para junto de mim e a abracei, torcendo para que estivesse certa. "Quero que Raúl acompanhe você em todos os lugares", disse com a voz áspera. "Nas aulas, na academia, nas compras... onde quer que seja. Você precisa deixar que eu cuide de você."

"Você já cuida de mim, amor", ela respondeu com um tom pacificador, parecendo mais tranquila. "Mas não precisa ficar obcecado."

Quando o assunto era Eva, a obsessão com segurança era inevitável. Eu já tinha aceitado esse fato. Em algum momento ela aceitaria também. "Algumas coisas não posso oferecer a você. Não briga comigo por causa das que posso."

"Gideon." A expressão dela se amenizou. "Você me dá tudo de que preciso."

Acariciei seu rosto com os dedos. Ela era tão macia. Delicada. Jamais imaginei que minha sanidade dependeria de algo tão frágil. "Você mora com outro cara. Ganha a vida trabalhando para outras pessoas. Não sou tão necessário na sua vida quanto gostaria."

Os olhos dela se acenderam. "Bom, mais dependente de você do que já sou não consigo ser."

"Digo o mesmo." Passando as mãos por seus braços, eu a segurei pelos pulsos e apertei com força suficiente apenas para atrair sua atenção. Vi suas pupilas se dilatando e seus lábios se abrindo. Seu corpo reagia instintivamente à restrição de movimentos. "Promete que de agora em diante vai recorrer a mim primeiro."

"Certo", ela murmurou.

A excitação e a rendição por trás de sua voz fizeram meu coração disparar. Ela se inclinou na minha direção, derretendo-se toda. "Na verdade, eu queria recorrer a você agora mesmo."

"E, como sempre, estou à disposição."

Gideon.

O choque de ouvir o pânico no tom de voz de Eva reverberou dentro de mim. Tive um sobressalto, e despertei de um sono profundo. Rolando para o lado, lutei para acordar, afastando os cabelos do rosto e dando de cara com ela ajoelhada na beirada da cama.

Uma sensação incontornável de medo fez meu coração disparar e uma camada de suor brotar na minha pele.

Eu me apoiei sobre o cotovelo. "O que aconteceu?"

A luz do luar iluminava o quarto e criava uma aura em torno dela. Eva tinha ido até meu quarto no apartamento ao lado do seu. Alguma coisa a acordou, o que me deixou assustado. Gelei de medo.

"Gideon." Ela veio me abraçar com sua pele sedosa e seus cabelos reluzentes. Com o corpo colado ao meu, pôs a mão no meu rosto. "Com o que estava sonhando?"

Seu dedo encontrou um rastro molhado sobre minha pele. Assustado, horrorizado, esfreguei os olhos e enxuguei o restante das lágrimas. No fundo da minha mente, pairava a sombra de um sonho.

Essa lembrança me fez estremecer, mergulhando em uma espiral de medo.

Eu a puxei para junto de mim e percebi que ela ficou sem fôlego com a força exagerada do meu aperto. Sua pele estava fria ao toque, mas seu corpo era quente, e eu absorvi seu calor, senti seu cheiro, e a tristeza que ainda sentia amenizou com sua proximidade.

Não me lembrava direito do sonho, mas a sensação se recusava a me abandonar.

"Shh", ela fez, passando as mãos pelos meus cabelos molhados de suor, acariciando minhas costas. "Está tudo bem. Estou aqui."

Eu não conseguia nem respirar. Tive que puxar o ar com força, e um som horripilante saiu dos meus pulmões em chamas.

Um soluço. Minha nossa. E depois outro. Eu era incapaz de conter as violentas contrações.

"Amor." Eva me abraçou com mais força, enlaçando suas pernas com as minhas. Ela nos balançou de leve, murmurando palavras que não consegui ouvir por causa do coração disparado e dos gemidos de dor.

Eu me agarrei a ela, ao amor que podia me salvar.

"Gideon!"

Eva arqueou as costas quando arremeti com força, separando suas coxas com os joelhos, enfiando meu pau até o fundo. Eu segurava seus pulsos com as mãos, fazendo sua cabeça balançar enquanto a comia com vontade.

Em alguns dias eu a acordava com carinhos. Naquela manhã não foi o caso.

Despertei com uma ereção latejante, com a cabeça do pau melada de líquido pré-ejaculatório e encostada na bunda de Eva. Eu a excitei com impetuosidade, impaciência, sugando seus mamilos até endurecerem, deixando-a molhadinha com os movimentos ousados dos meus dedos. Ela se acendeu com o meu toque e se abriu *toda* para mim.

Minha nossa. Eu a amava demais.

A necessidade de gozar fazia meus testículos pesarem, e aquela pressão era deliciosa. Ela era apertadinha, e estava deliciosamente molhada. Era impossível não querer mais, não desejar entrar mais fundo, mesmo quando sentia que estava no limite.

Ela se remexia toda com minhas estocadas poderosas, deslizando os calcanhares sobre os lençóis, e seus peitos sacudiam violentamente a cada movimento. Era tão miudinha, tão delicada, e eu fodia seu corpo gostoso com todas as minhas forças.

Sou seu. Todo seu. Para o bem e para o mal. É tudo seu.

A cabeceira da cama batia na parede que dividia nossos apartamentos, em um ritmo constante que gritava *sexo selvagem* para quem quisesse ouvir.

Quando grunhidos animalescos de prazer começaram a sair da minha garganta, não fiz nenhum esforço para contê-los. Adorava trepar com minha mulher. Ansiava por isso. Precisava disso. E não me importava que as pessoas soubessem o que ela fazia comigo.

Eva se curvou para a frente, cravando os dentes no meu bíceps, marcando minha pele suada. Esse gesto possessivo me levou à loucura, fazendo-me meter com tanta força que ela escorregou da cama.

Ela gritou, e eu sibilei quando se contraiu em torno de mim.

"Goza", falei por entre os dentes cerrados enquanto lidava com a necessidade crescente de despejar cada gota de mim dentro dela.

Remexendo os quadris, esfreguei-me contra seu clitóris, sentindo o prazer subir pela minha espinha quando gemeu meu nome e gozou em ondas pulsantes.

Eu a beijei com violência, sentindo seu gosto, esvaziando-me dentro dela com um grunhido trêmulo.

Eva cambaleou um pouco quando a ajudei a descer do Bentley na frente do Crossfire.

Ela ficou vermelha, e olhou feio para mim. "Você não presta."

Ergui as sobrancelhas em uma expressão de interrogação.

"Estou com as pernas bambas e você não, seu tarado."

Abri um sorriso inocente. "Sinto muito."

"Sente nada." O sorriso malicioso desapareceu de seu rosto quando ela olhou para um ponto mais distante da rua. "Paparazzi", Eva informou, bem séria.

Segui seu olhar e vi um fotógrafo apontando a câmera para nós da janela do passageiro de um carro. Segurando-a pelo cotovelo, eu a puxei para dentro do prédio.

"Se eu precisar arrumar o cabelo toda manhã", ela murmurou, "você vai ter que começar a lidar com sua ereção matinal sozinho."

"Meu anjo", murmurei, posicionando-a do meu lado, "eu contrataria um cabeleireiro em tempo integral para você antes de abrir mão de ter sua boceta todas as manhãs."

Ela me deu uma cotovelada nas costelas. "Minha nossa, você é um grosso, sabia? Existem mulheres que se ofendem com esse tipo de linguajar."

Eva passou na minha frente pela segurança e se juntou à massa de corpos esperando o próximo elevador.

Cheguei mais perto dela. "Você não é uma delas. Mas, se quiser, posso rever meu vocabulário. Lembro que *orifício* é uma de suas palavras favoritas."

"Ah, cala a boca", ela disse, aos risos.

Nós nos separamos quando ela desceu no vigésimo andar, e continuei subindo até a sede das Indústrias Cross. Isso não continuaria por muito tempo. Um dia, Eva iria trabalhar comigo, para que pudéssemos construir nosso futuro juntos, como uma equipe.

Estava refletindo sobre as diferentes maneiras de conseguir isso quando cheguei ao corredor que levava ao meu escritório. Diminuí o passo quando vi a morena alta e magra sentada junto à mesa de Scott.

Gelei ao pensar que precisaria lidar outra vez com minha mãe.

Mas então a morena virou a cabeça, e vi que era Corinne.

"Gideon." Ela se levantou com movimentos graciosos e um olhar no rosto que aprendi a reconhecer depois de vê-lo estampado no rosto de Eva.

Não senti nenhuma satisfação ao ver aquela afetuosidade. Um desconforto subiu pela minha espinha, deixando minhas costas rígidas. A última vez que a tinha visto fora pouco antes de Corinne tentar se matar.

"Bom dia. Como você está?"

"Melhor." Ela veio até mim, mas dei um passo atrás. Corinne deteve o passo, e o sorriso desapareceu de seu rosto. "Você tem um minuto?"

Apontei para minha sala.

Respirando fundo, ela se virou e foi caminhando para lá. Dei uma olhada rápida para Scott. "Dez minutos."

Ele assentiu com a cabeça, com uma expressão de compaixão no rosto.

Corinne foi até minha mesa, e eu entrei em seguida, apertando o botão para fechar a porta. Mantive o vidro transparente e não tirei o paletó, enviando um claro sinal de que não queria que ela ficasse muito tempo.

"Lamento muito pela sua perda, Corinne." Essas palavras não eram suficientes, mas eram tudo o que eu tinha a oferecer. As lembranças daquela noite no hospital ainda me acompanhariam por um bom tempo.

Os lábios dela empalideceram. "Ainda não consigo acreditar. Depois de tantos anos tentando... Pensei que eu fosse incapaz de engravidar." Ela pegou a foto de Eva que ficava na minha mesa. "Jean-François me disse que você telefonou algumas vezes perguntando sobre mim. Seria melhor se me ligasse. Ou atendesse meus telefonemas."

"Não acho que seja apropriado diante das circunstâncias."

Ela me encarou. Seus olhos não tinham o mesmo tom de azul dos da minha mãe, mas eram parecidos com os dela, e seu senso estético também era. A camisa e a calça de Corinne eram do tipo que minha mãe usaria.

"Vocês vão casar", disse Corinne.

Não era uma pergunta, mas respondi como se fosse. "Vamos."

Ela fechou os olhos. "Estava torcendo para que fosse mentira da Eva."

"Sou muito protetor em relação a ela. Cuidado com o que vai falar."

Abrindo os olhos, ela pôs a foto de volta na mesa, batendo-a com força. "Está apaixonado por ela?"

"Não é da sua conta."

"Isso não é resposta."

"Não sou obrigado a dar satisfações para você, mas, se quer saber, ela é tudo para mim."

Sua boca contorcida estremeceu. "Faria alguma diferença para você se eu dissesse que vou me divorciar?"

"Não." Bufei violentamente. "Nunca vamos voltar a ficar juntos, Corinne. Não sei quantas vezes ou de quantas maneiras preciso dizer isso. Nunca vou ser o que você quer que eu seja. Você se livrou de uma boa quando rompeu nosso noivado."

Ela ficou toda tensa, mexendo nos cabelos que chegavam até a cintura. "É isso que está nos separando? Você não consegue me perdoar?"

"Perdoar? Eu agradeço por ter feito isso." Meu tom de voz se amenizou quando vi as lágrimas surgindo em seu rosto. "Não quero ser cruel. Sei o quanto pode ser doloroso. Mas não quero dar nenhuma esperança a você, porque não existe nenhuma."

"O que faria se Eva dissesse uma coisa dessas para você?", ela contestou. "Desistiria e desapareceria da vida dela?"

"Não é a mesma coisa." Passei uma das mãos pelos cabelos, tentando encontrar as palavras certas. "Você não entende o que tenho com Eva. Ela precisa de mim tanto quanto eu preciso dela. Para nosso bem, eu tentaria até o fim."

"*Eu* preciso de você, Gideon."

A frustração me obrigou a ser curto e grosso. "Você nem me conhece. Eu representava um papel para você. Deixava que enxergasse em mim o que queria ver, o que considerava aceitável." E, em troca, eu enxergava apenas o que queria ver nela, a garota que um dia Corinne foi. Tinha deixado de prestar atenção nela muito tempo antes, e não conseguia ver o quanto ela havia mudado. Corinne tinha sido um ponto cego para mim, mas esse tempo ficara para trás.

Ela me olhou em silêncio por um momento, chocada. "Bem que Elizabeth me disse que Eva está querendo reescrever seu passado. Não acreditei. Nunca pensei que você fosse se deixar enganar por alguém, mas acho que existe uma primeira vez para tudo."

"Minha mãe só acredita no que quer, assim como você." Elas eram parecidas nesse sentido também. Acreditavam no que era mais cômodo e ignoravam toda e qualquer prova do contrário.

Eu me dei conta de que só me sentia à vontade com Corinne porque sabia que ela não ia interferir na minha vida. Consegui estabelecer uma normalidade fingida com ela, e isso parecia bastar. Eva mudou tudo isso. Eu não era normal, e não precisava ser. Minha esposa me aceitava como eu era.

Eu não ia revelar meu passado para ninguém, mas meus dias de mentira tinham ficado para trás.

Corinne estendeu a mão para mim. "Eu te amo, Gideon. E você também me amava."

"Eu era grato a você", corrigi. "E sempre vou ser. Sentia atração por você, e nós nos divertíamos. Houve um tempo em que eu precisava de você, mas jamais daria certo entre nós."

Ela baixou de novo a mão.

"Mais cedo ou mais tarde, eu teria encontrado Eva. E teria aberto mão de qualquer coisa para ficar com ela. Teria deixado você. Seria inevitável."

Corinne virou o rosto. "Bom... pelo menos sempre vamos ser amigos."

Fiz um esforço para soar o mais seco possível. Não queria encorajá-la. "Isso não vai ser possível. É a última vez em que nos falamos."

Ela respirou fundo, e eu virei a cabeça para o outro lado, tentando esconder meu desconforto e meu lamento. Corinne foi uma pessoa importante na minha vida. Eu sentiria sua falta, mas não como ela gostaria.

"O que sobra para mim se não tiver você?"

Eu me virei para ela e a segurei pelos braços quando veio correndo até mim.

O sofrimento em seu lindo rosto me abalou antes mesmo de me dar conta do que Corinne havia falado. Horrorizado, eu a empurrei para longe. Corinne cambaleou para trás, e seus saltos enroscaram no carpete.

"Nem tenta jogar esse peso em cima de mim", avisei, com um tom de voz grave e seco. "Não sou responsável pela sua felicidade. Não sou responsável por nada que diz respeito a você."

"Qual é o seu problema?", ela gritou. "Esse não é você."

"Você não faz ideia." Fui até a porta e abri para ela. "Vai para casa ficar com seu marido, Corinne. Vai se cuidar."

"Vai se foder", ela sibilou. "Você vai se arrepender de ter dito isso e pode ter me magoado demais para eu te perdoar."

"Adeus, Corinne."

Ela ficou me encarando por um longo minuto antes de sair do escritório.

"Que merda." Dei meia-volta, sem saber o que fazer, mas ciente de que precisava fazer *alguma coisa.* Comecei a andar de um lado para o outro.

Peguei o celular e liguei para Eva antes mesmo de me dar conta do que estava fazendo.

"Escritório de Mark Garrity", ela atendeu.

"Meu anjo." Essas palavras revelaram todo o meu alívio ao ouvir sua voz. Ela era tudo de que eu precisava. Algo dentro de mim sempre soube disso.

"Gideon." Eva percebeu meu incômodo imediatamente, como sempre. "Está tudo bem?"

Olhei para meus funcionários em seus cubículos distantes, começando o dia a todo vapor. Apertei o botão para trancar a porta e deixei o vidro opaco, para ficar um momento a sós com minha mulher.

Amenizei meu tom de voz, porque não queria deixá-la preocupada. "Já estou com saudade."

Ela esperou um pouco antes de responder, ajustando-se ao mesmo tom. "Mentiroso", ela rebateu. "Você é ocupado demais para isso."

"De jeito nenhum. Agora me diz se está com saudade."

Ela deu risada. "Você é terrível. O que faço com você?"

"Tudo."

"Isso mesmo. Mas por que ligou? Vai ser um dia bem corrido, preciso começar a trabalhar."

Fui até minha mesa e olhei para a foto dela. Meus ombros relaxaram. "Só queria dizer que estou pensando em você."

"Que bom. Então não para. E é bom saber que não está sempre ranzinza no trabalho."

Era bom poder falar com Eva. Já tinha desistido de tentar entender por que ela mexia tanto comigo. Simplesmente aproveitaria e recomeçaria meu dia. "Diz que me ama."

"Loucamente. Você abalou meu mundo, sr. Cross."

Fiquei observando seus olhos risonhos na fotografia, passando o dedo de leve pelo vidro. "E você é o centro do meu."

O restante da manhã passou depressa e sem nada de muito diferente. Eu estava encerrando uma reunião sobre um possível investimento em uma cadeia de resorts quando apareceu mais alguém para me interromper. Meu ritmo de trabalho não estava nada bom naquele dia.

"Você precisa foder tudo sempre, né?", meu irmão me acusou, entrando no meu escritório com Scott em seu encalço.

Com um olhar, eu disse para Scott que estava tudo bem. Ele fechou a porta atrás de si.

"Boa tarde para você também, Christopher."

Tínhamos o mesmo sangue, mas não podíamos ser menos parecidos. Seus cabelos eram ondulados como os de seu pai, de um tom intermediário entre o castanho e o ruivo. Seus olhos eram verdes e um pouco acinzentados, enquanto os meus eram idênticos aos da minha mãe.

"Esqueceu que a Vidal Records é o sustento da Ireland também?", ele esbravejou, olhando feio para isso.

"Nunca me esqueci disso."

"Mas está cagando e andando. Sua vingancinha contra Brett Kline está custando um bom dinheiro. Você está atingindo todos nós, não só ele."

Encostei na mesa e cruzei os braços. Já deveria esperar por isso, considerando o quanto Christopher ficou furioso no lançamento do clipe de "Golden" na Times Square. Ele queria Kline e Eva juntos. Mais que isso, queria Eva e eu separados.

Infelizmente, eu trazia à tona o que meu irmão tinha de pior. Os únicos momentos em que agia de forma cruel ou implacável era quando tentava me atingir. Já o vi fazer discursos brilhantes, encantar as pessoas com seu carisma e impressionar acionistas com seu conhecimento da indústria fonográfica, mas comigo por perto ele não demonstrava nenhuma dessas características.

Irritado com aquela animosidade gratuita, resolvi provocá-lo. "Estou esperando você explicar do que é que está falando."

"Não tenta bancar o inocente, Gideon. Você sabia exatamente o que estava fazendo quando destruiu sistematicamente todas as oportunidades de exposição de mídia que a Vidal conseguiu para o Six-Ninths."

"Se essas oportunidades giravam em torno da Eva, não deveriam nem existir, para começo de conversa."

"Essa decisão não é sua." Ele abriu um sorriso irônico. "Você tem noção do estrago que fez? O *Behind the Music* teve que adiar o especial porque Sam Yimara não tem mais os direitos sobre as filmagens que fez nos primórdios da banda. O *Diners, Drive-Ins and Dives* não pôde incluir o Pete's 69th Street Bar no episódio de San Diego porque o lugar está sendo demolido. E a *Rolling Stone* desistiu da matéria que ia fazer sobre 'Golden' quando você anunciou o noivado. O interesse na música se perdeu, já que a história não vai ter um final feliz."

"Posso conseguir para você as imagens que o VH1 precisa. É só procurar Arash que ele resolve tudo."

"Para você remover todas as partes em que Eva aparece? De que adianta?"

Levantei as sobrancelhas. "O assunto em questão deveria ser o Six-Ninths, não minha esposa."

"Ela ainda não é sua esposa", ele rebateu, "e o problema é exatamente isso. Você está com medo que ela volte correndo para o Brett. Você não faz o tipo dela, todo mundo sabe. Pode até chupar a boceta dela nas festas, mas o que ela gosta mesmo é de fazer boquete em roqueiros em público..."

Em um piscar de olhos, fui para cima dele. Acertei um soco em seu queixo, jogando sua cabeça para trás. Em seguida dei um golpe de esquerda que o fez se estatelar contra a parede de vidro.

Vi Scott se levantar imediatamente, e em seguida senti o impacto do corpo de Christopher se chocando contra o meu. Nós dois caímos. Rolei sobre ele e bati em suas costelas até ouvi-lo grunhir. Ele deu uma cabeçada na minha testa.

A sala inteira começou a girar.

Desnorteado, saí de cima dele e fiquei de pé.

Christopher se apoiou na mesinha de centro para se levantar, com sangue escorrendo dos lábios e pingando no carpete. Seu queixo estava inchado, e ele estava ofegante, respirando fundo. Fechei os punhos e levantei as mãos, sentindo-me todo tenso por causa da vontade de atingi-lo de novo. Se fosse outra pessoa, eu faria isso.

"Vai em frente", ele provocou, limpando a boca na manga da roupa. "Você quer me ver morto desde o dia em que nasci. Por que parar agora?"

"Você é maluco."

Dois seguranças apareceram correndo no corredor, mas fiz um gesto com a mão para que não entrassem.

"Você está fodido na minha mão, seu babaca", meu irmão grunhiu, ficando de pé. "Já falei com os acionistas e expliquei o que você está fazendo. Se quer me derrubar, vou brigar até o fim."

"Você pirou, seu imbecil do caralho. Vai dar uma de louco em outro lugar. E deixa Eva em paz. Se quer ser meu inimigo, a melhor maneira de fazer isso é mexendo com ela."

Ele me encarou por um tempo, depois soltou uma risada áspera. "Ela sabe o que você está fazendo com Brett?"

Fiz uma careta ao respirar fundo, sentindo uma dor nas costelas. "Não estou fazendo nada contra Kline. Só estou protegendo Eva."

"E prejudicar a banda é só um efeito colateral?"

"Antes ele do que ela."

"O caralho", Christopher esbravejou.

"Vai se foder."

Meu irmão saiu pisando duro porta afora.

Eu deveria deixá-lo ir embora, mas em vez disso me peguei falando: "Pelo amor de Deus, Christopher, eles têm talento. Não precisam de truques para fazer sucesso. Se não estivesse tão preocupado em me prejudicar por algum dano que pensa que eu causei, poderia estar pensando em abordagens melhores do que fazer deles uma banda de uma música só".

Ele se virou para mim com os punhos cerrados. "Não vem me dizer como fazer meu trabalho. E, se entrar no meu caminho, vai se dar mal."

Fiquei observando enquanto ele saía, escoltado pelos seguranças. Em seguida fui para minha mesa e verifiquei minhas mensagens. Scott me informou que dois acionistas da Vidal Records tinham me ligado durante o dia.

Liguei para ele. "Quero falar com Arash Madani."

Se era uma guerra que Christopher queria, era isso que teria.

Cheguei ao consultório do dr. Lyle Petersen às seis da tarde. O psicólogo me recebeu com um sorriso simpático e uma expressão afetuosa e amigável em seus olhos azul-escuros.

Depois do dia que tive, passar uma hora falando com um terapeuta era a última coisa que queria. Uma hora sozinho com Eva seria muito mais proveitosa.

Nossa sessão começou da mesma maneira de sempre, com o dr. Petersen me perguntando como tinha sido minha semana e eu respondendo da forma mais sucinta possível. Em seguida ele sugeriu: "Vamos falar sobre os pesadelos".

Eu me recostei no sofá. Fui sincero ao falar sobre meus problemas para dormir e minhas tentativas de encontrar um remédio que me deixasse um pouco mais seguro para ficar ao lado de Eva à noite, mas dissecar o conteúdo dos sonhos nunca esteve em pauta.

Isso significava que essa sugestão tinha vindo de outra pessoa. "Você falou com Eva."

Não era uma pergunta, já que a resposta era bem evidente.

"Ela me mandou um e-mail", ele confirmou, pondo as mãos sobre a tela do tablet.

Comecei a batucar com os dedos.

Ele acompanhou meu movimento com os olhos. "Incomoda você que ela tenha entrado em contato comigo?"

Medi bem as palavras antes de responder. "Ela fica preocupada. Se conversar com você ajuda a amenizar isso, tudo bem. Você também é o terapeuta *dela*, então falar sobre isso seria natural."

"Mas você não gosta. Prefere escolher sobre o que conversar comigo."

"Prefiro que Eva se sinta segura."

O dr. Petersen balançou a cabeça. "É por isso que está aqui. Por causa dela."

"Claro."

"O que ela espera conseguir com nossas sessões?"

"Você não sabe?"

Ele sorriu. "Gostaria de ouvir sua resposta para essa pergunta."

Depois de um tempo, respondi. "Eva tomou muitas decisões erradas no passado. Então aprendeu a confiar no juízo dos terapeutas. Isso funciona bem para ela."

"E você, o que pensa a respeito?"

"Preciso pensar alguma coisa?", rebati. "Ela me pediu para experimentar terapia, e eu concordei. Relacionamentos exigem comprometimento, certo?"

"Sim." Ele começou a batucar na tela do tablet. "Me conta sobre suas experiências anteriores com a terapia."

Respirei fundo e soltei o ar com força. "Eu era criança. Não lembro mais."

Ele me olhou por cima dos óculos. "Como se sentia a respeito de se abrir com alguém? Irritado, assustado, triste?"

Olhando para a aliança, respondi: "Um pouco de cada".

"Imagino que se sentia da mesma forma sobre o suicídio do seu pai."

Fiquei gelado por dentro, e estreitei os olhos. "Aonde está querendo chegar?"

"Só estamos conversando, Gideon." Ele se recostou na poltrona. "Muitas vezes sinto que você se pergunta o que estou querendo dizer. Não estou querendo dizer nada. Só quero ajudar você."

Eu me obriguei a relaxar.

Os pesadelos precisavam acabar. Eu precisava poder dormir na mesma cama que minha esposa. E queria que o dr. Petersen me ajudasse com isso.

Só não queria ter que falar sobre coisas que não podiam mais ser mudadas para conseguir isso.

8

"Ei, amiga. Você gosta de karaokê?", Shawna Ellison perguntou assim que atendi o telefone.

Larguei o lápis em cima do bloco em que estava rabiscando, sentei no sofá e pus os pés em cima do estofado. Já eram mais de nove horas, e ainda não tinha recebido nenhum sinal de Gideon. Só não sabia se isso era bom ou ruim, já que ele tinha consulta com o dr. Petersen no fim da tarde.

O sol tinha se posto uma hora antes, e eu estava me esforçando para não pensar no meu marido a cada cinco segundos. Conversar com Shawna era uma distração bem-vinda.

"Bom", comecei, "como sou muito desafinada, nunca pensei em cantar em público. Por quê?"

A imagem da ruivinha animada que estava se tornando uma ótima amiga me veio à cabeça. Em diversos sentidos, ela era muito parecida com Steven, seu irmão, que ia se casar com meu chefe. Eram ambos divertidos e despachados, com pavio curto, mas companheiros para qualquer hora. Eu gostava muito dos irmãos Ellison.

"Porque eu estava pensando em ir conhecer um bar de karaokê novo de que ouvi falar hoje no trabalho", ela explicou. "Em vez daquelas trilhas bregas, nesse lugar tem uma banda ao vivo para fazer o acompanhamento. Você não precisa cantar se não quiser. Um monte de gente vai só para ver."

Peguei meu tablet de cima da mesa de centro. "Como é o nome do lugar?"

"Starlight Lounge. Acho que pode ser uma opção divertida para sexta."

Levantei as sobrancelhas. Sexta-feira era a noite em que íamos misturar as turmas. Tentei imaginar Arnoldo ou Arash cantando no karaokê, o que me fez sorrir. Por que não? Pelo menos para quebrar o gelo.

"Vou falar com Gideon." Coloquei o nome do bar na busca e encontrei o site. "Parece legal."

O nome remetia a um ponto de encontro de cantores das antigas, mas as imagens do site eram de um lugar moderno, decorado em tons de azul com toques cromados. Parecia um lugar fino e estiloso.

"Né? Também achei. Vai ser divertido."

"É mesmo. Você precisa ver Cary com um microfone na mão. Ele não tem o menor pudor."

Ela deu uma risada vívida e borbulhante como uma taça de champanhe, e abri um sorriso ao ouvi-la. "Steven também. Quando decidir me avisa. A gente precisa se ver."

Quando desligamos, pus o celular ao meu lado no sofá. Quando ia pegar o lápis e o papel para retomar o que estava fazendo, ouvi o sinal de uma nova mensagem de texto.

Era de Brett. **Precisamos conversar. Me liga.**

Fiquei olhando para sua foto na tela por um bom tempo. Ele passou o dia todo me ligando, mas não deixou recado. Eu estaria mentindo se dissesse que não tinha ficado tentada a saber por que estava me procurando, mas sabia que era uma furada. Talvez até pudéssemos ser amigos algum dia, mas não no momento. Não valia o estresse que eu teria com Gideon.

Sempre achei que encarar assuntos que me deixavam desconfortáveis era um sinal de fortaleza e responsabilidade. Mas agora percebia que às vezes a determinação em resolver tudo não era ideal. Em certas ocasiões, era preciso aproveitar a oportunidade para se conhecer melhor.

Dou uma ligada quando puder, respondi. Deixei o celular de lado outra vez. Falaria com ele quando Gideon estivesse comigo. Sem segredos nem nada a esconder.

"Oi." Cary apareceu na sala vestindo uma calça de pijama e uma camiseta surrada. Seus cabelos castanhos ainda estavam molhados do banho que ele tomou depois que Tatiana foi embora, uma hora antes.

Fiquei contente por ela não ter dormido aqui. Queria gostar da mulher que se dizia grávida do meu melhor amigo, mas aquela modelo magra e de pernas compridas dificultava um bocado a tarefa. Parecia que ela me provocava deliberadamente sempre que podia. Tinha a impressão de que ela desejava ter Cary só para si e me via como um obstáculo em seu caminho.

Cary se esparramou do outro lado do sofá, com a cabeça perto da minha perna e as pernas esticadas. "O que está fazendo?"

"Listas. Quero poder fazer alguma coisa pelas vítimas de abuso."

"Ah, é? E no que você está pensando?"

Encolhi os ombros, sem saber o que dizer. "Na verdade, não sei. Fiquei pensando na Megumi, que não contou o que aconteceu para ninguém. Também não contei. Nem você. Só falamos sobre isso muito mais tarde."

"Afinal, quem se importa?", ele disse em um tom áspero, apoiando o queixo na mão.

"E é uma conversa sempre difícil. Já existem muitos serviços de atendimento às vítimas e refúgios. Quero fazer a diferença, mas ainda não tive nenhuma ideia."

"Então fala com pessoas que já tiveram ideias."

Abri um sorriso. "Você faz parecer tão fácil."

"Ora, por que reinventar a roda? Encontra alguém que esteja fazendo alguma coisa bacana e oferece ajuda." Ele se deitou de costas e esfregou o rosto com as duas mãos.

Eu conhecia esse gesto e sabia o que significava. Alguma coisa o estava devorando por dentro.

"Como foi seu dia?", perguntei. Acabei ficando mais tempo sozinha com Gideon do que com Cary em San Diego e estava me sentindo mal por isso. Cary se divertiu bastante com seus amigos de lá, mas o propósito da viagem não era esse. Senti que o havia decepcionado, apesar de ele não ter aberto a boca para dizer isso.

Cary deixou os braços caírem ao lado do corpo. "Tive uma sessão de fotos de manhã, depois fui almoçar com Trey."

"Você contou sobre o bebê?"

Ele sacudiu a cabeça. "Até pensei em fazer isso, mas não consegui. Sou um cretino mesmo."

"Não precisa ser tão duro com você mesmo. É uma situação difícil."

Cary fechou os olhos, escondendo o verde vibrante. "Outro dia eu estava pensando que seria bem mais fácil se Trey jogasse nos dois times. Assim poderíamos transar entre nós e com Tat, e ficaria tudo bem. Mas então percebi que não ia querer dividir Trey com Tat. Ela eu não ligo de dividir. Mas com ele é diferente. Me diz que não estou sendo um babaca."

Estendi a mão e passei os dedos por seus cabelos. "Você só está sendo humano."

Minha situação com Gideon era parecida: queria poder ser amiga de Brett, mas não gostava da ideia de Gideon ser amigo de Corinne. "Em um mundo perfeito, ninguém seria egoísta, mas não é assim que as coisas são. O máximo que a gente pode fazer é tentar."

"Você está sempre arrumando desculpas para mim."

Pensei a respeito dessa afirmação por um minuto. "Não", corrigi com toda a gentileza, dando um beijo em sua testa. "Eu sempre perdoo você. Alguém precisa fazer isso, já que você nunca se perdoa."

A manhã de quarta-feira passou em um instante. Quando percebi, já era hora do almoço.

"Duas semanas atrás, estávamos comemorando nosso noivado", disse Steven Ellison enquanto eu me sentava na cadeira que tinha puxado para mim. "Agora vamos comemorar o seu."

Sorri. Era inevitável. A alegria do noivo do meu chefe era contagiante, envolvente. "Deve ser alguma coisa na água daqui."

"É verdade." Ele olhou para seu companheiro e depois para mim. "Mark não vai perder você, né?"

"Steven", repreendeu Mark, sacudindo a cabeça. "Não faça isso."

"Não pretendo sair de onde estou", respondi, recebendo em troca um olhar de surpresa e um sorriso de satisfação do meu chefe. O sorriso emoldurado pelo cavanhaque era tão contagiante quanto a afetuosidade de Steven. Só pelos nossos almoços já valia a pena trabalhar com ele.

"Ora, fico feliz de ouvir isso", disse Mark.

"Eu também." Steven abriu o cardápio com um movimento resoluto, como se tivesse acabado de tomar uma decisão importante. "Quero você sempre por perto, menina."

"Pode deixar", confirmei.

O garçom pôs na mesa uma cesta com torradas com azeite e alho, e começou a falar sobre os pratos do dia. O pessoal do restaurante tinha elaborado dois menus: um italiano e um grego.

Como a maior parte dos restaurantes de Manhattan, aquele era pequeno e com mesas bem próximas, a ponto de ser preciso tomar cuidado com os cotovelos para não cutucar ninguém da mesa ao lado. Os aromas que saíam da cozinha e passavam por mim nas bandejas dos garçons fizeram meu estômago roncar audivelmente. Por sorte, o ruído no salão lotado na hora do almoço era alto o suficiente para encobrir os barulhos do meu corpo.

Steven passou uma das mãos pelos cabelos ruivos reluzentes que muitas mulheres matariam para ter. "Vou querer moussaka."

"Eu também", anunciei, fechando o cardápio.

"Para mim uma pizza de pepperoni", pediu Mark.

Steven e eu o provocamos por ser tão pouco propenso a opções mais arriscadas.

"Ora essa", ele rebateu, "casar com Steven já é aventura suficiente para a vida toda."

Com um sorriso, Steven apoiou o cotovelo na mesa e o rosto na mão. "E então, Eva... como Cross te pediu em casamento? Não deve ter sido no meio da rua para o mundo todo ver."

Mark, que estava sentado ao lado do companheiro, olhou para ele com uma expressão de perplexidade.

"Não mesmo", confirmei. "Ele me deu a notícia em uma praia particular. Não dá para dizer que foi um pedido, porque na prática ele simplesmente anunciou que a gente ia se casar."

Mark contorceu a boca, mas Steven levou tudo numa boa, como sempre. "A versão Gideon Cross de um momento romântico."

Dei risada. "Exatamente. Gideon vive dizendo que não tem nada de romântico, mas ele tem, sim."

"Me deixa ver a aliança."

Estendi a mão para Steven, e o diamante no centro da peça reluziu em uma série de tons. Era lindo e despertava boas lembranças em Gideon, apesar da opinião contrária de Elizabeth Vidal.

"Uau. Mark, querido, você precisa me comprar uma dessas."

A imagem que surgiu na minha cabeça, de um empreiteiro de cabelos ruivos usando uma aliança como a minha, foi um tanto cômica.

Mark olhou feio para ele. "Para você destruir trabalhando na obra? Seria uma péssima ideia."

"Diamantes são resistentes, e eu cuidaria muito bem dela."

"Você vai ter que esperar até eu abrir minha própria agência", meu chefe disse com uma risadinha.

"Isso eu posso fazer." Steven deu uma piscadinha para mim. "Já reservou o lugar?"

Fiz que não com a cabeça. "Você já?"

"Com certeza." Ele se contorceu para abrir a pasta ao seu lado e sacou um fichário com os planos de casamento. "Me diz o que você acha desses padrões de estampa."

Mark revirou os olhos e soltou um suspiro. Peguei uma torradinha de alho e me inclinei para ver de bom grado.

Trabalhei na SDP da LanCorp pelo restante da manhã.

Quando o expediente terminou, fui para a aula de krav maga com Raúl. No caminho, reli a resposta de Clancy para minha mensagem dizendo que não precisaria mais de carona. Ele respondeu que tudo bem, mas eu achei que precisava explicar melhor.

Gideon quer que o pessoal dele cuide de mim daqui em diante, então você está livre por enquanto. Obrigada pela ajuda.

A resposta não demorou muito. **Quando quiser. Se precisar de mim grita. Aliás, sua amiga não precisa mais se preocupar.**

O agradecimento que mandei em resposta não me pareceu suficiente. Precisava arrumar um jeito melhor de expressar minha gratidão.

Raúl estacionou na frente do antigo galpão de tijolos onde funcionava a academia de krav maga de Parker Smith, entrou comigo e se sentou na arquibancada. Sua presença me desconcentrou um pouco. Clancy sempre me esperava do lado de fora. Fiquei desconfortável com Raúl me olhando o tempo todo.

O espaço grande estava quase todo tomado pelos alunos que se espalhavam pelos tatames em treinos corpo a corpo com os instrutores. O barulho no ambiente era quase ensurdecedor, uma cacofonia de corpos atingindo a espuma, troncos e membros colidindo uns contra os outros e os diversos gritos que os lutadores soltavam para se afirmar e intimidar seus parceiros de treinamento. Portas de aço gigantescas acrescentavam um ar industrial ao local, e o calor era tamanho que o ar-condicionado e os ventiladores não davam conta.

Eu estava me alongando para me preparar para a pesada sessão de treino quando um par de pernas finas apareceu no meu campo de visão. Endireitei a postura e dei de cara com a detetive Shelley Graves, da polícia de Nova York.

Seus cabelos castanhos estavam presos em um coque austero como seu rosto, e seus olhos azuis me observavam com uma agudeza impassível. Eu tinha medo dela, e do que poderia fazer com Gideon, mas também a admirava muito. Ela era determinada e confiante como eu queria ser.

"Eva", ela me cumprimentou.

"Detetive Graves." Ela estava vestida para o trabalho, com uma calça social preta e uma blusa de brim vermelha, além de um blazer preto que escondia seu distintivo e sua arma. As botas eram sóbrias e discretas, assim como seu comportamento.

"Estava de saída e vi você aqui. Fiquei sabendo do noivado. Parabéns."

Senti meu corpo se contrair um pouco. Uma parte importante do álibi de Gideon — se é que podia ser chamado assim — era a alegação de que estávamos separados quando Nathan morreu. Por que um homem público visado e poderoso mataria alguém por causa de uma ex que nem fazia mais parte de sua vida?

Um noivado assim tão repentino causaria suspeitas. Graves me disse que já estava trabalhando em outros casos com seu parceiro, mas eu sabia que tipo de policial ela era. Shelley Graves acreditava na justiça. Ela achava que Nathan tivera o castigo merecido, mas provavelmente ainda se questionava se Gideon não tinha que pagar pelo que havia feito.

"Obrigada", respondi. Gideon e eu éramos uma equipe. "Sou uma garota de sorte."

Ela olhou para as arquibancadas e para Raúl. "Onde está Ben Clancy?"

Franzi a testa. "Não sei. Por quê?"

"Só por curiosidade. Um dos agentes federais com quem conversei sobre Yedemsky também se chamava Clancy." Ela me encarou. "Acha que pode ser algum parente dele?"

Fiquei pálida diante da menção do mafioso russo cujo corpo foi encontrado com a pulseira de Nathan. Minhas pernas ficaram bambas. “Quê?”

Ela balançou a cabeça, como se já esperasse essa reação. “Provavelmente não. Enfim, até mais.”

Fiquei observando enquanto se afastava, com sua atenção voltada para Raúl. Mas então ela parou e se virou para mim de novo. “Vou ser convidada para o casamento?”

Tive que me concentrar para responder: “Vai ser uma cerimônia simples, só para a família”.

“Sério? Por essa eu não esperava.” Algo parecido com um sorriso se formou em seu rosto magro. “Ele é cheio de surpresas, não?”

Eu não sabia nem por onde começar a tentar decifrar o que ela queria dizer. Estava ocupada demais processando as outras coisas que dissera. Só me dei conta de que a estava seguindo quando a segurei pelo cotovelo.

Graves se deteve e ficou tensa, e achei melhor largá-la. Imediatamente.

Fiquei olhando para ela por um momento, tentando organizar meus pensamentos. Clancy. Gideon. Nathan. Que diabos significava tudo aquilo? Aonde ela estava querendo chegar?

Acima de tudo, por que eu sentia que estava querendo me ajudar? Cuidar de mim? E de Gideon?

O que acabei dizendo surpreendeu até a mim mesma. “Estou procurando uma organização que ajude vítimas de abuso para apoiar.”

Ela levantou as sobrancelhas. “Por que está me dizendo isso?”

“Não sei por onde começar.”

Ela me olhou de um jeito estranho. “Procura a Crossroads”, ela respondeu secamente. “Ouvi falar muito bem sobre eles.”

Estava sentada de pernas cruzadas no chão do quarto quando Gideon chegou. Estava usando uma calça jeans folgada e uma camiseta branca com gola V, girando a chave do meu apartamento no dedo.

Fiquei olhando para ele. Meu coração ia continuar disparando toda vez que o visse? Eu esperava que sim.

Meu quarto era pequeno e feminino, decorado pela minha mãe com antiguidades e uma mesinha ridícula que ela esperava que servisse como escrivaninha. Gideon injetou uma dose de testosterona no ambiente, fazendo com que eu me sentisse frágil e ansiosa para ser devorada.

“Oi, garotão.” O amor e a saudade que eu sentia se expressaram claramente naquelas duas palavras.

As chaves pararam de rodar em seu dedo e ele se deteve, olhando-me da mesma forma como me encarou naquele primeiro encontro no saguão do Crossfire. Seus olhos assumiram uma ferocidade que eu achava extremamente excitante.

Por algum motivo que eu provavelmente jamais ia entender, ele pensava a mesma coisa sobre mim.

"Anjo." Ele se agachou, e seus cabelos caíram no rosto. "O que está fazendo?"

Gideon remexeu os papéis espalhados no chão ao meu redor. Antes que se incomodasse com o fato de eu estar pesquisando sobre sua Fundação Crossroads, agarrei e apertei sua mão.

Despejei sobre ele tudo o que sabia de forma abrupta, como se a informação jorrasse de mim. "Foi Clancy, Gideon. Clancy e seu irmão do FBI plantaram a pulseira do Nathan naquele mafioso."

Ele balançou a cabeça. "Imaginei."

"Ah, é? Como?" Dei um tapa no ombro dele. "Por que não disse nada? Estava morrendo de preocupação."

Gideon se sentou diante de mim, cruzando as pernas compridas em uma pose idêntica à minha. "Ainda não temos todas as respostas. Angus e eu estamos analisando as possibilidades. O responsável por tudo estava de olho em Nathan ou em mim, então foi esse nosso ponto de partida."

"Ou então estava de olho em vocês dois."

"Exatamente. Quem faria isso? Quem poderia ter tanto interesse nessa história? E em você?"

"Meu Deus." Olhei bem para ele. "A detetive Graves já sabe. O FBI. Clancy..."

"Graves?"

"Ela falou sobre isso hoje lá na academia do Parker. Puxou o assunto quando me viu por lá, só para ver como eu ia reagir."

Ele estreitou os olhos. "Ou ela está provocando você ou está querendo que pare de se preocupar com isso. Eu apostaria na segunda hipótese."

Quase perguntei por que, mas tinha chegado à mesma conclusão. Aquela detetive era durona, mas tinha coração. Percebi isso nas poucas vezes em que interagimos. E ela era boa no que fazia, obviamente.

"Vamos ter que confiar nela, então?", perguntei, engatinhando sobre a papelada para me sentar em seu colo.

Gideon me puxou para junto de si, acomodando-me em seu corpo como se ali fosse meu lugar. Era assim que eu me sentia quando ele me abraçava. Segura. Protegida. Adorada.

Seus lábios tocaram minha testa. "Vou falar com Clancy só para ter certeza, mas ele não é bobo. Não deve ter deixado nenhuma brecha."

Minha mão agarrou o tecido de sua camiseta com todas as forças. "Não faz mais essas coisas, Gideon. Para de tentar me proteger de tudo."

"Não consigo." Ele me abraçou com mais força. "Acho que poderia ter falado sobre isso, mas tenho poucos momentos a sós com você, e quero que seja tudo perfeito."

"Gideon. Você precisa se abrir para mim."

O peito dele se expandiu sob meu rosto, e seu coração acelerou. "Estou trabalhando nisso, Eva."

Isso era tudo que eu poderia querer.

Na manhã seguinte, fui descalça para a cozinha e encontrei Gideon fazendo café. Até gostaria de dizer que foi o cheiro da bebida que me fez deter o passo, mas foi a visão do meu marido recém-barbeado e vestido, mas com o colete ainda aberto. Adorava vê-lo um pouquinho desarrumado.

Gideon me olhou enquanto caminhava em sua direção, com uma expressão impassível no rosto, mas um olhar afetuoso. Eu teria o mesmo impacto sobre ele no início do dia? Provavelmente não. Para mim, ou os homens pensavam em sexo, ou não pensavam em nada.

Segurando seu pulso, puxei sua mão para mim, para a parte posterior da minha coxa.

Um sorriso apareceu no canto de sua boca. "Olá para você também, sra. Cross."

Ele puxou minha cinta-liga e a fez se chocar contra minha pele. Tive um sobressalto com a dor repentina e soltei um suspiro ao sentir o ardor se espalhar pela perna.

"Humm... você gostou disso." Ele abriu um sorriso.

Fiz um biquinho com o lábio inferior. "Doeu."

Gideon encostou no balcão e me puxou para o meio de suas pernas, agarrando de leve a parte posterior das minhas coxas. Ele esfregou o nariz na minha cabeça e fez uma massagem no lugar que estava ardendo. "Desculpa, meu anjo."

Em seguida fez o mesmo com o elástico da liga da outra perna.

Pega de surpresa, arqueei as costas, encostando meu corpo ao dele. Gideon estava de pau duro. De novo. Um leve gemido escapou da minha boca. "Para."

"Você está ficando com tesão", ele murmurou na minha orelha.

"Isso dói!", reclamei, apesar de continuar me esfregando nele. Eu tinha sido acordada com beijinhos de leve e passadas de mão provocadoras. Retribuí o gesto no chuveiro, com a boca. Ainda assim, ele estava disposto a começar tudo de novo. E eu também. Éramos viciados um no outro.

"Quer que eu dê um beijinho para melhorar?" Ele passou os dedos pelas minhas coxas e me encontrou quentinha e pronta. Soltou um grunhido. "Minha nossa, Eva. Você acaba comigo. Tenho tanto o que fazer..."

Ele era muito gostoso. E seu cheiro era ainda melhor. Eu o abracei pelo pescoço. "Precisamos ir trabalhar."

Gideon arrancou meus pés do chão, esfregando-me contra sua ereção. "Vamos brincar com essas ligas mais tarde."

Eu o beijei, devorando-o com a boca, acariciando sua língua. Atacando-o com vontade. Devorando-o. Sugando-o.

Gideon puxou meu rabo de cavalo e me posicionou como queria para me beijar, usando minha boca e me sentindo por inteiro. Em um piscar de olhos, eu estava toda quente, sentindo minha pele úmida de suor.

Seus lábios eram firmes e macios, e suas mãos me mantinham na posição que ele queria enquanto mordiscava meu lábio inferior. Seu gosto, com um toque de café, deixou-me inebriada. Envolvida por ele, agarrei seus cabelos e levantei os pés para puxá-lo para mais perto. Cada vez mais perto. Mas a proximidade nunca era suficiente.

"Uau." A voz de Cary quebrou o feitiço sexual com que Gideon tinha me enredado. "Não esqueçam que é aqui que a gente come."

Tentei me afastar do meu marido, mas ele não largou, permitindo apenas que o beijo fosse interrompido. Nossos olhares se cruzaram. Seus olhos estavam alertas por sob as pálpebras semicerradas, e seus lábios, úmidos e suaves.

"Bom dia, Cary", ele falou, voltando sua atenção para meu amigo, que foi até a cafeteira.

"Para vocês dois, talvez." Cary abriu o armário e pegou uma caneca. "Infelizmente, estou cansado demais para apreciar o showzinho. E não estou nada animado com o restante do dia."

Ele estava vestindo uma calça jeans justa e uma camiseta azul-marinho, com os cabelos bem penteados e um topete. Eu tinha pena de quem cruzaria seu caminho durante o dia. Cary era de parar o trânsito, tanto por causa da aparência como da falsa confiança que transmitia.

"Você tem uma sessão de fotos hoje?", perguntei.

"Não. Tat tem e quer que eu vá junto. Ela anda tendo enjoos matinais, então vou ficar por perto para ajudar caso aconteça de novo."

Passei a mão em seu braço em um gesto de apoio. "Que legal, Cary. Você é o máximo."

Ele contorceu os lábios ironicamente, levando a caneca fumegante à boca. "E o que mais posso fazer? Não posso vomitar por ela, e Tat precisa trabalhar o quanto puder agora."

"Se precisar de mim é só falar."

Ele encolheu os ombros. "Claro."

A mão de Gideon passeou pelas minhas costas, oferecendo seu apoio. "Se tiver tempo, Cary, queria que participasse da conversa sobre a reforma da cobertura na Quinta Avenida."

"Ah, sim, andei pensando nisso." Cary apoiou o quadril no balcão. "Ainda não me acertei direito com Tat, mas acho que mais cedo ou mais tarde vamos ter que morar juntos. Vocês não vão querer um bebê gritando dentro de casa. Quando quiserem, vai ser o de vocês, não o meu."

"Cary..." Ele quase nunca pensava em nada além dos quinze minutos seguintes. Ouvi-lo fazendo planos tão sérios me fez amá-lo ainda mais.

"A cobertura tem isolamento acústico", disse Gideon, com um tom de voz firme, que não deixava dúvida sobre quem estava no comando. "Podemos fazer o que for preciso, Cary. É só me dizer que providencio."

Cary olhou para a caneca, e seu lindo rosto de repente pareceu preocupado e cansado. "Obrigado. Vou falar com Tat. Mas é difícil, sabe? Ela se recusa a pensar no futuro, e eu não penso em outra coisa. Vamos ter uma pessoa totalmente dependente de nós e precisamos estar preparados para isso. De qualquer jeito."

Dei um passo atrás, e Gideon me soltou. Para mim, era difícil ver Cary aflito. E assustador também. Ele não costumava lidar muito bem com desafios, e eu temia que voltasse a recorrer a seus mecanismos autodestrutivos de defesa. Era uma ameaça que pairava sobre nós dois todos os dias. Eu tinha um grupo de pessoas para me ajudar com isso. Cary só podia contar comigo.

"É para isso que serve a família, Cary." Abri um sorriso. "Para fazer as pessoas enlouquecerem e precisarem de terapia."

Ele deu uma risadinha e escondeu o rosto atrás da caneca. A falta de uma resposta bem-humorada me deixou ainda mais ansiosa. Um silêncio tenso pairou sobre a cozinha.

Gideon e eu deixamos que ele pensasse por um minuto, aproveitando o tempo para tomar o café. Não trocamos nem olhares, para que Cary não se sentisse isolado, e senti que estávamos todos em sincronia. Era importantíssimo para mim. Nunca tivera um companheiro de verdade na vida, um amante que quisesse alguma coisa além de diversão.

Gideon era um milagre em diversos sentidos.

Nesse momento percebi que precisaria ceder em alguns pontos e pensar melhor na questão de trabalhar com ele. Era preciso entender que a Equipe Cross não era composta apenas por Gideon. Eu também poderia fazer parte, compartilhar isso com ele.

"Na semana que vem vou ter tempo", Cary disse por fim, olhando para mim e depois para Gideon, que balançou a cabeça afirmativamente.

"Vamos marcar para quarta então. Para dar tempo pra gente se recuperar do fim de semana."

Cary abriu um sorrisinho. "Então a farra vai ser boa."

Sorri também. "E quando não é?"

"Como você está?", perguntei para Megumi quando fomos almoçar na quinta-feira.

Ela parecia melhor que na segunda, mas ainda estava usando roupas pesadas demais para o verão. Por causa disso, pedimos salada e fomos comer na copa em vez de sair para o calor da rua.

Ela abriu um sorrisinho desanimado. "Melhor."

"Lacy sabe o que aconteceu?" Eu não sabia se Megumi tinha muita intimidade com sua colega de apartamento, mas não havia me esquecido de que ela também tinha saído com Michael.

"De tudo não." Megumi remexeu a salada com o garfo de plástico. "Estou me sentindo tão idiota."

"Por mais que a gente se sinta culpado, não é. O responsável por tudo foi ele."

"Eu sei, mas mesmo assim..."

Entendia como ela estava se sentindo. "Já pensou em conversar com alguém?"

Megumi me encarou, pondo o cabelo atrás da orelha. "Tipo um profissional?"

"É."

"Na verdade não. Como vou atrás disso?"

"Nosso plano de saúde cobre. É só ligar para o número atrás da carteirinha. Eles vão passar uma lista de profissionais credenciados."

"E aí eu... escolho um?"

"Eu ajudo você." E, se conseguisse pôr meu plano em prática, conseguiria ajudar muitas outras mulheres como ela e eu. Alguma coisa boa tinha que surgir daquelas experiências. Eu tinha a motivação e os meios. Só precisava descobrir o que fazer.

Os olhos dela brilharam. "Você é uma boa amiga, Eva. Obrigada pelo apoio."

Eu me inclinei para a frente e a abracei.

"Ele não me mandou mais nenhuma mensagem", Megumi falou quando a soltei. "Ainda estou com medo de que me procure de novo, mas a cada hora que passa sem que isso aconteça eu me sinto melhor."

Recostando-me na cadeira, agradeci a Clancy em silêncio. "Que bom."

*

Às cinco horas, saí do trabalho e entrei no elevador para subir até a sede das Indústrias Cross, onde me encontraria com Gideon antes de ir para nossa consulta com o dr. Petersen.

Passei o dia todo pensando nele, no futuro que planejava para *nós*. Queria que respeitasse minha individualidade e meus limites, mas também que se abrisse um pouco mais. Queria ter mais momentos como o daquela manhã com Cary, quando Gideon e eu trabalhamos juntos para resolver a situação. Se não estivesse disposta a cooperar com ele, não poderia pedir isso.

A recepcionista ruiva das Indústrias Cross liberou minha entrada. Ela me cumprimentou com um meio sorriso tenso. "Posso ajudar?"

"Não, obrigada", respondi, passando direto. Seria bom se todos os funcionários de Gideon fossem legais como Scott, mas ela tinha alguma implicância comigo, e eu já tinha me conformado com isso.

Fui andando na direção da sala de Gideon e encontrei a mesa de Scott vazia. Através do vidro, vi meu marido comandar uma reunião com sua autoridade natural. Estava de pé diante da mesa, apoiado no móvel com os pés cruzados, diante de uma plateia composta de dois homens de terno e uma mulher com um belíssimo par de sapatos Louboutin. Scott estava sentado em um canto, fazendo anotações em um tablet.

Eu me acomodei em uma das cadeiras diante da mesa de Scott e observei Gideon com a mesma atenção das demais pessoas na sala. Nunca deixava de me surpreender com o quanto era confiante para um homem de apenas vinte e oito anos. Os homens com quem conversava pareciam ter o dobro de sua idade, e sua linguagem corporal me dizia que respeitavam o que meu marido estava dizendo.

Sim, o dinheiro falava — e bem alto —, e isso Gideon tinha de sobra. Mas ele exibia seu comando e seu controle de outras formas também, mais sutis. Foi uma coisa que aprendi a reconhecer depois de viver com o pai de Nathan, então casado com minha mãe, que exercia seu poder de forma implacável.

Gideon sabia como se impor sem precisar bater no peito. E o fato de estar em sua sala não fazia diferença — ele seria o centro das atenções em qualquer ambiente.

Ele virou a cabeça, e seu olhar encontrou o meu. Não havia nenhum sinal de surpresa em seus olhos azuis cintilantes. Ele sabia que eu estava lá, tinha sentido minha presença, assim como eu sempre sentia a sua. Estávamos conectados em um nível impossível de explicar. Às vezes, quando não estávamos juntos, eu conseguia sentir sua proximidade só de pensar nele.

Sorri e remexi a bolsa à procura do telefone. Não queria que Gideon pensasse que estava só esperando por ele, então se sentisse pressionado a ir embora.

Havia dezenas de e-mails da minha mãe com fotos de vestidos, flores e salões, o que me lembrou de que precisava falar com ela sobre meu pai pagar a cerimônia. Estava adiando essa conversa a semana toda, para me preparar para sua reação. Tinha recebido também outra mensagem de Brett, dizendo que precisávamos conversar... com urgência.

Eu me levantei e fui procurar um lugar tranquilo para falar com ele. Dei de cara com Christopher Vidal Sr. no corredor.

O padrasto de Gideon estava usando calça cáqui, mocassins e uma camisa azul com o colarinho desabotoado e as mangas arregaçadas. Os cabelos castanhos ondulados que Christopher Jr. tinha herdado dele estavam bem cortados, e seus olhos verdes estavam escondidos atrás de óculos de aspecto antigo.

"Eva." Chris diminui o passo ao me ver. "Como vai?"

"Bem. E você?"

Ele balançou a cabeça e olhou por cima do meu ombro para o escritório de Gideon. "Não tenho do que reclamar. Você tem um minuto? Queria conversar."

"Claro." A porta se abriu atrás de mim, e Scott saiu.

"Sr. Vidal", ele disse, vindo em nossa direção. "Srta. Tramell. O sr. Cross vai demorar mais uns quinze minutos. Querem alguma coisa para beber enquanto esperam?"

Chris sacudiu a cabeça. "Não quero nada, obrigado. Mas se você tiver alguma sala que pudéssemos usar seria ótimo."

"Claro." Scott olhou para mim.

"Não quero nada, obrigada", respondi.

Deixando o tablet sobre a mesa, ele nos conduziu até uma sala de reuniões com uma vista belíssima da cidade. Uma mesa comprida de madeira reluzia sob os spots de luz, com um armário do mesmo material ocupando uma das paredes e um monitor pendurado na outra.

"Se precisarem de alguma coisa é só discar um que eu providencio. Tem café ali, e água também."

Chris balançou a cabeça. "Obrigado, Scott."

Ele saiu. Chris fez um gesto para que eu me sentasse e se acomodou na cadeira ao lado, virando-se para me encarar.

"Em primeiro lugar, parabéns pelo noivado." Ele sorriu. "Ireland sempre fala muito bem de você, e sua ajuda foi fundamental para que ela e Gideon se aproximassem. Não tenho palavras para agradecer por isso."

"Não foi nada, mas agradeço a lembrança."

Ele segurou minha mão esquerda, que estava apoiada sobre a mesa. Com o polegar, roçou de leve minha aliança, e sua boca se curvou em uma expressão de desgosto.

Ele estaria pensando no fato de ser a mesma aliança que Geoffrey Cross deu para Elizabeth?

"É uma linda aliança", disse por fim. "Com certeza dar a você foi um gesto que significou muito para Gideon."

Fiquei sem saber o que dizer. Aquele era um gesto importante para meu marido porque era um símbolo do amor entre seus pais.

Chris soltou minha mão. "Elizabeth não digeriu muito bem a notícia. Uma mãe deve sentir muitas emoções conflitantes quando seu primeiro filho decide se casar. A minha costumava dizer que um filho só é um filho até o casamento — depois vira um marido —, mas uma filha continua sendo uma filha para sempre."

Essa explicação em tom de justificativa não soou nada bem. Ele estava tentando ser gentil, mas eu estava cansada de ouvir desculpas esfarrapadas, principalmente quando a pessoa em questão era Elizabeth Vidal. Esse fingimento precisava acabar, caso contrário Gideon continuaria sofrendo.

Eu tinha que mudar aquilo. Toda vez que Gideon acordava chorando, meu coração apertava mais um pouco. Não conseguia nem imaginar o mal que fazia para ele.

Ainda assim, queria deixar esse assunto de lado por ora. Poderia insistir e esbravejar o quanto quisesse, mas a única pessoa que tinha direito a exigir explicações era Gideon.

Deixa isso para lá. Quando chegar a hora, vai acontecer de qualquer jeito.

Mas acabei me inclinando para a frente, incapaz de manter o silêncio que Gideon vinha preservando fazia tanto tempo.

"Vamos ser sinceros", eu disse baixinho. "Sua mulher não teve essa reação quando Gideon ficou noivo de Corinne." Não que eu tivesse certeza disso, mas era o que me parecia depois de ver Elizabeth com os pais de Corinne no hospital.

O sorriso sem jeito que ele abriu provou que eu estava certa. "Acho que foi diferente porque Gideon estava com Corinne fazia um tempo, e nós a conhecíamos bem. O relacionamento de vocês é bem novo, por isso o estranhamento. Não é nada pessoal, Eva."

Aquele sorriso me irritou, mas as palavras tiveram um efeito ainda pior. Meu ressentimento aflorou, embora tentasse escondê-lo atrás de uma barreira.

Chris também não era inocente naquela história. Ter um garoto problemático em casa não devia ter sido fácil — principalmente enquanto construía sua própria família com Christopher Jr. e Ireland. Mas, quando casou com Elizabeth, ele assumiu formalmente o papel de padrasto. Também era responsabilidade dele fazer justiça por uma criança que tinha sofrido abuso. Até mesmo um estranho se sentiria na obrigação de denunciar esse crime.

Inclinando-me ainda mais para a frente, deixei que ele visse toda a minha raiva. "É tudo muito pessoal, sr. Vidal. Elizabeth se sente ameaçada porque não vou mais aceitar essa palhaçada. Vocês dois devem um pedido de desculpas a Gideon, e ela precisa admitir o abuso que foi cometido contra ele. Vou continuar pressionando até que tome essa atitude. Pode contar com isso."

Sua postura ficou visivelmente tensa. "Do que está falando?"

Soltei uma risadinha de indignação. "Sério mesmo?"

"Elizabeth jamais cometeria abuso contra os filhos", ele disse, todo sério diante da minha ausência de resposta. "Ela é uma ótima mãe, muito dedicada."

Pisquei algumas vezes enquanto o encarava. Ele estaria vivendo em negação, assim como sua mulher? Como podiam agir como se não soubessem de nada?

"Acho que você precisa se explicar, Eva. E depressa."

Eu me recostei de novo na cadeira. Se aquilo fosse fingimento, a atuação dele era digna de um Oscar.

Chris se inclinou para a frente, exaltado e agressivo. "Pode começar a falar. Agora."

Minha voz saiu bem baixinha. Sem nenhuma convicção. "Ele foi estuprado. Pelo terapeuta."

Ele ficou paralisado. Por um longo minuto, mal conseguia respirar.

"Gideon contou para Elizabeth, mas ela não acreditou. Sabia que era verdade, mas se recusou a aceitar, por algum motivo bizarro."

Ele se endireitou, sacudindo a cabeça com veemência. "Não."

Essa palavra me fez ficar de pé em um pulo. "Você também vai negar? Quem ia mentir sobre uma coisa dessas? Tem ideia de como foi difícil para ele admitir o que estava acontecendo? O quanto ficou confuso com o fato de um homem em quem confiava ter feito esse tipo de coisa com ele?"

Chris me encarou. "Elizabeth jamais ia ignorar... uma coisa como essa. Tem algum mal-entendido aqui. Você está fazendo confusão."

Reparei em suas pupilas dilatadas e seus lábios exangues, mas não conseguia me sentir mal por ele. "Ela deixou rolar. Foi isso. Quando a coisa veio à tona, não ficou ao lado do filho."

"Você não sabe o que está falando."

Segurei a alça da bolsa e a joguei sobre o ombro. Inclinei-me na direção dele para encará-lo. "Gideon foi estuprado. Algum dia, você e sua mulher vão ficar cara a cara com ele, como estamos agora, e admitir isso. E vão pedir desculpas por todos os anos que ele foi obrigado a suportar essa barra sozinho."

"*Eva.*"

A voz de Gideon reverberou pelo ar, provocando-me um sobressalto. Endireitei-me às pressas, e minhas pernas tremeram quando o vi.

Ele estava de pé diante da porta aberta, segurando a maçaneta com força, como se quisesse quebrá-la. Sua cara estava fechada, e seu corpo estava tenso. Ele me contemplava com um tipo diferente de ardor.

Nunca o tinha visto tão furioso.

Chris se levantou com gestos lentos e pesados. "Gideon. O que está acontecendo? O que ela está dizendo?"

Gideon estendeu o braço e me puxou para o corredor com tanta força que dei um grito de susto. Continuei sentindo o peso de seus dedos mesmo depois de ele me largar.

Com a mão apoiada nas minhas costas, Gideon me empurrava para a frente, e suas passadas eram tão rápidas e largas que eu precisava correr para acompanhá-lo.

"Gideon, espera", eu disse, ofegante, com o coração a mil. "Nós..."

"Não quero ouvir um pio", ele respondeu, empurrando-me porta afora para o saguão.

Ouvi Chris gritar o nome de Gideon. E o vi correndo em nossa direção pouco antes de a porta do elevador fechar.

9

Enquanto eu conduzia Eva para fora do Crossfire, Angus deu uma olhada na minha expressão, e o sorriso desapareceu de seu rosto. Ele abriu a porta traseira do Bentley e ficou esperando enquanto eu empurrava minha esposa lá para dentro.

Nossos olhares se cruzaram. Consegui ler a mensagem em seus olhos azuis. *Pega leve com ela.*

Ele não sabia como era difícil manter o controle que eu estava demonstrando. Sentia minha veia pulsando na têmpora, ecoando a pulsação que fazia meu pau latejar.

Quase parei o elevador no meio da descida para trepar com Eva feito um animal. As únicas coisas que me detiveram foram as câmeras de segurança e o olhar vigilante dos seguranças nos monitores.

Eu queria amarrá-la. Cravar os dentes em seu ombro enquanto a comia. Dominá-la. Ela era uma tigresa, ameaçando e atacando todo mundo que achava que teria me feito mal, e eu precisava domá-la. Tinha que submetê-la.

"Puta que pariu", murmurei, contornando o carro para entrar pela porta do outro lado. Eva era imprevisível. Eu não conseguia controlá-la.

Ajeitei-me no assento, bati a porta com força e fiquei virado para a janela, pois tinha medo do que poderia fazer caso a encarasse. Ela era o ar que eu respirava e, nesse momento, eu estava sem fôlego.

Eva pôs a mão na minha coxa. "Gideon..."

Agarrando aquela mão frágil que usava minha aliança, eu a puxei para o meio das pernas e esfreguei no meu pau duro. "Vou enfiar isso na sua boca se ouvir mais uma palavra sua."

Eva soltou um suspiro de susto.

Angus se posicionou atrás do volante e ligou o carro. Senti o olhar de Eva no meu rosto. Ela tirou a mão, e quase soltei um ruído de protesto pela ausência de seu toque. Em seguida trocou de posição e encostou em mim. Sua outra mão foi deslizando para o meio das minhas pernas, agarrando meu pau em um gesto possessivo. Ela deu um beijo no meu queixo.

Meu braço envolveu suas costas. Respirei fundo, inalando seu cheiro.

O Bentley saiu do meio-fio para o trânsito da cidade.

*

Apenas quando paramos diante do prédio onde ficava o consultório do dr. Petersen me lembrei de nossa consulta. Estava contando os minutos para chegar em casa e poder ter Eva da maneira que precisava... com pressa... com força... com fúria.

Ela começou a se ajeitar para descer quando Angus saiu do carro. Eu a abracei com mais força. "Hoje não", falei, todo tenso.

"Certo", ela murmurou, beijando-me de novo no queixo.

Angus abriu a porta. Ela desceu do carro mesmo assim e entrou pela porta giratória, enquanto eu ficava só olhando.

"Minha nossa."

Angus se agachou para me olhar. "Terapia de casal quer dizer que há duas pessoas envolvidas."

Olhei feio para ele. "Para de se divertir com isso."

Um sorriso se escancarou em seus lábios. "Ela te ama, rapaz, goste disso ou não."

"É claro que eu gosto", murmurei antes de olhar para trás para abrir a porta do lado da rua. Desci do carro e o contornei pela traseira. "Mas isso não significa que não esteja fora de controle."

Angus fechou a porta. Uma rara brisa de verão sacudia os cabelos que ficavam para fora do quepe de chofer. "Às vezes você lidera, às vezes segue o líder. Acho que ainda vai demorar um tempo para se acostumar com a segunda parte."

Soltei um grunhido exasperado. "Ela contou para Chris."

Ele balançou a cabeça, mas com as sobrancelhas erguidas de surpresa. "Vi quando ele entrou."

"Por que não deixa esse maldito assunto para lá?" Subi na calçada e ajeitei o colete, desejando que meus pensamentos pudessem ser postos em ordem com a mesma facilidade. "Ela não vai mudar o passado."

"Não é no passado que está pensando." Ele pôs a mão no meu ombro. "É no futuro."

Encontrei Eva andando de um lado para o outro no escritório do dr. Petersen, gesticulando com as mãos enquanto falava. Ele estava sentado na poltrona de sempre, fazendo anotações em seu tablet.

"Essa situação me deixa maluca", Eva desabafou. Mas então me viu parado na porta e deteve o passo.

"Gideon." Um lindo sorriso iluminou seu lindo rosto.

Não havia nada que eu não fizesse por aquela expressão de felicidade. O fato de ter sorrido dessa maneira só porque me viu...

"Eva. Doutor." Eu me sentei no sofá. Quanto já teria contado a ele?

O dr. Petersen me acompanhou com o olhar. "Olá, Gideon. Que bom que veio, no fim das contas."

Bati no estofamento ao meu lado e fiquei esperando que Eva se sentasse.

"Estamos planejando a mudança para a cobertura da Quinta Avenida com Cary", eu disse com a maior tranquilidade quando ela se acomodou ao meu lado, desviando a conversa para onde eu me sentia confortável. "Acho que vai ser um processo difícil para todos nós."

Eva ficou de boca aberta.

O dr. Petersen baixou o tablet. "Eva estava me contando sobre a visita do seu padrasto. Gostaria de ouvir um pouco mais sobre isso antes de mudar de assunto."

Entrelacei meus dedos com os de Eva. "Isso não está aberto a discussão."

Ela me encarou. Virei-me para olhá-la, e o ar escapou dos meus pulmões de uma forma dolorosa.

A nova expressão em seu rosto me abalou de uma forma totalmente diferente da anterior.

A sessão mal havia começado, e para mim já estava encerrada.

Pedi para Angus nos levar para casa — para a cobertura.

Estava na cara que Eva estava perdida em seus pensamentos, e que foi pega de surpresa quando o manobrista abriu a porta para ela, na garagem do edifício.

Ela olhou para mim.

"Depois explico", eu disse, pegando-a pelo braço e levando-a até o elevador.

Subimos em silêncio. Quando as portas se abriram em nosso hall privativo, senti que Eva ficou tensa. Não íamos juntos à cobertura fazia quase um mês. A última vez foi quando ela me confrontou a respeito da morte de Nathan.

Também tinha ficado com medo naquela ocasião. Apavorado por ter feito algo pelo qual ela não pudesse me perdoar.

Tivemos muitos momentos explosivos por lá. A cobertura não tinha testemunhado tanta alegria e amor quanto nosso apartamento secreto no Upper West Side, mas íamos mudar isso. Um dia, quando olhássemos para trás, aquele lugar nos lembraria de todos os momentos de nossa jornada juntos, tanto os bons como os ruins. Eu me recusava a pensar em outra hipótese.

Abri a porta e fiz um gesto para que entrasse. Ela largou a bolsa em uma poltrona e arrancou os sapatos. Tirei o paletó e o pendurei no encosto de um dos bancos do balcão da cozinha, em seguida peguei um shiraz da adega.

"Você está decepcionada comigo", falei enquanto abria o vinho.

Eva se aproximou e encostou na parede. "Não, com você não."

Enquanto pensava no que dizer, peguei um decanter e duas taças. Era difícil negociar com ela. Em uma tratativa de outro tipo, havia sempre a opção de pegar ou largar. Nenhum acordo na minha vida era irrevogável.

A não ser aqueles que colocavam em risco minha situação com Eva.

Enquanto punha o vinho no decanter, ela veio até mim no balcão da cozinha.

Sua mão tocou meu ombro. "Estamos juntos há pouco tempo, Gideon, e você já avançou bastante. Não vou ficar insistindo nesse assunto agora. Essas coisas demoram."

Deixei o vinho decantando e virei para ela, puxando-a mais para perto. Ela me pareceu distante na última hora, e isso estava me matando.

"Me beija", murmurei.

Inclinando a cabeça para o lado, Eva levou a boca até a minha. Colei meus lábios nos dela, mas não fiz mais nada, querendo que tomasse a iniciativa. Precisando disso.

O toque de sua língua no contorno dos meus lábios me fez gemer. A sensação de seus dedos deslizando pela minha cabeça e pela minha nuca me tranquilizou. Havia um quê de pedido de desculpa na suavidade do beijo, e um sentimento de amor em seu gemido baixinho de rendição.

Eu a abracei e a levantei do chão, aliviado com o fato de que ainda me queria, e um pouco atordoado por isso também. "Eva... desculpa."

"Shh, amor, está tudo bem." Ela se afastou e tocou meu rosto, segurando-o com ambas as mãos. "Você não precisa pedir desculpas."

Minha garganta começou a arder. Eu a pus sobre o balcão e me posicionei entre suas pernas abertas. Sua saia subiu, escancarando a cinta-liga. Eu queria possuí-la. Em todos os sentidos.

Minha testa tocou a dela. "Você está chateada porque não quis falar sobre o Chris."

"Eu não esperava que fosse se recusar a tocar no assunto, só isso." Ela beijou minha testa, passando os dedos pelo meu rosto. "Já deveria esperar por isso, considerando como estava irritado quando saímos do Crossfire."

"Não com você."

"Com Chris?"

"Com a situação." Bufei com força. "Você acha que as pessoas vão mudar, mas isso não acontece. E está mexendo em um assunto do passado em um momento em que já temos problemas demais para resolver. Só quero ter um pouco de paz com você, Eva. Para podermos ficar sozinhos, felizes e livres dessa encheção."

"E as noites em que você precisa dormir em outra cama? Em outro quarto?"

Fechei os olhos. "O problema então é esse?"

"Não só esse, mas em parte sim. Gideon, quero ficar com você. Dormindo e acordada."

"Entendo, mas..."

"É essa paz que você está querendo? Finge que está tudo bem durante o dia e sofre à noite. Está acabando com você, e ver isso acontecer está acabando comigo. Não quero viver assim para sempre. Não quero que *a gente* viva assim para sempre."

Olhei para ela, vendo minha alma refletida naqueles olhos acinzentados que não escondiam nada. Havia tanto amor em seu olhar. Amor e preocupação, decepção e esperança. Os lustres pendurados sobre o balcão iluminavam seus cabelos loiros, um lembrete de como era preciosa para mim. Um presente absolutamente inesperado.

"Eva... Tenho falado com o dr. Petersen sobre os pesadelos."

"Mas não sobre a causa deles."

"Você está supondo que Hugh seja o problema", respondi sem me alterar, sentindo o ódio e a humilhação revirar meu estômago. "Temos conversado sobre o meu pai."

Ela se afastou um pouco. "Garotão... Não sei como são seus sonhos, mas já vi você acordando de dois jeitos diferentes: pronto para espancar alguém e chorando. Quando sai distribuindo socos, as coisas que você diz me fazem ter certeza de que está enfrentando Hugh."

Respirei fundo. Era revoltante que meu antigo terapeuta — e molestador — conseguisse atingir Eva através de mim mesmo depois de morto.

"Escuta só." Ela envolveu meus quadris com as pernas. "Eu disse que não ia insistir nesse assunto, e é verdade. Se estivéssemos juntos há dois anos, talvez eu fizesse um escândalo. Mas faz só alguns meses, Gideon. Você está fazendo terapia e conversando sobre seu pai, e por enquanto isso basta."

"Ah, é?"

"É. Mas existem outras coisas atormentando você, e não é comigo que precisam ser discutidas. O dr. Petersen está tendo dificuldade para trabalhar com você por causa disso. Quanto mais coisas você guardar, menos ele pode ajudar."

Nathan. Ela nem precisava dizer aquele nome.

"Estou fazendo um esforço, Eva."

"Eu sei." Suas mãos alisaram meus ombros e passaram para os botões do colete. "Só me diz que não vai adiar o assunto para sempre. Me diz que vai se esforçar."

Meu coração acelerou. Segurei seus pulsos com força, apoiando-me nela. Estava me sentindo encurralado, preso entre as necessidades dela e as minhas, que pareciam ser terrivelmente divergentes naquele momento.

Seus lábios se abriram quando ela sentiu o apertão, e sua respiração acelerou. Era um toque que restringia seus movimentos, e veio combinado com um olhar e um tom de voz exaltado... Eva reagia às minhas demandas silenciosas como se tivesse sido treinada para isso.

"Estou fazendo meu melhor", garanti.

"Isso não é resposta."

"É tudo o que posso oferecer agora, Eva."

Eva engoliu em seco, perdida em seus pensamentos. "Você está brincando comigo", ela disse baixinho. "Está me manipulando."

"Não estou, não. Estou dizendo a verdade, mesmo não sendo o que você quer ouvir. Você me disse que não ia insistir. Era sério?

Ela umedeceu o lábio com a língua e me encarou antes de fazer que sim com a cabeça. "Era."

"Que bom. Agora vamos beber um vinho e jantar. Depois disso, se quiser brincar, é só me avisar."

"Brincar? Como assim?"

"Comprei umas cordas de seda para você."

Ela arregalou os olhos. "Cordas de seda?"

"Vermelhas, claro." Eu a soltei e dei um passo atrás, para que ela tivesse um tempinho para pensar enquanto punha o vinho nas taças. "Queria amarrar você quando se sentisse pronta para isso. Se não for hoje, algum outro dia. Também não quero forçar a barra."

Nós dois estávamos entrando em territórios nos quais não nos sentíamos confortáveis. Ela achava que um observador externo daria uma parte da resposta que vínhamos buscando. Eu achava que teríamos que encontrá-la por conta própria, conectando-nos das maneiras mais íntimas possíveis.

Uma cura sexual. Poderia existir algo mais perfeito para duas pessoas com um histórico como o meu e o de Eva?

Ela aceitou o vinho que ofereci. "Quando comprou isso?"

"Uma semana atrás. Ou duas. Não esperava usar tão cedo, mas hoje tive vontade." Dei o primeiro gole e deixei o shiraz passear pela minha língua. "Mas também vou ficar felicíssimo se só puder foder você com força."

O vinho fez um barulho leve quando ela levou a taça até a boca. Eva virou tudo de uma vez, deixando apenas algumas gotas no fundo. "Porque você está bravo comigo por ter falado com Chris."

"Eu já disse que não."

"Você estava furioso quando saímos."

"Furiosamente excitado." Abri um sorriso malicioso. "Não sei explicar o motivo, já que nem eu entendo."

"Tenta."

Cheguei mais perto e passei o polegar por seu lábio inferior. "Quando vejo você nervosa, agitada, pronta para a briga, só consigo pensar em ter toda essa violência voltada para mim. Fico com vontade de amarrar você enquanto grita e esperneia, sentindo sua boceta massagear meu pau enquanto meto com força. Minha, só minha."

"Gideon." Ela deixou a taça de lado e me agarrou, beijando minha boca com uma vontade que desejei nunca ser capaz de aplacar.

"Como é possível que você não tenha contado para Chris o que aconteceu com Hugh?"

Essa pergunta indesejada veio do nada. Parei de mastigar imediatamente, e o pedaço de pizza na minha boca se tornou um incômodo. Larguei o resto no prato, peguei um guardanapo e limpei a boca. "Por que estamos falando sobre isso de novo?"

Eva franziu a testa ao meu lado. Estávamos sentados no chão, entre a mesa de centro e o sofá da sala. "Não falamos sobre isso nenhuma vez."

"Ah, não? Enfim, não importa. Minha mãe contou."

Ela franziu a testa ainda mais, pegou o controle remoto e baixou o volume da TV, deixando mudos os detetives que conversavam na tela. "Acho que não."

Eu me levantei e peguei meu prato. "Ela contou, Eva."

"Tem certeza?" Ela me seguiu até a cozinha.

"Tenho."

"Como?"

"Eles conversaram sobre isso à mesa de jantar uma noite, algo que eu não gostaria de ter feito."

"Ele reagiu como se não soubesse." Eva pôs as mãos no balcão enquanto eu descartava as sobras do meu prato. "Ele pareceu genuinamente confuso e horrorizado."

"Então ele é um ótimo ator, como minha mãe. Isso não deveria ser surpresa."

"E se ele não soubesse mesmo?"

"E daí?" Pus o prato na pia, porque o cheiro de comida estava embrulhando meu estômago. "Que diferença faz agora, porra? Já aconteceu, Eva. Não tem como voltar atrás. Esquece."

"Por que você está tão bravo?"

"Porque estava a fim de passar uma noite agradável com minha esposa. Com um jantar, um vinho, TV, umas horinhas fazendo amor... depois de um dia longo e difícil." Saí da cozinha. "Esquece. Falo com você de manhã."

"Gideon, espera." Ela me segurou pelo braço. "Não vai pra cama irritado. Por favor. Sinto muito."

Detive o passo e tirei a mão dela do meu braço. "Eu também."

"Começa devagar", ele cochicha, com a boca colada à minha orelha.

Percebo que está ficando excitado. Ele põe a mão no meu quadril, perto de onde estou acariciando meu pênis. Sua mão cobre a minha. Sua respiração é curta e acelerada. Sua ereção roça minha bunda.

Meu estômago está embrulhado. Estou suando. Não consigo me manter excitado, mesmo com minha mão besuntada de óleo subindo e descendo sem parar, guiada pela dele.

"Você está pensando demais", ele diz. "Se concentra nessa sensação boa. Olha só essa mulher aí na sua frente. Ela quer dar para você. Imagina seu pau dentro dela. Macia. Quentinha. Molhada. E apertadinha." Ele segura minha mão com mais força. "Bem apertadinha."

Olho para a revista aberta sobre a caixa acoplada do vaso. A foto é de uma mulher de cabelos escuros, olhos azuis e pernas compridas. Elas são todas assim, as mulheres das revistas que Hugh traz.

Ele começa a arfar na minha orelha, e volto a me sentir enjoado. Errado. Tem alguma coisa errada comigo. Isto está errado. A excitação dele faz com que eu me sinta sujo. Não sou um bom garoto, é o que minha própria mãe diz. Ela grita isso para mim quando está chorando, quando está brava comigo por causa do meu pai.

Um gemido grave atravessa sua respiração pesada. Quem está fazendo esse barulho sou eu. É gostoso, mesmo não querendo.

Fica difícil respirar, pensar, resistir...

"Isso mesmo", ele incentiva. Sua outra mão abre minha bunda.

Tento me afastar, mas não tem jeito. Ele é maior que eu, mais forte. Por mais que resista, não consigo me livrar do seu toque.

"Não", eu digo, contorcendo-me todo.

"Você gosta", ele responde com um grunhido. Sua mão começa a se mover mais depressa. "Você goza num jorro toda vez. Tudo bem. É para ser gostoso mesmo. Você vai se sentir melhor depois. Não vai brigar tanto com sua mãe..."

"Não. Não faz isso! Ai..."

Ele enfia dois dedos besuntados em mim. Dou um grito e estremeço todo, mas ele não para. Está me bolinando e me penetrando, estimulando um lugar que me faz querer gozar mais do que nunca. O prazer se intensifica, apesar das lágrimas nos meus olhos.

Minha cabeça cai sobre o peito. Está vindo. Não consigo segurar...

De repente, meu ponto de visão muda. Minha mão está maior, meu antebraço está mais grosso, rasgado de veias. Meus braços e meu peito estão cobertos de pelos escuros, e meu abdome musculoso se contrai enquanto luto contra um orgasmo que não quero.

Não sou mais uma criança. Ele não pode mais me machucar.

Tem uma faca em cima da revista, brilhando sob a luz que reflete no espelho atrás de mim. Eu a apanho e me desvencilho dos dedos enfiados em mim. Depois me viro e cravo a faca em seu peito.

"Não encosta em mim!", digo com um rugido, agarrando-o pelo ombro e o puxando na direção da faca, que entra até o cabo.

Hugh arregala os olhos de terror. Sua boca se abre em um grito silencioso.

Seu rosto se transforma no de Nathan. O banheiro da minha infância assume outro aspecto. Estamos em um quarto de hotel estranhamente familiar.

Meu coração acelera ainda mais. Não posso estar aqui. Eles não podem me encontrar aqui. Não podem encontrar nem um vestígio da minha presença. Preciso ir embora.

Saio cambaleando. A faca cai, manchada de sangue. Os olhos de Nathan se esvaziam na morte. São acinzentados. Lindos e adorados. Os olhos de Eva. Enevoando...

Eva está sangrando diante de mim. Morrendo diante de mim. Eu a matei. Meu Deus...

Meu anjo!

Não consigo me mover. Nem chegar perto dela. Ela está se desfazendo em uma poça no chão, com os olhos vidrados e sem vida...

Acordei sem ar e me sentei às pressas, sentindo a brisa fresca do ar-condicionado contra minha pele suada. Era difícil respirar, por causa do pânico que me dominava. Desvencilhei-me dos lençóis enrolados nas pernas e levantei cambaleando da cama, cego de terror. Meu estômago se revirou, e fui correndo até o banheiro, mal conseguindo chegar à privada para vomitar.

Tomei um banho para me livrar do suor pegajoso que cobria meu corpo.

Já a sensação de tristeza e desespero não era tão simples de remover. Enquanto me enxugava, sentia-me sufocado por esses sentimentos. A lembrança do rosto pálido de Eva, em choque por causa da traição e da morte, ainda me atormentava. Eu não conseguia tirá-la da cabeça.

Arranquei as roupas de cama com gestos bruscos e agressivos e em seguida joguei um lençol limpo sobre o colchão.

"Gideon."

Eu me endireitei e me virei ao ouvir a voz dela. Eva estava na porta do quarto, retorcendo com os dedos a bainha da camiseta que usava. O arrependimento bateu com força. Ela tinha ido dormir sozinha no quarto que redecorei para que ficasse idêntico ao seu no Upper West Side.

"Ei", ela disse baixinho, com cautela. Sua postura deixava claro que estava sem jeito. E temerosa. "Tudo bem?"

A luz do banheiro iluminava seu rosto, mostrando olheiras escuras sob seus olhos vermelhos. Ela estava chorando quando dormiu.

A culpa era toda minha. Eu a fiz se sentir indesejada, mais preocupado com meus sentimentos e pensamentos do que com os dela. Deixei que meu passado criasse uma divisão entre nós.

Não, isso não era verdade. Eu tinha deixado meu medo afastá-la de mim.

"Não, meu anjo, não está."

Ela deu um passo à frente, depois se deteve de novo.

Abrindo os braços, falei com a voz embargada: "Desculpa, Eva".

Ela veio correndo até mim, com seu corpo quente e gostoso. Eu a abracei com força demais, mas Eva não reclamou. Comprimindo o rosto contra sua cabeça, inalei seu cheiro. Eu era capaz de encarar qualquer coisa — e *ia* encarar qualquer coisa — com ela ao meu lado.

"Estou com medo." Minha voz saiu em um leve sussurro, mas Eva ouviu mesmo assim.

Seus dedos se cravaram nas minhas costas, e ela me puxou mais para perto. "Não precisa. Eu estou aqui."

"Vou me esforçar mais", prometi. "Não desiste de mim."

"Gideon." Ela suspirou, e senti seu hálito quente no meu peito. "Eu te amo demais. Só quero que seja feliz. Sinto muito por ter insistido no assunto mesmo depois de dizer que não ia fazer isso."

"A culpa é minha. Eu estraguei tudo. Desculpa, Eva. Desculpa."

"Shh. Não precisa pedir desculpas."

Eu a peguei no colo e a carreguei até a cama, deitando-a com cuidado. Deixei-me envolver em seus braços e me enrosquei todo nela, apoiando o rosto em sua barriga. Eva passou os dedos pelos meus cabelos, massageando minha cabeça, depois minha nuca, depois minhas costas. Uma demonstração de que me aceitava, apesar de todos os meus defeitos.

O algodão de sua camiseta ficou molhado com minhas lágrimas, e eu me encolhi todo, envergonhado.

"Eu te amo", ela murmurou. "E sempre vou amar."

*

"Gideon."

Tive um sobressalto ao ouvir a voz de Eva, e em seguida senti sua mão deslizando sobre meu peito. Abrindo meus olhos cansados e ardidos, vi minha esposa se inclinando sobre mim sob a luz suave do amanhecer, com seus cabelos reluzindo sob a iluminação difusa.

"Anjo?"

Ela se mexeu, estendendo uma das pernas sobre mim. Em seguida, montou sobre meu corpo. "Vamos fazer de hoje nosso melhor dia."

Engoli em seco. "Estou dentro."

O sorriso dela abalou meu mundo. Eva pegou alguma coisa que havia deixado no travesseiro e, instantes depois, uma música começou a tocar baixinho nos alto-falantes do teto.

Precisei de um tempinho para reconhecê-la. "Ave Maria."

Ela tocou meu rosto, passando os dedos pela minha sobrancelha. "Tudo bem?"

Eu queria responder, mas o nó na minha garganta estava forte demais. Só consegui balançar a cabeça. Como explicar que me sentia como em um sonho, numa espécie de paraíso em que não merecia entrar?

Ela estendeu a mão para tirar o lençol de cima de mim. Cruzando os braços sobre o corpo, tirou a camiseta e a jogou no chão.

Impressionado, tive que me esforçar para recuperar a voz. "Minha nossa, você é linda", eu disse com a voz rouca.

Levantei as mãos para percorrer as curvas e os vales de seu corpo cheio de volúpia. Em seguida me sentei e apoiei os calcanhares no colchão, puxando nós dois para trás até me apoiar na cabeceira da cama. Minhas mãos passearam por seus cabelos e sua garganta. Eu podia acariciá-la durante dias e mesmo assim não me sentiria satisfeito.

"Eu te amo", ela falou, inclinando a cabeça para me dar um beijo quente e possessivo.

Deixei que me pegasse, entregando-me a ela. Eva enfiou a língua bem fundo na minha boca, roçando os lábios úmidos nos meus.

"Me diz do que você precisa", murmurei, perdido no embalo suave da música. Perdido nos braços dela.

"Você. Só você."

"Então pode pegar", respondi. "Sou seu."

"Odeio ter que dizer isso, Cross", Arash começou, batucando os dedos no braço da cadeira diante da minha mesa, "mas perdeu seu instinto matador. Eva deixou você frouxo."

Desviei os olhos do monitor. Depois de passar duas horas fazendo amor com minha mulher, era obrigado a admitir que não estava me sentindo muito agressivo. Satisfeito e relaxado seria uma descrição bem melhor. Mesmo assim... "Só porque não considero o PhazeOne da LanCorp uma ameaça ao GenTen, isso não significa que não esteja prestando atenção."

"Você está ciente do que está acontecendo", ele corrigiu, "o que não é a mesma coisa que prestar atenção. Ryan Landon percebeu isso. Você costumava provocar o cara uma ou duas vezes toda semana, o que — para o bem ou para o mal — o mantinha ocupado."

"Não foi na semana passada que fechamos o negócio do PosIT?"

"Isso foi uma reação, Cross. Você precisa tomar uma iniciativa que não seja causada por ele."

A linha do telefone do escritório que era sincronizada com meu celular começou a tocar. O nome de Ireland apareceu na tela, e estendi a mão para tirar o fone do gancho. "Preciso atender."

"Ah, sim, claro", ele murmurou.

Estreitei os olhos em sua direção quando atendi. "Ireland, como vai?"

Minha irmã não costumava me ligar. Geralmente falávamos por mensagem de texto, uma forma de comunicação com a qual nos sentíamos à vontade. Nada de silêncios constrangedores, nenhuma necessidade de fingimento.

"Oi, desculpa ligar assim no meio do dia." A voz dela estava tensa.

Franzi a testa, preocupado. "O que aconteceu?"

Ireland ficou em silêncio por um tempo. "Talvez não seja um bom momento."

Soltei um palavrão em pensamento. Eva tinha essa mesma reação quando eu era seco demais nas nossas conversas. As mulheres da minha vida precisavam facilitar as coisas para mim. Eu ainda tinha muito que aprender em termos de interações sociais. "Você parece chateada."

"Você também", ela rebateu.

"Pode ligar para Eva para reclamar disso. Ela vai entender. Agora me diz o que aconteceu."

Ireland suspirou. "Meu pai e mamãe passaram a noite toda brigando. Não sei sobre o que, mas ele estava gritando. Ele nunca grita, você sabe disso. É o cara mais sossegado do mundo. Está sempre de cabeça fria. E mamãe odeia brigas. Está sempre evitando conflitos."

A capacidade de observação dela me deixou assustado e impressionado ao mesmo tempo. "Lamento muito por isso."

"Meu pai saiu hoje de manhã, e mamãe não parou de chorar. Você sabe o que está acontecendo? É por causa do seu casamento?"

Uma tranquilidade estranha porém familiar se instalou dentro de mim. Não sabia o que dizer para ela e não queria tirar conclusões precipitadas. "Provavelmente sim."

Só o que eu sabia era que não queria que Ireland ouvisse os pais brigando. Eu me lembrei de como me sentia durante as brigas que explodiram em casa quando a fraude financeira do meu pai veio a público. Ainda conseguia sentir os ecos de pânico e medo. "Tem alguém com quem você possa ficar no fim de semana?"

"Você."

Era uma sugestão bem inconveniente. "Quer ficar na minha casa?"

"Por que não? Nunca fiquei na sua casa."

Dei uma olhada para Arash, que estava me encarando. Ele se inclinou para a frente, apoiando os cotovelos nos joelhos.

Eu não sabia como recusar, mas não podia concordar. A única pessoa que passou a noite na minha casa alguma vez foi Eva, e o resultado não foi nada agradável.

"Tudo bem", ela falou. "Esquece."

"Não, espera." Puta merda. "Eva e eu vamos sair hoje à noite com uns amigos, é isso. Só preciso de um tempo para organizar tudo."

"Ah, entendi." O tom de voz dela se amenizou. "Não quero estragar seus planos. Posso ligar para alguma amiga. Não se preocupa com isso."

"Estou preocupado com você. Eva e eu podemos ajeitar as coisas."

"Não sou criança, Gideon", ela falou, claramente incomodada. "Não quero obrigar você e a Eva a ficar em casa quando sei que querem sair para se divertir. Seria um saco, então não, obrigada. Prefiro ficar com minhas amigas."

Senti um alívio percorrer minha espinha. "Que tal jantar sábado à noite?"

"Sério? Estou dentro. Aí posso dormir na sua casa?"

Eu não fazia ideia de como lidar com essa situação. Mas precisava acreditar que Eva saberia o que fazer. "Isso pode ser providenciado. Você vai ficar bem até lá?"

"Escuta só você." Ela deu risada. "Está parecendo mesmo um irmão mais velho. Vou ficar bem. Só foi esquisito ficar ouvindo os dois brigarem, sabe? Fiquei assustada. A maioria das pessoas está acostumada a ver os pais brigando, mas eu não."

"Eles vão ficar bem. Todos os casais brigam de vez em quando." Apesar de ter dito isso, eu estava inquieto e curioso.

Eva não podia estar certa sobre Chris não saber. Eu não podia acreditar nisso.

*

Tinha acabado de dobrar as mangas da camisa preta quando Eva apareceu no meu campo de visão no espelho. Fiquei paralisado ao olhar para ela.

Estava vestindo um short curto, uma blusa sem manga e sandálias de salto alto. Os cabelos estavam presos no rabo de cavalo habitual, mas de um jeito mais ousado e bagunçado. Sua maquiagem era escura, mas ela pintou a boca em um tom mais claro. Usava argolas grandes e douradas, e pulseiras.

Eu tinha acordado com um anjo, mas iria para a cama com uma mulher totalmente diferente.

Soltei um assobio, virando-me para vê-la em carne e osso, e não só pelo reflexo. “Você está parecendo uma menina bem safadinha.”

Eva balançou a bunda e jogou os cabelos para o lado. “E eu sou.”

“Vem cá.”

Ela me encarou. “Acho melhor não. Você está com cara de tarado, e a gente precisa ir.”

“A gente pode se atrasar um pouco. O que tenho que dizer para convencer você a usar esse short só para mim?”

Queria que os outros a vissem e soubessem que ela era minha. Mas também queria que existisse só para mim.

Os olhos dela brilharam. “Podemos renegociar a esfregadinha.”

Lembrei o acordo que tínhamos feito — uma rapidinha em troca de uma esfregadinha debaixo da mesa — e me dei conta de que o short ia dificultar a tarefa. Mas, para isso, eu tinha uma solução.

Balançando a cabeça em sinal de concordância, eu falei: “Põe uma saia, meu anjo, e vamos cair na farra”.

“Essa ideia foi sua?”, Arash perguntou quando nos encontramos do lado de fora do Starlight Lounge.

Pelo vidro do saguão, vi um segurança controlar o número de clientes que entravam no elevador para o alto do prédio, onde ficava o bar. Outros dois tomavam conta da porta da frente, barrando as pessoas com base na aparência, nas roupas ou na simpatia.

“Estou tão surpreso quanto você.”

“Eu até ia contar.” Eva estava literalmente dando pulinhos de contentamento. “Shawna ouviu falar muito bem daqui, e achei que ia ser divertido.”

“As resenhas na internet são ótimas”, confirmou Shawna, “e alguns clientes meus estão empolgadíssimos com o lugar.”

Manuel observava a multidão empolgada na fila, e Megumi Kaba estava cautelosamente postada entre Cary e Eva. Mark Garrity, Steven Ellison e Arnoldo estavam mais atrás, abrindo espaço para as pessoas que estavam na lista VIP.

Cary abraçou Megumi. "Vem comigo, garota." Ele abriu um sorriso para ela. "Vamos mostrar como é que se faz."

Eva segurou meu braço. "Sua surpresa chegou."

Segui seu olhar e notei que um casal estava vindo na nossa direção. Minhas sobrancelhas se ergueram quando reconheci Magdalene Perez, de mãos dadas com o homem a seu lado e com um brilho em seus olhos escuros que eu não via fazia tempo.

"Maggie", cumprimentei, apertando sua mão e lhe dando um beijo no rosto. "Que bom que veio."

Fiquei contente por Eva tê-la convidado. As duas não se deram muito bem a princípio, por culpa de Maggie. A rixa entre elas me deixou numa situação complicada com Maggie por semanas, e eu já estava me conformando com a ideia de que as coisas iam continuar nesse pé por tempo indefinido. Ainda bem que tudo tinha mudado.

Maggie abriu um sorriso. "Gideon. Eva. Esse é meu namorado, Gage Flynn."

Cumprimentei o sujeito logo depois de Eva, notando a força do aperto de mão, e a forma impassível como recebeu minha encarada. Ele me observou atentamente também, mas não tanto quanto eu o observei. Até o fim da semana, precisaria saber tudo sobre ele. Maggie tinha passado por maus bocados com Christopher. Eu não queria vê-la sofrer de novo.

"E Will e Natalie também estão aqui", anunciou Eva quando os últimos convidados chegaram.

Will Granger tinha um visual retrô de beatnik que combinava com ele. Estava de braço dado com a mulher baixinha de cabelos azuis ao seu lado, vestida no mesmo estilo anos 1950 e com os braços cobertos de tatuagens.

Enquanto Eva fazia as apresentações, fiz um sinal de cabeça para o segurança avisando que todo mundo já havia chegado. Ele segurou a fila e abriu caminho para nós.

Minha mulher me lançou um olhar desconfiado. "Não vai me dizer que é o dono daqui."

"Tudo bem, não vou dizer."

"Isso significa que é?"

Minha mão desceu por suas costas e se acomodou na curvatura do quadril. Ela havia trocado o shorts e vestido uma saia justa com uma abertura na parte de trás. Quase desejei que não tivesse feito isso — o short mostrava suas pernas, enquanto a saia revelava sua belíssima bunda.

"Você precisa decidir se quer saber a resposta ou não", falei quando entramos no bar. A música estava alta, e havia um cara se esgoelando no palco. A iluminação estratégica permitia que a vista de Manhattan continuasse em destaque para a apreciação dos clientes. O ar-condicionado tinha saídas no teto e no chão, mantendo a temperatura do ambiente sob controle.

"Tem alguma coisa que não seja sua em Nova York?"

Arash deu risada. "Ele não é mais o dono do D'Argos Regal, na rua 36."

Eva parou de andar, o que fez com que Arash esbarrasse nela e a mandasse cambaleando para a frente. Olhei feio para ele.

Segurando-me pelo braço, Eva gritou para se fazer ouvir no bar lotado. "Você se desfez do hotel?"

Olhei para ela. O espanto e a esperança em seus olhos fizeram valer a pena o prejuízo financeiro que tive. Confirmei com um aceno de cabeça.

Ela se jogou sobre mim, agarrando-me pelo pescoço, e me encheu de beijos no rosto. Sorri e dei uma olhada para Arash.

"De repente, tudo fez sentido", ele comentou.

10

“Nossa, esses dois são um doce”, comentou Shawna enquanto víamos Will e Natalie cantarem “I Got You, Babe” em cima do palco.

“Estão até me dando diabetes.” Manuel se levantou com o copo na mão. “Com licença, pessoal. Acabei de ver uma coisa interessante.”

A voz de Gideon no meu ouvido era de quem estava se divertindo. “Pode se despedir dele, meu anjo. Não vai mais voltar.”

Olhando na direção em que Manuel ia, vi uma morena bonita lançando um olhar convidativo para ele.

“Tchau, Manuel!”, eu gritei, acenando em despedida. Em seguida me inclinei sobre Gideon, que estava quase esparramado no luxuoso sofá. “Por que todos os caras que trabalham com você são bonitos?”

“Ah, são?”, ele respondeu, passando o rosto no meu pescoço e subindo para perto da minha orelha. “Então acho que não vão trabalhar comigo por muito tempo mais.”

“Aff...” Olhei para o céu estrelado. “Seu troglodita.”

Seus braços abraçaram com força meus quadris, apertando-me tanto que meu corpo colou no dele do joelho ao ombro. A alegria tomou conta de mim. Depois de todas as brigas do dia anterior, era muito bom podermos simplesmente curtir a companhia um do outro.

Megumi se inclinou sobre a mesinha que ocupava a parte central da área VIP em que estávamos, capaz de acomodar confortavelmente todos os convidados. “Quando *vocês dois* vão levantar daí e passar um pouco de vergonha?”, ela perguntou.

“Hã... nunca.”

Depois de alguns drinques, e contando com a atenção total de Cary, Megumi ficou à vontade para se divertir. Cary começou a noite com uma interpretação empolgada de “Only the Good Die Young”, e em seguida arrastou Megumi ao palco para cantar “(I’ve Had) The Time of My Life”. Ela voltou para a mesa toda radiante.

Eu devia um belo agradecimento a Cary por cuidar dela. E, para melhorar, ele não parecia ter a menor intenção de ir atrás de uma conquista qualquer e desaparecer, como tinha feito Manuel. Eu estava muito orgulhosa do meu amigo.

"Qual é, Eva?", reclamou Steven. "Foi você que escolheu vir aqui. Precisa cantar."

"Foi sua irmã que escolheu o lugar", retruquei, olhando para ela. Shawna encolheu os ombros, fazendo-se de inocente.

"Ela já cantou duas vezes", Steven argumentou.

Resolvi mudar o foco. "Mark ainda não cantou nenhuma."

Meu chefe sacudiu a cabeça. "Estou fazendo um favor a vocês, confia em mim."

"Eu que o diga. Até os pneus do meu carro cantam melhor que eu!"

Arnoldo empurrou o tablet com o nome das músicas disponíveis na minha direção. Era a primeira vez na noite que ele se dirigia a mim, a não ser pelo cumprimento na chegada. Ele tinha passado a maior parte da noite conversando com Magdalene e Gage, e tentei não encarar isso como uma esnobada.

"Não é justo", reclamei. "Vocês estão se juntando contra mim! Gideon também não cantou."

Olhei para meu marido. Ele encolheu os ombros. "Se você for eu vou."

Arregalei os olhos. Nunca tinha visto Gideon cantar, e jamais o imaginei fazendo isso. As pessoas que cantavam se expunham e expressavam seus sentimentos pela voz. Ele era reservado demais.

"Ah, agora é que você precisa ir mesmo", disse Cary, clicando em uma página qualquer.

Meu estômago revirou um pouco. Aflita, olhei para a lista de músicas diante de mim. Uma delas chamou minha atenção.

Respirei fundo e fiquei de pé. "Tudo bem. Mas lembrem que foram vocês que pediram. Depois não quero ouvir ninguém reclamar."

Gideon, que tinha se levantado ao mesmo tempo que eu, puxou-me para perto e murmurou no meu ouvido: "Só tenho elogios para seu desempenho, meu anjo".

Dei uma cotovelada em suas costelas. Sua risada me encorajou a ir até o palco. Eu adorava aquele som, e de desfrutar da companhia dele sem me preocupar com nossos problemas, com pessoas que gostavam de nós. Éramos casados, mas ainda tínhamos muito chão pela frente, muitas noites de diversão com os amigos para curtir. Aquela era só a primeira.

Eu me arrependi de ter ameaçado nosso frágil equilíbrio com a música que tinha escolhido. Mas não a ponto de mudar de ideia.

Cumprimentei Will e Natalie quando passaram por nós a caminho da mesa. Poderia ter pedido a música no tablet que ficava na mesa, da mesma forma que fizemos com as bebidas e a comida, mas não queria que Gideon visse o que íamos cantar.

Além disso, percebi que todo mundo precisava entrar na fila, mas nossos pedidos eram passados na frente. Achava que, se pusesse o nome na lista pessoalmente, ia ter um tempinho a mais para tomar coragem.

Deveria saber que não seria nada disso. Quando passei a música para a hostess, ela digitou o pedido no sistema e anunciou: "Certo, pode ficar por aqui. Vocês são os próximos".

"Está brincando." Olhei para nossa mesa. Gideon piscou para mim.

Ah, ele ia pagar por isso mais tarde.

A menina que cantava "Diamonds" no palco terminou sua apresentação, e o bar inteiro aplaudiu. Ela até cantava bem, mas a banda precisou compensar as desafinadas várias vezes. Eles eram ótimos. Cruzei os dedos para que isso fosse suficiente para livrar minha barra também.

Estava tremendo toda quando subi a escadinha para o palco. Os assobios e os aplausos ecoaram na nossa mesa, e acabei dando risada, apesar do nervosismo. Segurei o microfone no pedestal, e a banda começou a tocar imediatamente. A música conhecida, uma das minhas favoritas, me deu o impulso inicial de que precisava.

Olhando para Gideon, cantei os primeiros versos, dizendo o quanto ele era incrível. Mesmo com a música no palco, dava para ouvir as pessoas rindo da minha voz horrorosa. Minha mesa explodiu em aplausos, mas isso já era esperado.

Eu tinha escolhido "Brave". E precisava ser mesmo corajosa para cantar — ou então maluca.

Continuei concentrada no meu marido, que não estava rindo nem sorrindo. Ele simplesmente me olhava com atenção enquanto eu dizia, por meio da letra de Sara Bareille, que queria vê-lo levantar a voz e ser corajoso.

A qualidade da música e a habilidade da banda começaram a cativar a plateia, que passou a cantar junto — algumas pessoas pelo menos. Meus sentimentos deram força à minha voz, reforçando a mensagem dedicada exclusivamente a Gideon.

Ele precisava quebrar o silêncio. Precisava contar a verdade para sua família. Não por mim ou por seus familiares, mas por ele.

Quando a música terminou, meus amigos aplaudiram de pé, e eu sorri, me sentindo energizada. Fiz um agradecimento exagerado, e dei risada quando as mesas mais próximas se juntaram aos meus amigos nos aplausos não merecidos. Conhecia meus pontos fortes. Cantar não era um deles.

"Isso foi demais!", Shawna gritou quando voltei para a mesa, dando-me um abraço apertado. "Você tirou de letra, menina."

"Me lembra de pagar sua conta mais tarde", respondi, sentindo meu rosto vermelho quando o restante do pessoal se juntou à sessão de elogios. "Vocês são muito cara de pau."

"Ah, gata", comentou Cary, com os olhos verdes brilhando de divertimento. "Não dá para ser boa em tudo. É um alívio saber que você tem defeitos como todos nós."

Mostrei a língua para ele e peguei o copo de vodca com suco de cranberry de cima da mesa.

"Sua vez, garanhão", disse Arash, sorrindo para Gideon.

Meu marido fez que sim com a cabeça e olhou para mim. Sua expressão não deixava transparecer nenhum tipo de sentimento, e comecei a ficar preocupada. Não havia sinal de suavidade em seus lábios ou em seus olhos, nada que pudesse me proporcionar uma pista.

E então algum idiota começou a cantar "Golden".

Gideon ficou tenso, cerrando os dentes visivelmente. Segurei e apertei sua mão e senti uma onda de alívio ao sentir que ele retribuiu o gesto.

Beijou-me no rosto e foi para o palco, abrindo caminho tranquilamente pela multidão. Fiquei observando seus passos, vendo as outras mulheres virarem o pescoço ao bater os olhos nele. Eu era suspeita para falar, claro, mas tinha certeza de que ele era o homem mais lindo ali.

Deveria ser crime alguém ser tão sexy.

Olhei para Arash e Arnoldo. "Já ouviram Gideon cantar?"

Arnoldo balançou a cabeça.

Arash deu risada. "De jeito nenhum. Se tivermos sorte, ele canta que nem você. Como disse Cary, ele não pode ser bom em tudo, ou vamos ser obrigados a odiar o cara."

O sujeito que estava no palco terminou de cantar. Um instante depois, Gideon subiu. Por algum motivo, meu coração disparou como quando eu estava lá em cima. Minhas mãos ficaram suadas, e eu as limpei na saia.

Estava com medo de saber como era ver Gideon no palco. Por mais que detestasse admitir, era difícil concorrer com alguém como Brett, e depois de ouvir "Golden", mesmo cantada por alguém que jamais deveria ter acesso a um microfone, eu sabia que uma comparação entre os dois seria inevitável.

Gideon pegou o microfone e o arrastou pelo palco como se já tivesse feito isso um milhão de vezes antes. As mulheres na plateia enlouqueceram, gritando que ele era lindo e fazendo comentários sugestivos que decidi ignorar. Gideon era mesmo uma delícia, mas seu ponto forte era sua presença imponente e confiante.

Ele tinha toda a pinta de um homem que sabia levar uma mulher à loucura na cama. E, minha nossa, era isso mesmo que fazia.

"Esta música", ele anunciou, "é para minha esposa."

Com um sinal, Gideon mandou a banda começar a tocar. Uma linha de baixo imediatamente reconhecível fez meu pulso acelerar ainda mais.

"Lifehouse!", Shawna gritou, batendo palmas. "Adoro essa banda!"

"Ele já está chamando você de esposa?", Megumi perguntou, inclinando-se na minha direção. "Dá para ser mais sortuda que isso?"

Nem olhei para ela. Não consegui. Minha atenção estava toda voltada para Gideon, que olhava para mim enquanto cantava, dizendo-me com sua voz deliciosamente rouca que estava desesperado para mudar e faminto pela verdade.

Ele estava respondendo à minha música.

Senti meus olhos arderem, e o ritmo das batidas do meu coração mudou. Pensei que ele seria frio e sem emoção, mas Gideon estava acabando comigo, abrindo sua alma em seu tom de voz áspero e sensual.

"Puta merda", Cary comentou, virado para o palco. "O cara canta muito."

Eu também estava ligadíssima, atenta a cada palavra, ouvindo a mensagem que ele tentava passar, e me apaixonando ainda mais. Remexi-me no assento, sentindo um tesão quase insuportável.

Gideon monopolizou as atenções do bar inteiro. De todas as vozes que ouvimos naquela noite, a sua era a única que se equiparava à de um profissional. Ele estava com os pés afastados, cantando um rock com suas roupas elegantes, e tão bem que não consegui imaginar nenhuma outra forma de cantar aquela música. Era bem diferente de ouvir Brett, tanto na forma de cantar como na reação que me causava.

Fiquei de pé sem nem me dar conta do que estava fazendo, abrindo caminho em meio à plateia para chegar até ele. Gideon terminou de cantar e o bar explodiu em aplausos, interrompendo minha trajetória. Fiquei perdida na plateia, invisível em meio aos ombros que me cercavam.

Ele me encontrou mesmo assim, abrindo caminho para me pegar em seus braços. Sua boca encontrou a minha, beijando-me com vontade, provocando uma nova onda de gritinhos e aplausos. Ao fundo, ouvi a banda começar mais uma música. Praticamente subi em cima de Gideon, ofegando em seu ouvido: "Agora!".

Eu não precisava explicar nada. Ele me pôs no chão, pegou-me pela mão e me puxou pelo bar e pela cozinha até o elevador de serviço. Eu me joguei em cima dele quando a porta se fechou, mas Gideon estava pegando o celular e pondo na orelha, jogando a cabeça para trás enquanto minha boca devorava seu pescoço.

"Traz a limusine", ele ordenou em um tom áspero, enfiou o telefone de novo no bolso e me beijou com toda a paixão que mantinha aprisionada dentro de si.

Eu o devorei com ardor, mordendo seu lábio inferior enquanto saboreava sua boca com os movimentos da minha língua. Gideon grunhiu quando o prensei contra a parede almofadada do elevador, passando a mão pelo seu peito e descendo até encontrar sua ereção.

"Eva... Nossa."

Quando paramos de descer, ele entrou em ação rapidamente, pegando-me pelo cotovelo e me puxando porta afora com passos velozes e impacientes. Saímos por um corredor de serviço para o saguão, atravessando mais uma multidão até enfim emergir ao ar livre na noite quente. A limusine estava parada no meio-fio.

Angus saltou e abriu rapidamente a porta de trás.

"Não precisa ir muito longe", instruiu Gideon.

Nós nos acomodamos no banco de trás a certa distância, à espera de que o vidro que nos isolava dos assentos dianteiros subisse e a limusine começasse a andar.

Assim que a divisória se fechou por inteiro, eu me recostei no assento e subi o zíper da saia, quase rasgando minhas roupas de tanta vontade de ser comida.

Gideon se ajoelhou e começou a abrir a calça.

Arranquei a calcinha e a tirei com as sandálias.

"Meu anjo." Seu grunhido me fez gemer de expectativa.

"Estou molhada. Estou molhada", repeti, pois não precisava de nenhuma preliminar.

Mesmo assim, ele quis constatar por si mesmo, agarrando meu sexo. Seus dedos entraram e me abriram, massageando meu clitóris e entrando em mim.

"Minha nossa, Eva. Você está encharcada."

"Me deixa montar em você", supliquei, afastando-me do encosto. Eu queria ditar o passo, a profundidade, o ritmo...

Gideon baixou a calça e a cueca até os joelhos e se sentou no banco, abrindo bem a camisa. Seu pau grosso e grande apareceu durinho entre suas pernas, lindo como o restante de seu corpo.

Eu me ajoelhei entre suas pernas, acariciando seu pênis com as mãos. Ele estava quente e macio. Agindo por instinto, eu o enfiei na boca. Ele sibilou ao soltar o ar por entre os dentes, agarrando meu rabo de cavalo e jogando a cabeça para trás.

Gideon fechou os olhos com força. "*Isso.*"

Passei a língua pela cabeça larga do pau, sentindo seu gosto e suas veias pulsarem contra minhas mãos. Contraindo os lábios, eu o tirei da boca, para logo em seguida enfiar de volta.

Gideon grunhiu e elevou os quadris, empurrando-o ainda mais para dentro da minha boca. "Enfia mais."

Estremeci toda ao fazer o que ele mandou, violentamente excitada com seu prazer. Gideon abriu os olhos e baixou a cabeça para me olhar.

"Vem cá." Seu tom de voz grave provocou um calafrio de desejo em mim.

Escalei seu corpo magnífico, montando em cima dele e jogando os braços sobre seus ombros. "Você está uma delícia."

"Eu? É você que está pegando fogo, meu anjo."

Movi os quadris para me ajeitar sobre ele. "Espera só até me sentir por dentro."

Ele me envolveu com o braço e segurou seu pau, mantendo-o no lugar para que eu o envolvesse. Minhas pernas tremeram quando seu pênis entrou em mim, me alargando.

"*Gideon.*" A sensação de ser possuída era sempre uma delícia.

Ele segurou meus quadris. Fui deixando que entrasse mais fundo, olhando-o nos olhos. Um rugido grave preencheu o espaço entre nós, e eu fiquei mais quente e mais molhada.

Não importava quantas vezes pudesse tê-lo, eu sempre queria mais. Sentir de novo sua reação a mim, como se não existisse nada melhor no mundo, como se eu lhe proporcionasse algo impossível de obter de outra maneira.

Apoiei a mão no encosto do banco e remexi os quadris, envolvendo-o um pouco mais. Já conseguia sentir a pressão no fundo do ventre, mas ainda não o havia engolido por inteiro. Era isso que eu queria. Eu o queria por inteiro.

"Na nossa primeira vez", ele comentou com a voz rouca, sem tirar os olhos de mim, "você me cavalgou bem aqui, e me deixou louco. Minha cabeça entrou em parafuso."

"Foi tão bom", murmurei, perigosamente perto de gozar. Ele estava muito duro. "Ai, nossa. É ainda melhor agora."

Ele cravou os dedos nos meus quadris. "Agora quero você inteira."

Soltando o ar com força, encostei meu rosto no dele. "Me ajuda."

"Se segura." Segurando meus quadris, ele elevou os seus, metendo tudo em mim. "Pronto, Eva. É tudo seu."

Eu gritei e colei nele, movendo-me por instinto, aproveitando-o por inteiro.

"Assim... assim...", murmurei, batendo meu corpo no dele, remexendo meu sexo por toda a sua longa e rígida ereção.

O rosto de Gideon estava brutalmente contorcido de tesão. "Vou gozar tanto", ele prometeu deliciosamente, "que você vai me sentir dentro de você a noite toda."

O som de sua voz... a lembrança dele no palco... Nunca tinha ficado tão excitada. Ele não era o único que ia gozar muito.

Gideon jogou a cabeça para trás, com o peito ofegante e sons bruscos de prazer escapando de sua garganta. Suas mãos me soltaram, e ele cravou os punhos no assento. Ele me deixou trepar da maneira que eu precisava, usando-o por inteiro.

Arqueando as costas, cheguei ao orgasmo com um grito, sentindo meu corpo todo tremer, meu sexo se contrair e estremecer em torno de seu pau. Meu ritmo arrefeceu, e minha visão escureceu. Um gemido infindável escapou de dentro de mim, em um alívio atordoante.

Quando o mundo voltou ao normal, eu estava deitada de costas, com Gideon se erguendo sobre mim, enlaçando uma das minhas pernas e colocando-a sobre o ombro. Ele apoiou o pé no assoalho e começou a meter fundo, sem parar. Bem fundo.

Estremeci. Senti-lo dentro de mim era muito bom.

Gideon me manteve imóvel, aberta e sem defesa, usando-me da mesma maneira como eu o havia usado, em uma corrida descontrolada em direção ao orgasmo. A força de seu corpo enquanto enfiava o pau em meu sexo trêmulo me deixou no limiar do gozo outra vez.

"Eu te amo", gemi, passando as mãos por suas coxas flexionadas.

Ele grunhiu meu nome e começou a gozar, cerrando os dentes, pressionando meus quadris com força contra os seus, metendo fundo. A sensação de tê-lo gozando dentro de mim me levou à loucura.

"Uma delícia", Gideon murmurou, acompanhando os espasmos do meu sexo.

Nossos corpos se juntaram.

Ele enterrou o rosto no meu pescoço. "Te amo."

As lágrimas inundaram meus olhos. Ele quase nunca dizia aquilo.

"Fala de novo", pedi, abraçando Gideon.

Sua boca encontrou a minha. "Te amo..."

"Quero mais", exigi, lambendo os lábios.

Gideon me olhou por cima do ombro. O bacon estalava na frigideira à sua frente, e comecei a salivar à espera de mais uma fatia. "E eu pensando que dois pacotes de bacon iam dar para o fim de semana inteiro."

"Comer gordura é fundamental depois de uma noite de bebedeira", eu disse, limpando o prato com o dedo e levando-o à boca. "Mas só quando você não está de ressaca."

"Eu estou", murmurou Cary, entrando na cozinha vestindo apenas a calça jeans, que nem se tinha dado ao trabalho de abotoar direito. "Tem cerveja?"

Gideon apontou para a geladeira com o pegador. "Na última gaveta."

Sacudi a cabeça para Cary. "A esta hora da manhã?"

"É o jeito. Minha cabeça parece que vai explodir." Cary pegou uma cerveja e se juntou a mim no balcão. Ele abriu a tampa e virou a garrafa, bebendo metade de uma vez.

"Dormiu bem?", perguntei, cruzando os dedos mentalmente.

Ele havia passado a noite no apartamento anexo, e eu estava torcendo para que tivesse gostado. Era um lugar com os mesmos detalhes da época do pré-guerra existentes no resto da cobertura, e com uma decoração parecida. Sabia que o estilo de Cary era mais contemporâneo, mas a vista para o Central Park não era de se jogar fora. Todo o restante poderia ser mudado, bastava ele pedir.

Cary tirou a garrafa da boca. "Como uma pedra."

"Gostou do apartamento?"

"Claro. Quem não gostaria?"

"Quer morar lá?", insisti.

Cary abriu um sorrisinho torto. "Sim, gata. Seria demais. Obrigado pelo prêmio de consolação, Gideon."

Meu marido se virou para nós com um prato de bacon na mão. "Não é um prêmio de consolação. Você é muito bem-vindo."

Bati palmas. "Eba! Estou superfeliz."

Gideon pegou um pedaço de bacon e prendeu entre os dentes. Eu me inclinei para a frente e abri a boca. Ele se curvou e me deixou morder um pedaço.

"Qual é?", resmungou Cary. "Não estou precisando de ajuda para vomitar."

Eu o empurrei de leve. "Cala a boca."

Cary sorriu e terminou a cerveja. "Preciso ficar no pé de vocês. Quem garante que não vão estar cantando 'I Got You, Babe' juntos em alguns anos?"

Abri um sorriso ao me lembrar de Will e Natalie. Descobri que tinha ainda mais motivos para gostar dele depois de conhecer sua namorada. "Eles não são uma graça? Estão juntos desde o colégio."

"É disso que eu estou falando", disse Cary. "Depois de tanto tempo juntas as pessoas começam a se estranhar ou acabam criando um mundo encantado só delas."

"Mark e Steven também estão juntos há um tempão", argumentei. "E eles não ficam brigando nem babando um em cima do outro."

Cary me encarou. "Eles são gays, Eva. Não tem os hormônios femininos para acrescentar drama na história."

"Seu porco machista. Não acredito que disse isso."

Cary olhou para Gideon. "Você sabe que estou certo."

"Essa é minha deixa para dar o fora daqui", declarou Gideon, pegando duas fatias de bacon.

"Ei!", gritei quando ele foi para a sala.

Cary caiu na risada. "Não esquenta. Ele já entendeu com que tipo de mulher está lidando."

Olhei feio para meu amigo enquanto mastigava outro pedaço de bacon. "Vou deixar passar essa porque estou devendo uma para você por causa de ontem à noite."

"Foi divertido. Megumi é gente boa." O humor desapareceu de seu rosto, e ele ficou sério. "Pena que teve que passar por isso."

"Pois é."

"Já decidiu como vai ajudar outras vítimas como ela?"

Apoiei os cotovelos no balcão. "Vou falar com Gideon sobre trabalhar com a Fundação Crossroads."

"Porra, por que você não pensou nisso antes?"

"Porque... sou teimosa, acho." Olhei por cima do ombro para a sala, e baixei o tom de voz. "Uma das coisas que Gideon mais gosta em mim é que não faço todas as vontades dele. Ele não é como Stanton."

"E você não quer ser como sua mãe. Isso significa que vai manter o nome de solteira?"

"Sem chance. Gideon faz questão de que eu seja Eva Cross. Além disso, é um puta nome legal."

"É mesmo." Ele deu um tapinha no meu nariz com o dedo. "Se precisar de mim é só falar."

Levantei do banquinho e o abracei. "O mesmo vale para você."

"Não vou abusar da sua boa vontade, pode deixar." Ele soltou um suspiro. "Grandes mudanças estão a caminho, gata. Você não fica com medo?"

Olhei para ele e senti toda a intimidade proporcionada pelos momentos difíceis que vivemos juntos. "Mais do que estou disposta a admitir."

"Preciso dar uma corrida até o escritório", avisou Gideon, aparecendo na cozinha com um boné dos Yankees na cabeça. Estava com a mesma camiseta cinza, mas havia trocado a calça do pijama por uma de moletom, e girava um chaveiro nos dedos. "Não devo demorar."

"Está tudo bem?", perguntei, afastando-me de Cary. A expressão do meu marido era impenetrável e revelava que sua cabeça já estava voltada para o que era preciso resolver.

"Está, sim." Ele veio até mim e me deu um beijo apressado. "Volto daqui a umas duas horas. Ireland só vai chegar às seis."

Ele foi embora. Fiquei olhando para o vazio que ele deixou.

O que poderia ser tão importante a ponto de afastá-lo de mim em um fim de semana? Gideon era bastante possessivo, principalmente na hora de manter o pouco tempo que tínhamos para passar juntos. E aquela chave virando no dedo foi meio esquisito. Ele não era do tipo que fazia movimentos à toa. As únicas vezes em que o via remexendo os dedos era quando estava totalmente relaxado, ou então o contrário: pronto para partir para o ataque.

Não consegui evitar a sensação de que estava escondendo algo de mim. Como sempre.

"Vou tomar um banho", Cary avisou, pegando uma garrafa de água na geladeira. "Quer ver um filme quando eu terminar?"

"Claro", respondi, distraída. "É uma boa ideia."

Esperei até que fosse para o apartamento anexo antes de ir pegar o celular.

11

"Cadê a Eva?"

Contornei a frente do Mercedes e entrei na frente de Brett Kline. Meus dedos se contorceram, em uma tentativa de suprimir o hábito de estender a mão para cumprimentar as pessoas. A mão daquele cantor havia tocado intimamente minha esposa... e não muito tempo antes. Não queria apertá-la. Queria quebrá-la.

"Na nossa casa", respondi, apontando para a entrada do Edifício Crossfire. "Vamos para o escritório."

Kline abriu um sorriso frio. "Você não vai conseguir afastar Eva de mim."

"Quem fez isso foi você." Percebi que ele estava usando uma camiseta bem gasta do Pete's com calça jeans preta e botas de couro. Sem dúvida nenhuma, essa escolha não era uma simples coincidência. Ele queria mostrar para Eva o histórico que tinham juntos. E talvez até para mim. Será que foi ideia do Yimara? Não me surpreenderia.

Não era a melhor atitude a tomar.

Ele entrou pelas portas giratórias na minha frente. Os seguranças coletaram seus dados e lhe deram um crachá de visitante. Passamos pelas catracas e fomos até os elevadores.

"Você não vai conseguir me intimidar com seu dinheiro", ele disse, tenso.

Entrei no elevador e apertei o botão do último andar. "Olhos e ouvidos estão espalhados pela cidade toda. No meu escritório, pelo menos, sei que você não vai ter como chamar a atenção."

Ele contorceu o lábio, contrariado. "É essa sua preocupação? Sua imagem pública?".

"Uma pergunta irônica, considerando quem você é e o que está querendo."

"Não vem dizer que me conhece", ele grunhiu. "Você não sabe porra nenhuma."

No espaço confinado do elevador, a agressividade e a frustração de Kline permeavam a distância entre nós. Suas mãos estavam agarradas ao corrimão logo atrás, em uma postura de hostilidade e expectativa. Com as pontas dos cabelos espetados descoloridas e as tatuagens em preto e branco que cobriam seus braços, o vocalista do Six-Ninths não tinha como ser mais diferente de mim. Eu costumava ficar intimidado com sua aparência e seu histórico com Eva. Agora não ficava mais.

Não depois de San Diego. E com certeza não depois da noite anterior.

Ainda conseguia sentir as unhas de Eva nas minhas costas e na minha bunda. Ela havia me levado aos limites a noite toda, e em algumas horas da manhã. O apetite insaciável que sentia por mim não deixava lugar para mais ninguém. E o tom de sua voz quando dizia que me amava, as lágrimas em seus olhos quando eu disse o que significava para mim...

Recostei-me na parede oposta da cabine e enfiei a mão no bolso da calça, ciente de que minha postura relaxada ia irritá-lo.

"Ela sabe que estamos conversando aqui?", ele perguntou em um tom brusco.

"Achei que poderia deixar a seu critério mencionar ou não o assunto."

"Ah, eu vou mencionar, pode deixar."

"Espero que faça isso mesmo."

Saímos para o hall das Indústrias Cross e liberei nossa entrada para que pudéssemos ir à minha sala. Havia algumas pessoas trabalhando, e fiz questão de mostrar que tinha notado sua presença. Aqueles que iam ao escritório em dia de folga não eram necessariamente melhores funcionários do que aqueles que não faziam isso, mas eu sabia respeitar e recompensar esse tipo de ambição.

Quando chegamos à minha sala, fechei a porta e deixei o vidro opaco. Havia uma pasta na minha mesa, conforme tinha pedido que deixassem antes de sair de casa. Pus a mão sobre ela e fiz um gesto para que Kline se sentasse.

Ele continuou de pé. "Que porra é essa? Queria ver Eva, mas em vez disso seu capanga me trouxe até aqui."

O "capanga" era um segurança da Vidal Records, mas ele tinha razão em achar que o sujeito estava agindo sob minhas ordens. "Estou disposto a oferecer um bom dinheiro — além de outros incentivos — pelos direitos exclusivos das imagens que Yimara fez de você e Eva."

Ele abriu um sorriso tenso. "Sam me avisou que você ia tentar fazer isso. Aquele vídeo não tem nada a ver com você. É meu e de Eva."

"E do mundo inteiro se o vídeo vazar, o que ia acabar com ela. Isso faz diferença para você, os sentimentos dela?"

"Nada vai vazar, e é claro que os sentimentos dela são importantes, porra. Esse é um dos motivos por que preciso falar com ela."

Balancei a cabeça. "Você quer perguntar o que pode usar. Acha que pode convencer Eva a deixar que explore uma parte do conteúdo."

Ele remexeu os pés em sinal de inquietação, acusando o golpe.

"Você não vai conseguir a resposta que está querendo", continuei. "Só a existência desse vídeo já é motivo de sofrimento para ela. Se acha que não, é um idiota."

"Não é só sexo. Tem umas coisas legais, com a gente se divertindo. Eu e ela tínhamos um lance interessante. Ela não era só uma trepada para mim."

Seu merda. Precisava controlar o impulso de partir para cima dele.

Kline soltou uma risadinha. "Não que você entenda do que estou falando. Não se incomodou nem um pouco de comer aquela morena antes de eu reaparecer na jogada. Só então a coisa mudou de figura. Eva era só um brinquedo que você já tinha descartado. Até surgir alguém interessado nela."

Com a menção a Corinne, ele tocou em um ponto sensível. O relacionamento de fachada com minha ex quase havia me custado Eva, e isso ainda me atormentava.

Isso também me mostrou o quanto ele era bom em colocar a culpa nos outros. "Eva sabe muito bem o que significa para mim."

Kline chegou mais perto da minha mesa. "Ela está cega demais por seus bilhões para perceber que tem algum motivo muito estranho para esconder seu casamento falso em outro país. Isso não é ilegal, aliás?"

Era um questionamento que eu já esperava. "É totalmente dentro da lei."

Abri a pasta e tirei uma foto lá de dentro. Foi tirada no dia do nosso casamento, no momento do nosso primeiro beijo como marido e mulher. A praia e o pastor que celebrou a cerimônia serviam como pano de fundo. Eu segurava seu rosto entre as mãos, e nossos lábios se tocavam de forma suave. Suas mãos seguravam meus punhos, e minha aliança reluzia em seu dedo.

Virei a foto para ele e pus uma cópia da certidão de casamento ao lado, usando minha mão esquerda para isso, mostrando a aliança de rubis.

Eu não estava revelando detalhes da minha vida pessoal para provar nada para ninguém. Minha intenção era provocar Kline, o que vinha fazendo desde o momento em que ele tinha chegado a Nova York. Quando procurasse minha mulher de novo, eu queria que estivesse desequilibrado e em desvantagem.

"Portanto, não existe mais nada entre você e Eva", eu disse sem me alterar. "Se ainda tinha dúvidas, agora não tem mais. De qualquer forma, acho que está menos interessado nela do que em usar sua imagem em benefício da banda."

Kline deu risada. "Ah, sim, pode me pintar como o babaca da história. O que você não consegue aceitar é a ideia de que ela veja esse vídeo. Você nunca conseguiu deixar Eva daquele jeito, e nunca vai conseguir."

Meus antebraços se contraíram de vontade de arrancar aquela presunção da cara dele. "Pode acreditar no que quiser. Suas opções são as seguintes: aceitar os dois milhões que estou oferecendo, entregar as imagens e ir embora..."

"Não quero seu dinheiro!" Ele apoiou as mãos na beirada da mesa e se inclinou na minha direção. "Você não é dono das minhas lembranças. Pode até estar com ela — por enquanto —, mas esse vídeo é meu. E não vou vender para você nem fodendo."

A ideia de Kline vendo aquelas imagens... fodendo minha mulher... fez meu sangue ferver. A ideia de sugerir que analisassem o material, mesmo sabendo o quanto isso ia abalar Eva, deixou-me à beira de fazer uma loucura.

Tentei manter o tom de voz o mais neutro possível. "Você pode rejeitar o dinheiro e manter a existência dessas imagens em segredo até morrer. Fazer disso um presente secreto para Eva, que ela nem sabe que existe."

"Que porra de conversa é essa?"

"Ou você pode ser um cretino egoísta", continuei, "e usar isso contra ela, para destruir nosso casamento e ficar mais famosinho."

Eu o encarei. Kline permanecia impassível, mas desviou os olhos por uma fração de segundo. Já era uma pequena vitória.

Sem perder tempo, saquei o contrato da pasta. Arash já tinha providenciado tudo. "Se sente alguma coisa por ela, vai tomar uma decisão diferente daquela que tinha na cabeça quando veio para Nova York."

Ele pegou os documentos da minha mesa e rasgou no meio, jogando os pedaços sobre a superfície de vidro. "Só vou embora depois de falar com ela."

Kline saiu do meu escritório espumando de raiva.

Esperei que ele se retirasse, depois fiz uma ligação por uma linha segura. "Deu tempo?"

"Deu. Cuidamos do laptop e do tablet que estavam na bagagem assim que vocês subiram. Estamos verificando os servidores de e-mail e de backup agora mesmo. Revistamos a casa dele no fim de semana, mas o cara não aparece por lá faz tempo. Limpamos tudo nos equipamentos de Yimara e de Kline, assim como as contas e os equipamentos daqueles que receberam o vídeo. Um dos executivos da Vidal tinha uma cópia completa no HD, mas apagamos. Não encontramos nenhuma evidência de que tenha enviado para alguém."

Senti minhas entranhas gelarem. "Qual executivo?"

"Seu irmão."

Porra. Agarrei a borda da mesa com tanta força que meus dedos até estalaram. Eu me lembrei do vídeo de Christopher com Magdalene, sabia o quanto o ódio que ele sentia contra mim podia ser perverso. Só de pensar que ele poderia ver Eva em um momento tão íntimo... tão vulnerável... Fiquei em um estado de espírito que não experimentava desde que soube de Nathan.

Eu precisava acreditar que a empresa de segurança privada que contratei ia resolver o problema. Sua equipe de técnicos era treinada para lidar com informações muito mais importantes.

Joguei a papelada espalhada em cima da mesa dentro da pasta. "Preciso que esse vídeo deixe de existir."

"Entendido. Estamos trabalhando nisso. Ainda é possível que exista alguma cópia circulando por aí, apesar de já termos vasculhado as transações bancárias de Kline e Yimara em busca de pagamentos de cofres ou depósitos. Vamos continuar monitorando a situação, a não ser que venha uma ordem em contrário."

Essa ordem nunca viria. Eu passaria a vida inteira procurando por qualquer pista de que aquele vídeo tinha ido parar nas mãos de outra pessoa que não fosse eu, se preciso. "Obrigado."

Desliguei, saí do escritório e voltei para casa para ficar com Eva.

"Você é mesmo muito boa com isso aí", disse Ireland, vendo Eva pegar um pedação de frango kung pao da caixa com os hashis e levar à boca. "Nunca aprendi a usar direito."

"Tenta segurar desse jeito aqui."

Fiquei olhando minha esposa ajustar a pegada da minha irmã nos palitinhos, seus cabelos loiros contrastando com o tom escuro de Ireland. Sentadas no chão aos meus pés, estavam ambas de short e blusa, com as pernas bronzeadas estendidas na mesinha de centro, as de uma compridas e finas, as da outra mais curtas e voluptuosas.

Eu estava presente mais como um observador, sentado no sofá atrás das duas e invejando sua capacidade de jogar conversa fora, apesar de me sentir grato por não precisar falar nada.

Era tudo muito surreal. Jamais teria sido capaz de imaginar uma noite como aquela, um jantar em casa em... família. Quanto a mim, não sabia como contribuir. O que poderia dizer? Como deveria me sentir?

Também estava surpreso. E agradecido. Pela mulher maravilhosa que tanto acrescentou à minha vida.

Não muito tempo antes, em um sábado à noite, eu estaria em um evento social de alta visibilidade, concentrando-me nos negócios ou esperando que alguma mulher interessante me despertasse uma vontade de trepar. Voltando para casa ou terminando a noite transando no hotel, eu estaria sempre sozinho. E, como não tinha muita lembrança de pertencer a algum lugar, ou a uma pessoa, não sabia nem o que estava perdendo.

"Rá! Olha só", comemorou Ireland, segurando um pedacinho de frango alaranjado, que não perdeu tempo em comer. "Consegui levar até a boca."

Engoli o vinho da taça em um só gole, com vontade de dizer *alguma coisa*. Minha mente sugeriu uma enxurrada de opções, todas elas forçadas e pouco sinceras. No fim o que saiu foi: "O alvo é bem grande. Assim fica fácil acertar".

Ireland se virou para me ouvir, mostrando-me os mesmos olhos azuis que eu via no espelho todos os dias. Eram bem mais sinceros e inocentes que os meus, e brilhavam de divertimento e afeto. "Está me chamando de bocuda?"

Incapaz de resistir, passei a mão na cabeça dela, tocando seus cabelos sedosos, tão parecidos com os meus. "Não foi isso que eu disse."

"Não com *essas* palavras", ela corrigiu, inclinando a cabeça de leve na direção do meu toque antes de se virar de novo para Eva.

Eva me olhou, abrindo um sorriso encorajador. Ela sabia me dar forças, e me oferecia seu apoio de forma incondicional.

Com um nó na garganta, levantei do sofá e peguei a taça vazia da minha mulher. O copo de refrigerante de Ireland ainda estava pela metade, então deixei lá mesmo e fui até a cozinha, tentando me recompor para conseguir enfrentar o restante da noite.

"O Channing Tatum é muito gato", comentou Ireland na sala. "Você não acha?"

Franzi a testa. Esse comentário da minha irmã mais nova despertou pensamentos desagradáveis sobre namoros. Ela já devia ter beijado garotos — afinal, tinha dezessete anos. Eu sabia que era perfeitamente natural. E também que era culpa minha ter perdido tanto de sua infância. Mas a ideia de que minha irmã mais nova precisaria lidar com versões mais jovens de homens como eu, Manuel e Cary me deixou estranhamente na defensiva.

"Ele é muito bonito", concordou Eva.

O ciúme entrou em cena. Meu olhar se estreitou na direção das duas taças que eu estava enchendo.

"Ele vai ser eleito o homem mais sexy do ano", contou Ireland. "Olha só esses braços."

"Ah, quanto a isso discordo totalmente. O Gideon é muito mais sexy."

Sorri.

"Você está caidinha mesmo", provocou minha irmã. "Seus olhos viram dois coraçõezinhos quando pensa no Gideon. É tão bonitinho."

"Para com isso."

A risada musical de Ireland reverberou no ar. "Não esquenta. Ele também fica todo babão com você. E aparece em todas as listas de homens mais bonitos do mundo há anos. Minhas amigas não param de falar nisso."

"Ah, nem me fala disso. Sou muito ciumenta."

Sorrindo por dentro, joguei a garrafa vazia no lixo reciclável.

"Gideon também. Ele vai surtar quando você começar a aparecer nas listas de mulheres mais bonitas do mundo. Agora que todo mundo conhece você, não tem como evitar."

"Que nada", rebateu Eva. "Eles teriam um trabalhão com o Photoshop para diminuir minha bunda e minhas coxas para me colocar numa revista dessas."

"Hã, você já viu a Kim Kardashian? Ou a Jennifer Lopez?"

Parei na entrada da sala, apreciando a visão de Eva e Ireland por cima da taça de vinho. Senti um aperto no peito. Queria congelar aquele momento, protegê-lo, preservá-lo para sempre.

Ireland olhou para trás e me viu. Ela revirou os olhos. "Não falei?", comentou. "Um babão."

Sentado na minha cadeira, dei um gole no café e olhei para a planilha no monitor. Remexi os ombros para aliviar um pouco a dor no pescoço.

"Cara. Como assim? São três da manhã."

Desviei os olhos da tela e vi Ireland parada na porta do meu escritório. "E?"

"Por que você está trabalhando a esta hora?"

"Por que você está no Skype a esta hora?", rebati, pois tinha ouvido seus risos e sua voz durante mais ou menos uma hora depois que Eva foi dormir.

"Tanto faz", ela murmurou, vindo se sentar em uma das cadeiras diante da minha mesa. Ireland se largou no assento, com os ombros na altura do encosto e as pernas abertas. "Não consegue dormir?"

"Não." Ela nem imaginava o quanto isso era verdade. Com Ireland na cama de Eva e Eva na minha, eu não podia nem me arriscar a ir dormir. Não podia continuar assustando minha esposa por muito mais tempo, a não ser que quisesse arriscar destruir o amor que ela sentia por mim.

"Christopher me mandou uma mensagem agora há pouco", ela contou. "Parece que meu pai está dormindo em um hotel."

Ergui as sobrancelhas.

Ela balançou a cabeça, com uma expressão de tristeza. "É bem sério, Gideon. Eles nunca passaram uma noite separados. Pelo menos não que eu lembre."

Eu não sabia o que dizer. Nossa mãe tinha me ligado naquele dia, deixado mensagens e telefonado para a cobertura tantas vezes que fui obrigado a desligar os aparelhos. Detestava saber que ela estava sofrendo, mas também precisava preservar o tempo que passaria com Ireland e Eva.

Era egoísmo da minha parte me preocupar só comigo, mas eu já tinha perdido minha família duas vezes — quando meu pai morreu e depois do que Hugh fez comigo. Não podia permitir que acontecesse de novo. Achava que não sobreviveria, não depois que Eva tinha entrado na minha vida.

"Só queria saber a causa da briga", ela falou. "Tipo, desde que ninguém tenha traído ninguém, sempre dá para resolver, né?"

Soltando o ar com força, eu me endireitei na cadeira. "Não sou a pessoa certa para falar sobre relacionamentos. Não tenho a menor ideia de como funcionam. Estou indo aos trancos e barrancos, rezando para não estragar tudo e contando sempre com a paciência e a compreensão de Eva."

"Você está mesmo apaixonado por ela."

Ela estava olhando para a colagem de fotos na parede. Era doloroso, às vezes, olhar para aquelas imagens da minha mulher. Queria reviver cada momento. Acumular cada segundo que tinha vivido a seu lado. Detestava ver o tempo passar tão rápido, e a incerteza do futuro.

"Sim", murmurei. Perdoaria qualquer coisa em Eva. Não havia nada que pudesse fazer ou dizer para nos separar, porque eu não conseguia viver sem ela.

"Fico contente por você, Gideon." Ireland sorriu para mim quando olhei para ela.

"Obrigado." A preocupação em seus olhos permanecia, assim como sua inquietação. Eu queria resolver os problemas que a estavam perturbando, mas não sabia como.

"Você pode falar com mamãe?", ela sugeriu. "Não agora, claro. Mas amanhã? Quem sabe não consegue descobrir o que está acontecendo?"

Hesitei por um momento, ciente de que uma conversa com nossa mãe seria certamente improdutiva. "Vou tentar."

Ireland olhou para as unhas. "Você não gosta muito dela, né?"

Refletindo com cautela antes de responder, falei: "Somos muito diferentes".

"Eu entendo. Parece que ela tem uma espécie bizarra de TOC quando o assunto é a família. Todo mundo precisa ser de determinado jeito, ou pelo menos fingir que é. Ela se preocupa demais com o que os outros pensam. Vi um filme antigo outro dia que me fez lembrar dela. *Gente como a gente*. Já viu?

"Não, nunca vi."

"Deveria ver. É com o pai do Kiefer Sutherland e mais uma galera. É bem triste, mas a história é boa."

"Vou procurar." Sentindo-me compelido a explicar o comportamento da nossa mãe, fiz o melhor que podia. "O que ela teve que enfrentar quando meu pai morreu... Foi brutal. Ela se fechou em si mesma depois disso, acho."

"Uma amiga dela disse que era diferente antes. Quando casou com seu pai."

Deixei de lado meu café frio. "Tenho outra lembrança dela nessa época."

"Melhor?"

"Isso é relativo. Ela era mais... espontânea. Despreocupada."

Ireland esfregou a boca com os dedos. "Você acha que foi isso que acabou com ela? Perder seu pai?"

Senti um aperto no peito. "Ela mudou", respondi baixinho. "Só não sei quanto."

"Argh." Ela se sentou, tentando espantar a melancolia. "Você vai ficar acordado mais um tempo?"

"Provavelmente a noite toda."

"Quer ver aquele filme comigo?"

Essa sugestão me pegou de surpresa. E me agradou. "Depende. Você não pode ficar contando o que acontece. Nada de spoilers."

Ireland me encarou. "Eu já disse que é uma história triste. Se quiser uma história de amor, ela está dormindo lá no fim do corredor."

Abri um sorriso, levantei e saí da cadeira. "Você encontra o filme, eu pego o refrigerante."

"Uma cerveja cairia bem."

"Não na minha casa."

Ela ficou de pé com um sorriso. "Tudo bem, tudo bem. Um vinho, então."

"Pede de novo daqui a alguns anos."

"Até lá vocês já vão ter até filhos. Não vai ter a mesma graça."

Detive o passo, acometido por um pânico que me fez suar. A ideia de ter um filho com Eva era ao mesmo tempo empolgante e assustadora. Não era seguro para minha esposa morar comigo. Como poderia ser seguro para uma criança?

Ireland deu risada. "Puta merda, você precisava ver sua cara! Um caso clássico de pânico de solteirão. Ninguém contou para você? Primeiro vem o amor, depois o casamento, depois os filhos."

"Para com isso, se não quiser que te mande para a cama."

Ela riu ainda mais e me pegou pelo braço. "Você é muito engraçado. Sério mesmo. Só estou provocando, não precisa ficar nervoso comigo. Já tem gente demais na família assim."

Queria que meu coração batesse um pouco mais devagar.

"De repente *você* pode beber alguma coisa", ela sugeriu.

"Acho que vou mesmo", murmurei.

"Preciso dar os parabéns para a Eva por ter colocado uma aliança no seu dedo. Você teve um ataque de pânico antes de fazer o pedido também?"

"Fica quieta, Ireland."

Ela apoiou a cabeça no meu ombro e deu uma risadinha enquanto saíamos do escritório.

O sol já estava no céu fazia duas horas quando fui para a cama. Tirei a roupa em silêncio, observando o volume sob as cobertas, que era o corpo da minha mulher.

Eva estava toda encolhida, coberta quase por inteiro, a não ser pelas mechas reluzentes de seus cabelos sobre o travesseiro. Minha mente logo se deu conta do motivo: ela estava sem roupa.

Minha. Toda minha.

Era muito ruim ter que dormir sem ela. E eu sabia que Eva também não gostava.

Levantando a beirada das cobertas, deitei-me com ela, que soltou um gemidinho e rolou na minha direção, ajeitando seu corpo quente para me abraçar.

Fiquei excitado na hora. O desejo se espalhou pelo meu corpo, e minha pele formigou com a química sexual, e algo mais. Profundo. Um reconhecimento maravilhoso e assustador.

Ela preenchia um vazio dentro de mim que eu nem sabia que existia.

Eva encostou o rosto no meu pescoço e gemeu baixinho, com as pernas enroscadas nas minhas, passando as mãos pelas minhas costas. "Todo durinho e gostosinho", murmurou.

"Todo mesmo", confirmei, agarrando sua bunda e puxando-a para junto da minha ereção.

Seus ombros estremeceram com uma risadinha silenciosa. "Vamos ter que fazer silêncio."

"Eu tapo sua boca."

"A minha?" Ela mordeu meu pescoço. "O escandaloso aqui é você."

Eva não estava errada. Por mais excitado e impaciente que ficasse quando estava com tesão, nunca tinha sido escandaloso... até conhecê-la. Era uma luta manter a discrição quando preciso. Ela era gostosa demais, e eu me empolgava.

"Então vamos bem devagar", murmurei, passando as mãos avidamente por sua pele sedosa. "Ireland ainda vai dormir durante horas, não tem pressa."

"Horas, é?" Dando risada, ela se deitou de barriga para baixo, estendendo a mão para o criado-mudo. "Exagerado."

Fiquei todo tenso enquanto ela pegava umas balinhas de menta, por me lembrar de situações parecidas em que outras mulheres remexiam no criado-mudo em busca de camisinha.

Eva e eu só usamos camisinha duas vezes. Antes dela, eu jamais trepava sem. Evitar a gravidez era algo a que me dedicava com um fervor religioso.

Depois disso, sempre confiamos na pílula.

Era um risco. Eu sabia disso. E, levando em conta o número de vezes que a comia — pelo menos duas, e às vezes três ou quatro vezes por dia —, o risco era considerável.

Pensei a respeito algumas vezes. Questionei meu autocontrole, meu egoísmo de pôr meu prazer acima das consequências. Mas o motivo da minha impetuosidade não era só prazer. Se fosse, eu daria um jeito. Seria mais responsável.

Não, era muito mais complicado que isso.

A necessidade que eu sentia de gozar dentro dela era algo primitivo. Um gesto de conquista, mas também de rendição.

Eu quis fodê-la com vontade desde a primeira vez que a vi, muito antes de descobrir o quanto as coisas seriam explosivas entre nós. Desde a primeira vez em que saímos juntos falei que precisava fazer isso, algo que não diria para mais ninguém.

"Não se mexe", falei com a voz áspera, chegando mais perto enquanto ela ainda estava deitada de barriga para baixo. Enfiei a mão por baixo de seu quadril, e em seguida estendi o braço para alcançar o meio das suas pernas. Ela estava quentinha e molhada. Meus dedos a deixaram ainda mais.

Eva soltou um gemidinho.

"Quero você bem assim", eu disse, dando um beijo em seu rosto.

Peguei meu travesseiro com a mão livre e coloquei sob o corpo dela, elevando seus quadris para poder meter até o fundo.

"Gideon..." A maneira como ela disse meu nome foi quase um pedido, como se eu não devesse agradecer de joelhos pelo privilégio de tê-la.

Ajeitei minha posição, abrindo as pernas dela e segurando seus pulsos ao lado da cabeça. Enquanto a segurava, arremeti. Ela estava pronta para me receber, macia, apertadinha e molhadinha. Cerrei os dentes para segurar o grunhido que surgiu na minha garganta, e um tremor tomou conta do meu corpo dos pés à cabeça. Meu peito ofegava contra suas costas, e minha respiração pesada bagunçava seus cabelos sobre o travesseiro.

Só de falar comigo, ela já me levava à loucura.

"Minha nossa." Meus quadris se moviam por vontade própria, empurrando meu pau para dentro dela, até o fundo. Eu conseguia senti-la inteirinha em torno de mim, da base até a ponta, estremecendo em ondas que me acariciavam. "Meu anjo..."

A pressão na base do meu pau era forte, mas eu podia contê-la. Não era uma questão de controle, e sim de vontade.

Eu *queria* gozar dentro dela. A ponto de considerar o risco aceitável — por mais assustador que fosse.

Fechando os olhos, deixei minha cabeça cair ao lado da dela. Sentindo seu cheiro, gozei com força, contraindo a bunda enquanto soltava jorros quentes e espessos dentro da minha esposa.

Eva gemeu, estremecendo sob mim. Sua boceta se contraiu e depois tremeu em torno do meu pau. Ela gozou com um gemido doce e suave.

Grunhi seu nome, excitadíssimo com seu orgasmo. Eva gozou porque eu gozei antes, porque meu prazer a deixava com tesão, tanto quanto meu toque. E ela faria tudo de novo, quantas vezes aguentasse.

"Eva." Rocei meu rosto suado ao dela. "Crossfire."

Ela entrelaçou os dedos aos meus e virou a cabeça à procura da minha boca.

"Garotão", ela murmurou enquanto me beijava. "Eu também te amo."

Passava um pouco das cinco da tarde quando atravessei com o Bentley os portões da propriedade dos Vidal no Dutchess Country e parei na entrada de carros na frente da casa.

"Ah, você veio rápido demais", Ireland reclamou do banco de trás. "Já chegamos."

Pus o SUV em ponto morto e deixei o motor ligado. Depois de dar uma olhada para a casa, senti um nó no estômago. Eva segurou e apertou minha mão. Eu me concentrei em seus olhos acinzentados, para desviar o foco da mansão em estilo Tudor às suas costas.

Ela não disse uma palavra, nem precisava. Senti seu amor e seu apoio, e vi o faiscar da raiva em seus olhos. Só de saber que Eva me entendia já me senti mais forte. Ela conhecia cada segredo sujo e obscuro que eu guardava, e mesmo assim me amava e tinha fé em mim.

"Quero ficar na sua casa de novo algum dia", disse Ireland, enfiando a cabeça entre os dois assentos da frente. "Foi divertido, né?"

Olhei para ela. "Vamos fazer isso mais vezes."

"Logo?"

"Pode ser."

O sorriso dela compensou tudo o que aquela promessa ia me custar em termos de privação de sono e ansiedade. Eu me mantive à distância por muitas razões, mas principalmente porque pensava que não tinha nada para lhe oferecer. Concentrei-me em manter a Vidal Records um negócio rentável para o futuro, a única forma de cuidar dela sem pisar na bola.

"Você vai ter que me ajudar", eu disse com toda a sinceridade. "Não sei agir como irmão. Vai ter que perdoar meus erros. E com frequência."

Ireland abriu um sorriso que a transformou de uma adolescente em uma jovem mulher. "Bom, é como ser um amigo", ela disse, bem séria. "Mas você precisa se lembrar dos aniversários, aparecer nos feriados e perdoar qualquer coisa. Além disso, precisa me apresentar para todos os seus amigos ricos e gatos."

Ergui as sobrancelhas. "E a parte em que pego no seu pé e encho o seu saco?"

"Essa fase você já perdeu", Ireland rebateu. "Não tem como voltar atrás."

Ela falou brincando, mas aquelas palavras tiveram um tremendo impacto sobre mim. Eu havia perdido *anos* da vida dela e não teria como recuperar o tempo perdido.

"Mas você pode pegar no pé dos namorados dela", Eva falou, "e encher o saco *deles*."

Nossos olhares se cruzaram, e percebi que minha esposa entendia exatamente o que eu estava pensando. Acariciei seus dedos com o polegar.

Atrás dela, a porta da casa se abriu, e minha mãe apareceu. Ela ficou parada no degrau de cima da escada vestida com uma bata branca e uma calça combinando. Seus cabelos longos e escuros estavam soltos sobre os ombros. À distância, ela era muito parecida com Ireland, parecendo mais uma irmã do que uma mãe.

Apertei a mão de Eva com mais força.

Ireland suspirou e abriu a porta. "Pena que vocês precisam trabalhar amanhã. Tipo, qual é a vantagem de ser um megabilionário se você não pode nem dar umas escapadas de vez em quando?"

"Se Eva trabalhasse comigo", falei, olhando para minha esposa, "a gente poderia fazer isso."

Ela pôs a língua para fora. "Nem começa."

Puxei sua mão até minha boca e a beijei. "Nunca parei."

Desci do carro e abri o porta-malas. Fui até ele pegar a bolsa de Ireland, mas em um piscar de olhos meus braços estavam ocupados com ela, que me abraçou com força, pela cintura. Demorei um tempo para me recobrar do susto, e então retribuí o abraço, apoiando o rosto no topo de sua cabeça.

"Eu te amo", ela murmurou junto ao meu peito. "Obrigada por me receber."

Senti um nó na garganta, que me impediu de dizer o que quer que fosse. Ela se afastou com a mesma velocidade com que me abraçou, já se despedindo de Eva com a bolsa na mão.

Desorientado como se tivesse levado um soco, fechei o porta-malas e vi minha mãe receber Ireland no caminho de cascalho. Quando estava pronto para sentar atrás do volante e ir embora, ela me fez um sinal para esperar.

Olhei para Eva. "Entra no carro, meu anjo."

Ela me olhou como se fosse contestar, mas em seguida fez que sim com a cabeça, acomodou-se no banco do passageiro e fechou a porta.

Fiquei esperando minha mãe vir até mim.

"Gideon." Ela me segurou pelo braço e ficou na ponta dos pés para dar um beijo no meu rosto. "Você e Eva não vão entrar? Vieram até aqui."

Dei um passo para trás para me livrar de seu toque. "Precisamos voltar."

Seu olhar refletia toda a sua decepção. "Só alguns minutinhos. Por favor. Preciso me desculpar com vocês. Não recebi muito bem a notícia do noivado, e sinto muito por isso. Era para ser uma alegria para a família, mas acho que fiquei preocupada demais em perder meu filho para me dar conta disso."

"Mãe." Eu a segurei pelo braço quando ela fez menção de ir para o lado do passageiro. "Agora não."

"Eu me arrependi de ter dito todas aquelas coisas sobre Eva naquele dia. É que fiquei chocada ao ver a aliança que seu pai deixou para você na mão de outra mulher. Para Corinne você deu outra aliança, por isso fiquei surpresa. Você entende, não é?"

"Você afrontou Eva."

"Foi isso que ela disse?" Minha mãe fez uma pausa. "Não foi essa minha intenção, mas... Esqueça. Seu pai era um homem muito protetor também. Você é igualzinho a ele."

Olhei para as árvores do outro lado. Nunca sabia como reagir diante de comparações com Geoffrey Cross. Eram um elogio ou uma indireta? No caso da minha mãe, não havia como saber.

"Gideon... por favor, estou tentando. Eu disse para Eva algumas coisas que não deveria, e ela reagiu como qualquer mulher reagiria naquelas circunstâncias. Só quero corrigir meu erro." Ela pôs a mão sobre meu coração. "Estou feliz por você, Gideon. E muito contente por te ver passar um tempo com Ireland. Sei que isso é muito importante para ela."

Eu a afastei com um gesto suave. "Para mim também. E foi Eva que tornou isso possível, de uma maneira que não consigo nem explicar. Mais um motivo para eu não querer que ela fique chateada. Não agora. Precisa trabalhar amanhã cedo."

"Vamos marcar um almoço esta semana, então. Ou um jantar."

"Chris vai estar aqui?", Eva perguntou pela janela antes de abrir a porta e descer e se pôr de pé ao lado do SUV escuro e imponente, pequenina e reluzente à sua própria maneira, com os ombros erguidos em uma postura formidável.

Minha esposa seria capaz de enfrentar o mundo inteiro por mim. Saber disso me proporcionava uma sensação fabulosa. Nunca tivera quem lutasse por mim, e agora tinha encontrado alguém que ficaria sempre ao meu lado.

Minha mãe abriu um sorriso. "Claro. Chris e eu fazemos tudo juntos."

Notei a tensão em seu sorriso e duvidei de suas palavras, como fazia com frequência. Mesmo assim, resolvi concordar. "Vamos combinar. Liga para Scott amanhã para ver o que podemos fazer."

O rosto da minha mãe se iluminou. "Fico muito feliz. Obrigada."

Ela me abraçou, e tive que me segurar para não afastá-la. Quando se aproximou da minha esposa com os braços abertos, Eva estendeu a mão, em um cumprimento mais formal. Foi uma interação um pouco estranha, com as duas obviamente na defensiva.

Minha mãe não queria aparar as arestas — queria fingir que já estavam aparadas.

Nós nos despedimos, e eu me acomodei atrás do volante. Eva e eu partimos, deixando a propriedade para trás. Ainda não tínhamos ido muito longe quando ela falou: "Quando foi que você conversou com sua mãe?".

Droga. Sabia muito bem o que aquele tom de voz significava.

Eu me inclinei em sua direção e pus a mão em seu joelho. "Não quero que você se preocupe com minha mãe."

"Você não quer que eu me preocupe com nada! Não é assim que as coisas funcionam. Não precisa resolver tudo sozinho."

"O que minha mãe fala ou faz não tem importância, Eva. Estou cagando e andando para ela, e você deveria fazer o mesmo."

Ela se virou na cadeira para me encarar. "Você precisa começar a compartilhar as coisas. Principalmente as que têm a ver comigo, como a sua mãe falando mal de mim pelas costas!"

"Não quero ver você irritada por uma opinião que não tem a menor importância." Contornei uma curva na estrada e acelerei fundo ao sair dela.

"É melhor do que me ver irritada com você!", Eva esbravejou. "Encosta."

"Quê?" Olhei para ela.

"Encosta logo esse carro."

Praguejando comigo mesmo, tirei minha mão da perna dela e agarrei o volante. "Me diz por quê."

"Porque estou brava com você, e não quero ver você todo sexy dirigindo, então é melhor parar."

Uma pontada de divertimento surgiu em meio à minha aflição. "Parar o quê? De dirigir ou de ser sexy?"

"Gideon... Não força a barra." Resignado, tirei o pé do acelerador e parei no acostamento. "Melhor assim."

Ela saiu do carro e o contornou pela frente. Eu desci também, com um olhar de interrogação no rosto.

"Vou dirigir", Eva anunciou quando parei à sua frente. "Pelo menos até chegar à cidade."

"Você que sabe."

Eu não sabia nada sobre relacionamentos, mas não precisava ser nenhum especialista para entender que era preciso fazer concessões quando uma mulher estava brava. Principalmente se você ainda estava alimentando a esperança de transar nas próximas horas, o que definitivamente era meu caso. Depois de passar o fim de semana com os amigos e com Ireland, sentia uma necessidade especial de mostrar para minha mulher o quanto gostava de ficar com ela.

"Não me olha assim", Eva murmurou.

"Assim como?" Arrisquei uma olhada para ela, admirando sua beleza naquele vestido de alcinha. Era uma noite quente e úmida, mas ela parecia fresca e arejada. Estava com vontade de arrancar as roupas e agarrá-la, para me refrescar um pouco antes de fazer as coisas pegarem fogo.

"Como se eu fosse uma bomba-relógio prestes a explodir!" Ela cruzou os braços. "Não estou sendo irracional."

"Meu anjo, não é nada disso."

"E nem tenta me distrair com sexo", ela complementou, cerrando os dentes. "Ou vai ficar sem por uma semana."

Também cruzei os braços. "Já conversamos sobre ultimatos desse tipo. Você pode reclamar comigo o quanto quiser, Eva, mas vai ter que estar disponível quando eu quiser. Ponto final."

"Mesmo se eu não quiser?"

"Olha só quem fala, a mulher que fica molhada só de me ver dirigir", ironizei.

Ela estreitou os olhos. "Não me deixa com vontade de largar você aqui no meio da estrada."

Claramente, eu não estava sabendo contornar a situação. Achei melhor mudar de tática e partir para a ofensiva.

"Você também não me conta tudo", rebati. "E Kline? Ele parou de tentar falar com você desde que voltou de San Diego?"

Fiquei evitando essa pergunta o fim de semana inteiro, mas queria saber como ele ia agir.

Eu não sabia qual seria a melhor alternativa. Caso Kline falasse sobre o vídeo que nem tinha mais, ela ficaria magoada, mas se aproximaria mais de mim. Caso ele se afastasse para preservá-la, mostraria que tinha sentimentos para lá de incômodos em relação a ela. Odiava o fato de ele desejá-la, mas ficaria preocupado de verdade se a amasse.

Eva ficou sem fôlego. "Você andou mexendo no meu telefone de novo?"

"Não." Minha resposta foi rápida e convicta. "Sei que você não gosta."

Eu seguia cada movimento dela, sabia onde ela estava, e com quem, em todos os momentos do dia, mas Eva estabeleceu um limite bem claro em relação ao celular, e eu respeitava o acordo, apesar de isso me deixar maluco.

Ela ficou me olhando por um tempo, mas deve ter visto a sinceridade estampada no meu rosto. "Brett me mandou umas mensagens. Eu ia contar para você, então nem vem dizer que é a mesma coisa. Você não tinha a menor intenção de me contar sobre sua mãe."

Um carro passou em alta velocidade na estrada, o que fez meus pensamentos se voltarem para a segurança dela. "Entra no carro. Podemos conversar no caminho."

Esperei que ela se acomodasse atrás do volante e fechei a porta. Enquanto eu me sentava no banco do passageiro, Eva ajustou os espelhos e o assento e deu a partida.

Assim que voltamos para a pista, ela voltou a falar. Até prestei atenção em suas palavras, mas estava mais concentrado na maneira como conduzia o Bentley. Eva dirigia depressa e com confiança, segurando o volante com leveza e segurança. Mantinha os olhos na estrada, mas eu não conseguia desviar meu olhar dela. Minha menina californiana. Em uma autoestrada, ela se sentia em casa.

Fiquei agradavelmente excitado ao observar como dirigia o potente SUV. Ou talvez fosse o fato de ela estar me castigando e desafiando.

"Você está me ouvindo?", ela questionou.

"Na verdade não, meu anjo. Mas, antes que se irrite, a culpa é toda sua. Você fica sexy dirigindo, e eu me distraí."

Ela deu um tapa na minha coxa. "É sério! Para de palhaçada!"

"Não estou brincando, Eva... Você quer que eu compartilhe as coisas, quer me ajudar. Eu entendo. Estou tentando."

"Mas não o suficiente, pelo jeito."

"Não quero contar coisas que irritem você sem necessidade. Não faz sentido."

"Precisamos ser sinceros um com o outro, Gideon. Não de vez em quando, o tempo todo."

"Ah, é? Mas dispenso você de algumas coisas. Por exemplo, de me contar sobre os comentários desagradáveis que seu pai e Cary fazem a meu respeito."

Ela entortou a boca e mordeu o lábio por um instante antes de responder: "Usando essa lógica, tudo bem se eu não contar nada sobre Brett?".

"Não. Kline é uma ameaça para nossa relação. Minha mãe não."

Ela bufou.

"Você sabe que estou certo", eu disse sem me alterar.

"Está me dizendo que não se incomoda quando sua mãe fala merda de mim?"

"Não gosto disso, mas não muda em nada o que penso sobre ela nem sobre você. E contar não vai mudar a sua opinião sobre minha mãe. Como o resultado é o mesmo, achei melhor não criar caso."

"É um pensamento típico masculino."

"Espero que seja." Estendi a mão e tirei os cabelos de cima de seu ombro. "Não vamos brigar por causa da minha mãe, meu anjo. Não vale a pena."

Eva me encarou. "Você finge que não liga para o que sua mãe fala, mas sei que não é verdade."

Até pensei em contestar, para encerrar de vez o assunto, mas Eva sempre via as coisas que eu escondia. "Não permito que essas coisas me abalem."

"Mas isso acontece do mesmo jeito. E você guarda essa mágoa com todas as outras coisas com que prefere não ter que lidar."

"Não me vem com esse papo de analista", respondi, bem sério.

Ela pôs a mão na minha perna. "Eu te amo. Quero aliviar essa dor."

"Você já fez isso." Segurei sua mão. "Você me deu tudo o que ela me tirou. Não vamos deixar que tire mais nada de mim."

Com os olhos fixos na estrada, Eva ergueu minha mão e beijou minha aliança. "Pode deixar."

Ela abriu um sorrisinho para me dizer que estava convencida — por enquanto — e seguimos nosso caminho para casa.

12

Ninguém poderia pensar numa visão mais impressionante do que Gideon Cross tomando banho.

Espantava-me o fato de que ele pudesse permanecer tão indiferente enquanto corria as mãos por sua pele tesa e bronzeada e por aqueles músculos definidos. Fiquei assistindo através do vidro embaçado do box os rios de água ensaboada escorrendo pelas curvas rijas do seu abdome e descendo pelas pernas fortes. Seu corpo era uma obra de arte, uma máquina que ele mantinha em plena forma. Como amava aquilo. Amava olhar para ele, tocá-lo, sentir seu gosto.

Estendendo o braço, Gideon limpou a condensação do box o suficiente para revelar seu rosto maravilhoso. E uma sobrancelha arqueada numa pergunta silenciosa.

"Só aproveitando o show", expliquei. O cheiro do sabonete dele provocou sentidos em mim que já estavam treinados para reconhecer aquela fragrância como a do meu homem. Ele mexia com meu corpo, satisfazendo-o até o delírio.

Gideon acariciou toda a extensão do membro grosso, e eu umedeci os lábios. Uma vez ele me contou que se masturbava toda vez que tomava banho, um hábito que passara a considerar tão rotineiro quanto escovar os dentes. Dava para entender por quê, considerando quão intenso era seu apetite sexual. Nunca vou esquecer a visão dele se tocando no chuveiro por minha causa, tão viril, potente e sedento por um orgasmo.

Depois que me conheceu, Gideon parou de se masturbar. Não porque não seria capaz de me satisfazer se o fizesse, nem porque eu fazia com que não precisasse mais daquilo. Estar pronto para transar nunca foi problema para nenhum de nós dois, pois a sede que sentíamos era mais profunda do que física.

Ele me provocou, dizendo que estava se guardando para satisfazer minha insaciabilidade, mas eu sabia reconhecer o verdadeiro motivo daquela abstinência — Gideon me dera o direito sobre seu prazer. Era meu, todo meu. Ele não se permitia nada sem minha presença, o que era um presente e tanto. Sobretudo considerando seu passado, quando a satisfação sexual era usada como arma contra ele.

"É uma performance interativa", ele disse, com o divertimento estampado nos olhos cálidos. "Venha aqui."

"Você tem uma fome animal." Sob o robe, eu podia sentir as coxas úmidas do sêmen dele, já que era sortuda o bastante para aquele homem ter me acordado com seu desejo.

"Só de você."

"Hum, resposta certa."

Gideon deu uma risadinha. Seu pau cresceu. "Acho que mereço uma recompensa."

Entrei no banheiro, aproximando-me do chuveiro. "E como sugere que eu faça isso?"

"Como quiser."

Isso também era um presente. Gideon raramente abria mão de estar no controle, exceto comigo.

"Não tenho tempo suficiente para o que você merece, garotão. Odiaria ter que parar bem na hora em que as coisas estivessem ficando interessantes." Pousei a mão no vidro. "Que tal continuar depois que eu voltar do trabalho hoje à noite? Você, eu e o que eu quiser fazer com você?"

Gideon virou-se para me encarar, pousando a mão junto da minha do outro lado do vidro. Seus olhos percorreram meu rosto numa carícia ardente que era quase palpável. Ele mantinha uma expressão impassível no rosto, uma máscara bonita que escondia tudo. Mas aqueles olhos... daquele azul surpreendente de tão profundo... eles transmitiam carinho, amor e vulnerabilidade.

"Sou todo seu, meu anjo", ele disse, tão baixinho que eu mais vi do que ouvi suas palavras.

"É", concordei, dando um beijo no vidro frio. "Todo meu."

Uma semana nova. O mesmo Gideon centrado de sempre. Ele tinha começado a trabalhar no exato instante em que o Bentley dera a partida, os dedos voando sobre o teclado embutido na mesinha. Fiquei observando, pensando em como a intensidade de sua concentração e sua autoconfiança eram sensuais. Tinha me casado com um homem poderoso e obstinado, e vê-lo demonstrando sua ambição era muito excitante.

Estava tão imersa naquela visão que quase dei um pulo quando meu celular vibrou dentro da bolsa, junto da minha coxa.

"Ui", murmurei, procurando-o na bolsa.

O nome e a foto de Brett apareceram na tela do telefone. Sabendo que mais cedo ou mais tarde eu teria que lidar com ele se quisesse que parasse de me ligar, atendi.

"Oi", falei, cautelosa.

"Eva." O timbre da voz agora famosa de Brett me atingiu com a força de sempre, mas não do mesmo jeito. Amava o modo como ele cantava, mas aquele amor não era mais íntimo. Não era mais pessoal. Eu o admirava da mesma forma como admirava uma dezena de outros cantores. "Que merda, faz uma semana que estou tentando falar com você!"

"Eu sei. Desculpa, tenho andado meio enrolada. Tudo bem com você?"

"Já estive melhor. Preciso te ver."

Ergui as sobrancelhas. "Quando vai vir pra cá?"

Ele riu com aspereza, um som que não exibia qualquer traço de divertimento e que me tocou de um jeito ruim. "Inacreditável. Escuta, não dá pra falar por telefone. Será que a gente pode se encontrar hoje? A gente precisa conversar."

"Você está em Nova York? Achei que a banda estava em turnê..."

Gideon não diminuiu a velocidade com que digitava nem olhou para mim, mas eu podia sentir uma alteração de energia nele. Estava prestando atenção e sabia quem tinha me ligado.

"Conto quando a gente se encontrar", disse Brett.

Franzi o rosto, olhando o fluxo de pedestres pela janela, enquanto o carro estava parado no sinal. Nova York estava fervendo de vida e energia, preparando-se para negociações capazes de alterar o curso da história. "Estou indo para o trabalho. O que está acontecendo, Brett?"

"Posso passar lá na hora do almoço. Ou quando você estiver saindo."

Pensei em dizer não, mas a determinação em sua voz me fez mudar de ideia. "Tudo bem."

Coloquei a mão na coxa de Gideon. O músculo estava rígido sob minha palma, embora ele estivesse com a perna relaxada. O terno feito sob medida lhe dava um ar de civilidade, mas eu sabia a verdade sobre o corpo vigorosamente musculoso que se insinuava debaixo dele. "A gente pode almoçar perto do Crossfire."

"Combinado. Que horas?"

"Um pouco antes do meio-dia. Encontro você na recepção."

Desliguei e coloquei o telefone de volta na bolsa. Gideon segurou minha mão. Olhei para ele, mas estava lendo um e-mail comprido, a cabeça deitada de leve de modo que a ponta do cabelo roçava o queixo esculpido.

Deixei-me envolver pelo calor daquele toque. Olhei para baixo, para a aliança que ele usava no dedo, que dizia ao mundo inteiro que pertencia a mim.

Será que os outros executivos prestavam atenção nas mãos dele? Não eram as mãos de quem trabalha num escritório, digitando no computador o dia inteiro. Eram de um lutador, um guerreiro que praticava artes marciais e extravasava a agressão em sacos de boxe e parceiros de treino.

Tirando os sapatos, cruzei as pernas em cima do assento e me debrucei junto a ele, colocando a mão livre sobre a sua. Corri os dedos para a frente e para trás por entre os dele, deitando a cabeça de leve em seu ombro para não manchar o paletó impecável com a maquiagem.

Inspirei seu cheiro, sentindo o efeito dele — sua proximidade, sua segurança — me permear. O perfume do sabonete já havia desaparecido, transformado por seu aroma naturalmente sedutor em algo mais complexo e delicioso.

Quando eu ficava inquieta, Gideon me acalmava.

"Não sobrou nada para ele", suspirei. Precisava que soubesse daquilo. "Estou inteirinha tomada por você."

Gideon inflou o peito abruptamente, inspirando o ar de forma audível. Então fechou a mesa e deu uma palmadinha convidativa na coxa. "Venha aqui."

Sentei no colo dele, suspirando feliz ao ocupar um lugar que parecia feito para mim. Valorizávamos cada momento de paz que tínhamos juntos. Gideon merecia uma trégua, e eu queria poder oferecer isso a ele.

Ele beijou minha testa. "Tudo bem, meu anjo?"

"Estou nos seus braços. Não poderia estar melhor."

Quando chegamos ao Crossfire, vi três paparazzi.

Com a mão nas minhas costas, Gideon me conduziu até a entrada do prédio, caminhando depressa, mas sem correr, em direção à recepção fria.

"Abutres", resmunguei.

"Culpa nossa por sermos tão fotogênicos."

"Quanta modéstia, Gideon Cross."

"Você me faz parecer interessante, sra. Cross."

Entramos no elevador com mais algumas pessoas e ele se posicionou ao fundo, junto da parede. Segurando-me pela cintura, Gideon espalmou uma das mãos em minha barriga, o peito quente e forte pressionado contra minhas costas.

Saboreei aqueles poucos minutos junto a ele, recusando-me a pensar em trabalho ou em Brett até nos separarmos no vigésimo andar.

Quando cheguei à porta de vidro da entrada da agência, Megumi já estava em sua mesa, o que me fez abrir um sorriso. Havia cortado o cabelo desde que nos vimos na sexta à noite, e usava um esmalte vermelho nas unhas. Era bom ver pequenos sinais de que estava recuperando o entusiasmo habitual.

"Oi!", ela me cumprimentou depois de abrir a porta, ficando de pé.

"Você está linda."

O sorriso de Megumi se abriu ainda mais. "Obrigada. Como foi com a irmã de Gideon?"

"Foi ótimo. Ela é muito legal. Fico toda boba de ver os dois juntos."

"Fico toda boba de ver *vocês* dois juntos. Que sorte a sua. Enfim, passei uma chamada para seu ramal hoje mais cedo. A pessoa queria deixar um recado."

Pensei em Brett, sem graça. "Era um homem?"

"Não, mulher."

"Hum, vou dar uma olhada. Obrigada."

Sentei à minha mesa e descansei os olhos na colagem de fotos minhas com Gideon. Ainda precisava conversar com ele sobre a Crossroads. O fim de semana tinha sido agitado demais com a visita de Ireland, e mal sobrara tempo.

Ele não dormira nada no sábado à noite. Tinha torcido para que ele conseguisse, mas na verdade não tivera muita esperança de que fosse acontecer. Era difícil para mim pensar naquela luta interna, no medo e nas preocupações que ele carregava consigo. A vergonha também, além da certeza inerente de que tinha um defeito. De que era um produto quebrado.

Gideon não conseguia enxergar nele próprio aquilo que eu via — uma alma generosa que queria demais pertencer a algo maior do que ele mesmo. Não reconhecia o milagre que ele era. Quando não sabia o que fazer numa situação, deixava-se guiar pelo coração e pelo instinto. Apesar de tudo o que havia sofrido, tinha uma capacidade impressionante de sentir e de amar.

Ele me salvara, de muitas formas. E eu ia fazer o que fosse preciso para salvá-lo também.

Ouvi minhas mensagens. Quando Mark chegou, fiquei de pé ansiosa e abri um sorriso empolgado.

Ele franziu a testa. "Por que essa agitação toda?"

"Uma mulher da LanCorp ligou hoje de manhã. Eles querem marcar uma reunião esta semana para falar um pouco mais sobre as expectativas para o lançamento do PhazeOne."

Seus olhos escuros reluziram com um brilho conhecido. Mark estava mais feliz desde que ficara noivo de Steven, mas toda vez que ficava ansioso por fechar uma conta nova era tomado por uma energia completamente diferente. "Eva, eu e você vamos longe."

Dei um pulinho onde estava. "Ah, se vamos. Essa está no papo. Quando eles encontrarem você pessoalmente, vão comer na sua mão."

Mark riu. "Você faz bem para minha autoconfiança."

Dei uma piscadinha. "Faço bem para você, ponto."

Passamos a manhã trabalhando na solicitação do PhazeOne, fazendo diversas análises para determinar qual seria o melhor posicionamento em relação à concorrência. Parei de repente ao me dar conta do furor que havia em torno do lançamento iminente da nova geração de consoles GenTen — que, aliás, era um produto das Indústrias Cross, o que o tornava o principal rival do PhazeOne no mercado.

Levantei a questão para Mark e perguntei: "Você acha que tem problema? Quer dizer, será que a LanCorp vai enxergar um conflito de interesses no fato de eu estar trabalhando para você nessa conta?".

Ele se recostou na cadeira. Tinha tirado o paletó, mas continuava muito elegante de camisa branca, gravata amarela e calça azul-marinho. "Eu diria que não. Se entre todas as propostas que estão recebendo a nossa for a melhor, o fato de você estar noiva de Gideon Cross não vai fazer a menor diferença. Eles vão decidir levando em conta nossa habilidade de transmitir a visão deles."

Queria ter sentido alívio, mas não consegui. Se levássemos a campanha do PhazeOne, eu estaria ajudando um dos concorrentes de Gideon a roubar uma fatia de seu mercado. Isso me incomodava. Gideon tinha trabalhado muito, resgatando o nome da família para um patamar que inspirava assombro, respeito e uma quantia considerável de medo. Eu não queria vê-lo regredir em nada.

Achei que teria mais tempo antes de precisar escolher. E não podia deixar de pensar que estava dividida entre minha independência e o amor por meu marido.

O dilema me perturbou a manhã inteira, minando um pouco a empolgação que sentira com a proposta. Então o relógio começou a se aproximar do meio-dia, e Brett invadiu meus pensamentos.

Estava na hora de assumir a responsabilidade pela bagunça que eu tinha feito. Abrira a porta para Brett e a deixara aberta, porque não tinha conseguido organizar minha cabeça. Agora era meu dever consertar aquilo antes que ele afetasse ainda mais meu casamento.

Às cinco para o meio-dia, pedi a Mark para sair um pouco mais cedo e desci até a recepção. Brett já estava me esperando, de pé junto da porta com as mãos nos bolsos da calça jeans. Estava usando uma camiseta branca, sandálias e óculos escuros no alto da cabeça.

Vê-lo ali quase me fez tropeçar. Não porque ele fosse gostoso, o que era, mas porque parecia deslocado no Crossfire. Da outra vez em que nos encontramos em Nova York, antes do lançamento do vídeo na Times Square, marcamos do lado de fora do prédio. Agora, ele estava ali dentro, quase no mesmo lugar em que esbarrei em Gideon pela primeira vez.

As diferenças entre os dois eram óbvias e nada tinham a ver com roupa ou dinheiro.

Brett sorriu ao me ver, ajeitando o corpo, movendo-se daquele jeito que os homens fazem quando ficam excitados. Outros homens, não Gideon. Quando conheci meu marido, seu corpo e sua voz não transpareceram nada. Apenas os olhos traíram seu interesse por mim, e apenas por um instante.

Só depois descobri o que acontecera naquele momento.

Gideon me reivindicara para si... e em troca se entregara por inteiro. Num único olhar. Ele me reconhecera no instante em que me vira. Precisei de mais tempo para entender o que éramos um para o outro. O que íamos ser.

Não podia deixar de comparar o modo gentil e possessivo com que Gideon me olhava com a maneira primitiva e libidinosa com que Brett me estudava dos pés à cabeça.

De repente, ficou claro que Brett nunca chegara a pensar em mim como *dele*. Não da mesma forma que Gideon. Brett me desejara, ainda me desejava, mas mesmo quando me tinha não impunha qualquer posse sobre mim, muito menos oferecia em troca algo de si.

Gideon. Sentindo a cabeça girar, procurei e encontrei uma das muitas câmeras de segurança que havia no teto. Apertei a mão sobre o coração. Sabia que ele não devia estar olhando. Sabia que teria que acessar deliberadamente a transmissão e que ele tinha trabalho demais para perder tempo com aquilo, mas ainda assim...

"Eva."

Deixei o braço pender junto do corpo. Olhei para Brett à medida que ele se aproximava com o caminhar confiante de quem sabia que era atraente e achava que ainda tinha alguma chance.

A recepção estava lotada, pessoas iam e vinham em fluxos constantes, como em qualquer arranha-céu de Manhattan. Quando ele abriu os braços na minha direção, dei um passo para trás e estendi a mão esquerda, exatamente como fizera em San Diego. Jamais faria Gideon sentir de novo a dor que sentira quando me viu beijando Brett.

Ele franziu a testa, e seus olhos perderam todo o calor. "Sério? É assim que vai ser entre a gente agora?"

"Sou uma mulher casada", lembrei. "Não fica bem a gente se abraçar."

"E as mulheres com quem ele desfila em tudo que é tabloide? Isso pode?"

"Qual é?", eu o repreendi. "Você sabe que não se deve acreditar em tudo o que a imprensa fala."

Ele apertou os lábios e enfiou as mãos de volta nos bolsos. "Pois pode acreditar no que dizem sobre o que sinto por você."

Senti um frio na barriga. "Acho que *você* acredita nisso."

Isso me deixou um pouco triste. Ele não conhecia o que eu e Gideon tínhamos, porque nunca experimentara nada parecido. Torcia para que um dia ele vivesse aquilo. Brett não era um cara ruim. Só não era feito para mim.

Resmungando consigo mesmo, ele virou e apontou na direção da saída. "Vamos dar o fora."

Fiquei dividida. Queria privacidade tanto quanto ele, mas também queria ficar num lugar com testemunhas que pudessem tranquilizar Gideon. Mas não era como se pudéssemos fazer um piquenique na entrada do Crossfire.

Relutante, caminhei ao lado dele. "Pedi para entregarem uns sanduíches agora há pouco. Achei que assim teríamos mais tempo para conversar."

Ele assentiu emburrado e pegou a sacola que eu estava carregando.

Levei-o até o Bryant Park, abrindo caminho por entre as ondas de pedestres apressados demais para obedecer a sinalização. O asfalto emanava calor, e o sol estava alto o suficiente no céu para passar por entre os arranha-céus. Uma viatura da polícia ligou a sirene, mas o barulho estridente e o ronco do motor pouco ajudaram em seu avanço pela rua congestionada.

Um dia comum em Manhattan, e eu amava aquilo, mas sabia que Brett estava frustrado com a dança intrincada necessária para desbravar a cidade. O girar de ombros e de quadris para permitir que as pessoas passassem, o fôlego antes de se espremer por entre sacolas grandes demais ou pedestres lentos, a agilidade com que você tinha que desviar de aparições abruptas que surgiam das muitas portarias que se enfileiravam ao longo das calçadas. Era a rotina daquela cidade, mas eu procurava lembrar quão assustadora Nova York poderia ser para quem não estava acostumado com tanta gente ocupando um espaço relativamente pequeno.

Entramos no parque pelos fundos da biblioteca e encontramos uma mesa de café na sombra, perto do carrossel. Brett tirou da sacola os sanduíches, as batatas fritas e as águas que eu tinha comprado, mas nenhum de nós começou a comer. Eu olhava ao redor, ciente de que podíamos estar sendo fotografados.

Tinha pensado na possibilidade quando escolhera aquele lugar, mas a alternativa era um restaurante cheio e barulhento. Eu estava absolutamente consciente da minha linguagem corporal, tentando conduzir as coisas de forma que aquele encontro não fosse mal interpretado. O mundo poderia achar que éramos amigos. E meu marido saberia, de todas as formas que eu pudesse provar, que Brett e eu tínhamos nos despedido de vez.

"Você ficou com a impressão errada em San Diego", ele disse de repente, os olhos atrás dos óculos escuros. "Não tenho nada sério com a Brittany."

"Não é da minha conta, Brett."

"Sinto sua falta. Ela me lembra de você às vezes."

Estremeci, não achando o comentário lisonjeiro. Então ergui uma das mãos e gesticulei, impotente. "Não posso voltar para você, Brett. Não depois de Gideon."

"Você diz isso agora."

"Ele me faz sentir como se não pudesse respirar sem mim. E não vou me contentar com menos que isso." Não precisava dizer que Brett nunca tinha me feito sentir aquilo. Ele sabia.

Com as mãos espalmadas uma contra a outra, ele encarou a ponta dos dedos, em seguida se ajeitou e puxou a carteira do bolso traseiro da calça. Tirou uma fotografia dobrada de dentro dela e a colocou na mesa, diante de mim.

"Olha isso e me diga que não é real", ele exigiu.

Peguei a foto e abri, franzindo o rosto diante da imagem. Brett e eu ríamos de algo perdido na memória, sem notar que estávamos sendo fotografados. Reconheci ao fundo o interior do Pete's. À nossa volta havia uma multidão de rostos desfocados.

"Onde você arrumou isso?", perguntei. Houve um tempo em que eu daria tudo para ter uma foto não posada com Brett, achando que algo tão insignificante seria uma prova de que eu não era só mais uma na vida dele.

"Sam bateu depois de um dos nossos shows."

Estremeci diante da menção a Sam Yimara e da lembrança abrupta do vídeo com nossa transa. Olhei para Brett, as mãos tremendo tanto que tive que colocar a fotografia de volta na mesa. "Você sabe do...?"

Nem fui capaz de terminar a frase. E não foi preciso.

Brett ficou tenso, a testa e o lábio superior cobertos de gotinhas de suor do calor do verão. Ele fez que sim. "Eu vi."

"Minha nossa." Afastei-me da mesa, a mente girando com tudo o que poderia haver naquele vídeo. Eu estava desesperada pela atenção de Brett, em uma total falta de amor-próprio de que agora me envergonhava.

"Eva." Ele estendeu a mão na minha direção. "Não é o que você está achando. O que quer que Cross tenha dito sobre o vídeo, prometo que não é nada demais. Um pouco carnal às vezes, mas a gente era assim."

Não... Carnal era o que eu tinha com Gideon. O que tive com Brett fora algo muito mais sombrio e doentio.

Entrelacei as mãos trêmulas. "Quantas pessoas viram? Você mostrou... A banda viu?"

Ele nem precisou responder. Estava escrito em seu rosto.

"Meu Deus." Fiquei enjoada. "O que você quer de mim, Brett?"

"Eu quero..." Ele empurrou os óculos para a testa e esfregou os olhos. "Quero você, porra. Quero que a gente fique junto. Acho que ainda não acabou."

"Nem chegou a começar."

"Sei que foi minha culpa. Quero que você me dê uma chance de consertar as coisas."

Fiquei boquiaberta. "Sou casada!"

"Esse cara não é legal, Eva. Você não o conhece como acha que conhece."

Minhas pernas tremeram de vontade de levantar e ir embora. "Sei que ele jamais mostraria um vídeo nosso para ninguém! Ele me respeita demais pra isso."

"A ideia era documentar a trajetória da banda, Eva. A gente teve que repassar todas as filmagens."

"Você podia ter visto sozinho antes", respondi com rispidez, terrivelmente consciente das pessoas sentadas não muito longe de nós. "Podia ter cortado a gente antes dos outros verem."

"Não fomos os únicos que o Sam flagrou. Os outros também têm vídeos."

"Minha nossa." Eu o vi se ajeitando na cadeira, desconfortável. Fui tomada pela suspeita. "E existem mais vídeos seus com outras garotas", chutei, o enjoo cada vez mais forte. "Eu era só mais uma, que diferença fazia?"

"Toda a diferença do mundo." Ele se aproximou. "Com você foi diferente, Eva. *Eu* fui diferente. Só era novo e convencido demais para dar valor. Você precisa ver, Eva. Só assim vai entender."

Fiz que não com veemência. "Não quero ver. Nunca. Tá maluco?"

Mentira. O que havia naquele vídeo? Quão ruim era?

"Merda." Ele arrancou os óculos da cabeça e jogou na mesa. "Não vim aqui para falar dessa porcaria de vídeo."

Mas algo de defensivo em sua postura me fez duvidar disso. Brett tinha os ombros tensos e elevados demais, os lábios pressionados numa linha rija.

O que quer que Cross tenha dito...

Ele sabia que Gideon tinha conhecimento do vídeo. Devia saber que meu marido estava tentando mantê-lo escondido. Sam devia ter contado.

"O que você quer?", perguntei de novo. "Por que veio a Nova York?"

Esperei pela resposta com o coração aos pulos. O dia estava quente e úmido, mas minha pele estava gelada e pegajosa. Brett não podia dizer que me amava, não depois de tê-lo flagrado com Brittany. Não ia me alertar contra Gideon, porque eu já estava casada. E estava em Manhattan no meio de uma turnê, ou seja, a banda teve que concordar com a viagem. E Vidal também. Por que fariam aquilo? O que ganhariam interrompendo a agenda de shows daquele jeito?

Brett permaneceu sentado ali do meu lado, abrindo a boca sem falar nada, então simplesmente levantei e saí apressada em busca do portão mais próximo.

Ele gritou meu nome, mas mantive a cabeça baixa, dolorosamente consciente do número de pessoas no parque que olhavam na minha direção. Estava fazendo uma cena, mas não podia evitar. Tinha deixado a bolsa para trás e nem ligava.

Precisava sair dali. Ir para algum lugar seguro. *Para Gideon.*

"Meu anjo."

O som da voz do meu marido me fez tropeçar. Virei o rosto. Ele se levantou de uma cadeira perto do piano do Bryant Park Grill. Tranquilo e elegante, aparentemente imune ao calor opressivo.

"Gideon."

A preocupação em seus olhos e o jeito carinhoso com que me abraçou me deram forças. Ele sabia que meu encontro com Brett não poderia correr bem. E que eu estaria chateada e precisando de atenção. Precisando *dele.*

E ali estava. Não sabia como, mas não me importava.

Cravei os dedos em suas costas, praticamente furando sua pele.

"Shh." Senti seus lábios roçando minha orelha. "Estou aqui."

Então Raúl apareceu ao nosso lado com minha bolsa na mão, sua postura firme complementando a segurança que o escudo do corpo de Gideon me oferecia. O ataque de pânico começou a passar. Já não estava mais em queda livre. Gideon era minha tela de proteção, sempre pronto para me segurar.

Ele desceu os degraus comigo até onde o Bentley nos esperava, com Angus de pé, pronto para abrir a porta traseira. Entrei no carro e Gideon se juntou a mim, envolvendo-me com o braço assim que me aninhei ao corpo dele.

Estávamos de volta ao mesmo lugar em que começáramos o dia. Mas em questão de horas, tudo havia mudado.

"Pode deixar comigo", ele murmurou. "Confie em mim."

Ergui o nariz e toquei seu pescoço. "Eles querem usar o vídeo, não é?"

"Mas não vão. Ninguém vai." Suas palavras tinham uma aspereza cortante.

Acreditei nele. E o amei ainda mais do que achava ser possível.

Que tarde. Tentei afastar Brett de meus pensamentos trabalhando duro nas análises dos consoles de videogame, inclusive o GenTen. Minha mente estava totalmente concentrada em Gideon quando o relógio marcou cinco horas.

Não era mais só o PhazeOne que me preocupava. Era eu, a garota que tinha sido um dia. Aquele vídeo era capaz de comprometer o nome das Indústrias Cross muito mais do que qualquer coisa que uma empresa rival pudesse fazer.

Mandei uma mensagem para Gideon. Queria que ele respondesse depressa, mas na verdade não esperava que isso fosse acontecer. **Ainda no escritório?**

Ele respondeu quase imediatamente. **Sim.**

Vou pra casa, escrevi de volta. **Queria dar tchau.**

Passa aqui.

Soltei a respiração que nem sabia que estava prendendo. **Te vejo em dez.**

Megumi já tinha ido embora quando passei pela recepção, então cheguei à sala de Gideon mais rápido do que planejara. A recepcionista dele ainda estava na mesa, os longos cabelos ruivos pendendo macios sobre os ombros. Ela acenou brevemente na minha direção, e respondi com um sorriso impassível.

Scott já não estava em sua mesa quando cheguei, mas Gideon estava de pé diante da sua, com as mãos espalmadas nela enquanto analisava um monte de documentos à sua frente. Sentado numa das cadeiras, Arash falava com uma postura relaxada e tranquila. Nenhum dos dois estava de paletó, e ambos pareciam muito imponentes.

Arash me fitou assim que me aproximei, e Gideon ergueu a cabeça. Seus olhos eram tão azuis que a cor mexia comigo mesmo à distância. Seu rosto permaneceu elegantemente austero, típico dele, no entanto, os olhos suavizaram ao me ver. Ele me chamou com um dos dedos, e eu abri um sorriso.

Arash se levantou assim que entrei na sala, e estendi a mão para cumprimentá-lo. "E aí? Mantendo esse cara fora de perigo?"

"Quando ele deixa", o advogado respondeu, segurando minha mão e me puxando para me dar um beijo na bochecha.

"Já chega", Gideon resmungou secamente, puxando-me pela cintura.

Arash riu. "Essa sua nova veia ciumenta é muito divertida."

"E esse seu senso de humor não tem graça nenhuma", Gideon respondeu.

Reclinei o corpo contra o do meu marido, adorando a sensação de seus músculos junto de mim. Ele era incapaz de ceder, dar o braço a torcer. Exceto quando me olhava nos olhos.

"Tenho uma reunião daqui a meia hora", Arash disse, "então é melhor eu ir. Obrigado por sexta à noite, Eva. A gente precisa repetir a dose um dia desses."

"E vamos", respondi. "Com certeza."

Assim que ele saiu da sala, virei-me para Gideon. "Posso te dar um abraço?"

"Nem precisa pedir."

A satisfação em sua expressão me fez sentir um aperto no coração. "A parede de vidro está transparente."

"Que todo mundo veja", ele murmurou, envolvendo-me. Quando me agarrei a ele, Gideon expirou lenta e profundamente. "Fala pra mim, meu anjo."

"Não quero falar." Não queria pensar na bagunça que eu tinha feito com minha vida, que agora atingia o homem que eu amava. "Quero ouvir sua voz. Diga alguma coisa, qualquer coisa, não importa."

"Kline não vai machucar você. Eu prometo."

Fechei os olhos com força. "Dele não. Fale de trabalho."

"Eva..."

Senti a tensão tomar seu corpo, uma onda de preocupação, então resolvi explicar. "Só queria fechar os olhos por um minuto e sentir você. Seu cheiro. Sua voz. Preciso mergulhar em você por um minuto, aí vai ficar tudo bem."

Ele massageou minhas costas com as mãos, o queixo apoiado no alto da minha cabeça. "A gente vai sair daqui. Em breve. Por pelo menos uma semana, mas eu preferia que fossem duas. Estava pensando em voltar para o Crosswinds. Ficar pelado de bobeira..."

"Você nunca fica de bobeira. Principalmente se estiver pelado."

"Principalmente se *você* estiver pelada", ele me corrigiu, brincando com o nariz no meu cabelo. "Mas nunca tive você pra mim desse jeito por uma semana inteira. Acho que ia acabar comigo."

"Duvido muito, seu tarado. Mas prometo me esforçar."

"Não seria nossa lua de mel. Eu ia precisar de um mês pra isso."

"Um mês!" Eu me afastei para olhar para ele, já me sentindo muito melhor. "A economia de Nova York ia entrar em colapso se você sumisse por tanto tempo."

Ele segurou meu rosto, acariciando minha sobrancelha com o polegar. "Acho que minha supereficiente equipe consegue dar conta do recado sozinha por algumas semanas."

Segurei o pulso dele e deixei escapar um pouco da ansiedade. "Eu não conseguiria. Preciso demais de você."

"Eva." Ele baixou a cabeça e apertou os lábios contra os meus, abrindo minha boca com a língua.

Com a mão em sua nuca, segurei-o com força, entregando-me àquele beijo. Gideon me puxou para junto de si, colocando-me na ponta dos pés. Ele deitou a cabeça, aumentando nossa proximidade até que cada suspiro tivesse sido compartilhado, cada gemido e cada lamento.

Arfei quando nos separamos para respirar. "Que horas você vai chegar em casa hoje?"

"A hora que você quiser."

"Só quando o trabalho acabar. Já perdeu tempo demais comigo hoje." Alisei a gravata perfeitamente alinhada. "Você não estava só me espionando hoje. Sabia que o encontro com Brett não ia acabar bem."

"Era uma possibilidade."

"A parte da espionagem ou de não acabar bem?"

Ele me lançou um olhar. "Você não vai brigar comigo por estar lá por você. Se fosse o contrário teria feito o mesmo."

"Como sabia o que ele queria?" A existência daquele vídeo também o estaria comendo por dentro? O que eu tinha feito e as pessoas com quem estivera antes dele?

"Sei que Christopher está botando pressão nele e no resto da banda."

"Por quê? Pra atingir você?"

"Em parte. Você não é uma loira qualquer. É Eva Tramell, e isso é notícia."

"Talvez eu devesse pintar o cabelo. Me livrar desse carma de 'Golden'. E se eu fosse ruiva?" De jeito nenhum poderia virar morena, não com o histórico de Gideon. Ia me odiar toda vez que me olhasse no espelho.

Ele fechou a cara como se tivesse sido coberto por uma sombra, muito embora não houvesse mais nada nele que demonstrasse a tensão. Senti um arrepio na nuca, um formigamento indicando que algo estava diferente.

"Não gostou da ideia?", insisti, lembrando-me de repente de uma ruiva do seu passado — a dra. Anne Lucas.

"Gosto de você do jeito que é. Mas, se quiser mudar alguma coisa, não posso proibir. O corpo é seu, e é você quem decide. Só não faça nada por causa deles."

"Mas você ainda ia me querer?"

A tensão em seus lábios suavizou, a inflexibilidade sumindo de seu rosto quase tão rapidamente quanto surgira. "Você ia me querer se eu fosse ruivo?"

"Hum." Levei os dedos ao seu queixo, fingindo contemplar a possibilidade. "Talvez fosse melhor deixar as coisas como estão."

Gideon me deu um beijo na testa. "Para mim esse era o acordo desde o início."

"O acordo também envolve eu fazer o que quiser com você hoje à noite."

"É só falar onde e quando."

"Oito horas? No seu apartamento no Upper West Side?"

"*Nosso* apartamento." Ele me beijou carinhosamente. "Fechado."

13

"Aliás, parabéns pelo noivado."

Desviei o olhar do engenheiro de projetos para a foto de Eva mandando um beijo na tela do meu computador. "Obrigado."

Preferia mil vezes olhar para minha esposa. Por um instante, imaginei Eva como na noite anterior, com aqueles lábios de seda em volta do meu pau. Eu tinha dado carta branca para ela fazer o que quisesse com meu corpo, e tudo o que ela queria era me chupar. De novo e de novo. E de novo. *Minha nossa*. Passei o dia inteiro pensando na noite anterior.

"Mando notícias depois do temporal", ele disse, trazendo-me de volta para o trabalho. "Obrigado por ligar pessoalmente para saber como estamos. As condições climáticas talvez nos atrasem uma ou duas semanas, mas vamos compensar o tempo perdido."

"Temos uma margem aqui. Se cuidem primeiro."

"Pode deixar. Obrigado."

Fechei a janela de chat com o engenheiro e conferi a agenda, querendo saber exatamente quanto tempo teria para me preparar para a reunião seguinte com a equipe de pesquisa e desenvolvimento da PosIT.

A voz de Scott surgiu no telefone. "Christopher Vidal Sr. está na linha um. É a terceira vez que liga hoje. Já avisei que você vai retornar assim que puder, mas ele insistiu. O que eu faço?"

Ligações do meu padrasto nunca eram um bom presságio, e adiá-las significava que eu teria menos tempo para resolver qualquer que fosse o problema que ele precisava discutir comigo. "Vou atender." Apertei o botão de viva-voz. "Chris, o que posso fazer por você?"

"Gideon. Escuta, desculpa atrapalhar, mas precisamos conversar. Será que podemos nos encontrar hoje?"

Assustado pelo tom de urgência em sua voz, peguei o fone e desliguei o viva-voz. "No meu escritório ou no seu?"

"Não, na sua cobertura."

Recostei na cadeira, surpreso. "Não vou chegar em casa antes das nove."

"Não tem problema."

"Está todo mundo bem?"

"Sim, estamos todos bem. Não se preocupe."

"É com a Vidal então. Vamos resolver."

"Nossa." Ele riu asperamente. "Você é uma boa pessoa, Gideon. Um dos melhores homens que conheço. Devia ter dito isso mais vezes."

Estreitei os olhos diante da acidez do tom. "Tenho uns minutinhos agora. Desembucha."

"Não, agora não. Te vejo às nove."

Ele desligou. Fiquei sentado um bom minuto com o fone na mão e um nó gelado e dolorido atravessado na garganta.

Coloquei o fone no gancho e voltei a atenção para o trabalho, conferindo diagramas e revendo o que Scott havia deixado na mesa mais cedo. Ainda assim, minha mente estava a toda.

Não tinha controle sobre o que acontecia com minha família, jamais tive qualquer poder nesse sentido. Tudo o que podia fazer era consertar a bagunça que meu meio-irmão fazia e tentar impedir que a Vidal fosse à falência. Mas usar o vídeo de Eva estava absolutamente fora de cogitação. Não havia nada que ele pudesse dizer para mudar isso.

Quase na hora da reunião com a PosIT apareceu na minha tela uma mensagem ao lado do avatar de Eva.

Ainda estou sentindo seu gosto. Delícia.

Deixei escapar uma risada seca. O nó em minha garganta amenizou um pouco, e logo desapareceu. Aquela mulher era meu recomeço. Meu ponto de partida.

Mais calmo, respondi. **O prazer foi todo meu.**

"Tenho novidades."

Virei a cabeça e vi Raúl entrando na sala.

Ele se aproximou da mesa com passadas largas. "Ainda estou repassando a lista de convidados do evento de que você participou há duas semanas. Tenho rodado duas pesquisas de fotos por dia. Recebi um alerta desta aqui hoje. Salvei uma cópia e mandei ampliar."

Dei uma olhada nas imagens que ele colocou na mesa. Então as peguei para examinar mais de perto, uma por uma. Havia uma ruiva no fundo. A cada fotografia ela estava mais próxima. "Vestido esmeralda, cabelo ruivo e comprido. Foi esta mulher que Eva viu."

Era Anne Lucas. Algo em sua postura, de pé com o rosto virado para o lado, fez ressurgir uma sensação ruim no meu estômago que eu conhecia muito bem.

Voltei-me para Raúl. "Ela não estava na lista de convidados?"

"Não, mas estava no tapete vermelho, então imagino que tenha entrado acompanhando alguém. Ainda não sei quem, mas estou correndo atrás disso."

Empurrei a cadeira para trás e fiquei de pé, inquieto. "Ela foi atrás de Eva. Você tem que manter essa mulher longe dela."

"Angus e eu estamos estabelecendo novos protocolos para a segurança em eventos."

Peguei o paletó pendurado no encosto da cadeira. "Se precisar de mais homens me avisa."

"Pode deixar." Raúl juntou as fotos e se aproximou. "Ela está no consultório hoje", ele disse, adivinhando minhas intenções. "Ainda estava lá quando vim até aqui."

"Ótimo. Vamos."

"Com licença." A morena pequena atrás do balcão da recepção se levantou num sobressalto quando passei por ela. "Você não pode entrar agora. A dra. Lucas está com um paciente."

Agarrei a maçaneta e abri a porta, entrando no consultório de Anne sem diminuir o passo.

Ela ergueu o rosto, arregalando os olhos verdes um segundo antes de curvar os lábios vermelhos num sorriso satisfeito. A mulher no divã diante da terapeuta piscou para mim, confusa, engolindo o que estava prestes a dizer.

"Desculpa, dra. Lucas", disse a morena sem fôlego. "Tentei impedi-lo de entrar."

Anne ficou de pé, os olhos fixos nos meus. "Uma tarefa impossível, Michelle. Não se preocupe, pode sair."

A recepcionista deu meia-volta. Anne voltou-se para sua paciente. "Vamos ter que interromper a sessão mais cedo hoje. Peço desculpas pela interrupção incrivelmente mal-educada", disse, fitando-me fixamente. "Claro que não vou cobrar. Por favor, peça a Michelle para remarcar."

Fiquei junto à porta aberta, esperando a paciente aturdida recolher suas coisas, e dei um passo para o lado para lhe dar passagem.

"Eu poderia chamar a segurança", Anne disse, recostando-se na mesa e cruzando os braços.

"Depois do trabalho que você teve para me fazer vir até aqui? Duvido."

"Não sei do que está falando. De qualquer forma, é bom ver você." Ela deixou os braços penderem ao lado do corpo e segurou a beirada da mesa numa pose deliberadamente provocativa, expondo a coxa pela fenda do vestido azul.

"Não posso dizer o mesmo."

Anne contraiu o sorriso. "Cuspindo no prato em que comeu. Eva sabe que está com os dias contados?"

"Você sabe?"

O desconforto brilhou em seus olhos e fez tremer seu sorriso. "Isso é uma ameaça, Gideon?"

"Bem que você gostaria." Eu me aproximei, observando suas pupilas dilatarem. Ela estava ficando excitada e aquilo me irritava tanto quanto o cheiro do seu perfume. "Talvez tornasse esse seu joguinho mais interessante."

Anne se ajeitou e caminhou na minha direção, balançando os quadris e enterrando o salto dos sapatos pretos de sola vermelha no carpete macio.

"Você bem que gosta de um joguinho, meu amor", ela sussurrou. "Conta pra mim, já amarrou sua linda noivinha? Já chicoteou a garota até ela ficar maluca? Enfiou aquele seu arsenal de vibradores na bunda dela enquanto fodia sua bocetinha por horas e horas? Ela sabe do que você gosta, Gideon?"

"Centenas de mulheres sabem do que eu gosto, Anne. Você acha que era especial? A única coisa memorável a seu respeito é seu marido e o fato de odiar que eu tenha comido você."

Ela ergueu a mão para me dar um tapa, e eu não a impedi, recebendo o golpe sem me alterar.

Quem me dera fosse verdade, mas eu tinha sido especialmente depravado com ela, vendo o fantasma do seu irmão na curva do seu sorriso, nos seus gestos...

Quando Anne desceu a mão para segurar meu pau, eu a agarrei pelo pulso. "Deixa Eva em paz. Não vou avisar de novo."

"Ela é seu calcanhar de aquiles, seu filho da puta sem coração. Você tem gelo nas veias, mas ela sangra de verdade."

"Isso é uma ameaça, Anne?", perguntei, devolvendo calmamente suas palavras.

"Pode apostar que sim." Ela se soltou da minha mão. "Está na hora de pagar a conta, e seus bilhões não vão cobrir o prejuízo."

"Você vai assumir o risco de declarar uma guerra? É burra assim? Ou não liga para o quanto vai custar? Sua carreira... seu casamento... tudo."

Caminhei de volta para a porta tranquilamente, embora estivesse espumando de raiva por dentro. Eu tinha infligido aquilo a Eva. Agora tinha que resolver.

"Abra o olho, Gideon", ela gritou na minha direção. "Você vai ver o que eu sou capaz de fazer."

"Você que sabe." Parei com a mão na maçaneta. "Foi você quem começou, mas pode ter certeza de que sou eu que vou terminar."

*

"Você teve mais algum pesadelo desde a última vez em que nos vimos?", o dr. Petersen perguntou, em uma postura tranquila e interessada, com o inseparável tablet no colo.

"Não."

"Com que frequência diria que tem esses pesadelos?"

Eu estava sentado de forma tão relaxada e descontraída quanto o terapeuta, mas, por dentro, estava irritantemente inquieto. Tinha muita coisa a resolver para gastar uma hora do meu tempo ali. "Ultimamente, uma vez por semana. Às vezes menos que isso."

"O que você quer dizer com *ultimamente*?"

"Desde que conheci Eva."

Ele anotou alguma coisa no tablet. "Você tem enfrentado cobranças novas à medida que trabalha em seu relacionamento com Eva, mas a frequência dos pesadelos está diminuindo... pelo menos por enquanto. Tem alguma ideia do motivo?"

"Achei que você é quem tinha que me explicar isso."

O dr. Petersen sorriu. "Não posso sacudir uma varinha de condão e dar todas as respostas, Gideon. Tudo o que posso fazer é ajudar você nessa busca."

Fiquei tentado a esperar que ele continuasse, fazê-lo falar mais do que eu. Mas a lembrança de Eva e a esperança que ela tinha de que a terapia pudesse fazer alguma diferença me instigaram a falar. Tinha prometido que ia tentar, então era isso que ia fazer. "As coisas estão melhorando entre a gente. Temos mais momentos de sintonia do que desacordo agora."

"Você acha que estão se comunicando melhor?"

"Acho que somos mais capazes de compreender os motivos por trás das atitudes um do outro. Que nos entendemos melhor."

"O relacionamento de vocês evoluiu muito rápido. Você não é um homem impulsivo, mas muitos diriam que se casar com uma mulher que conhece há tão pouco tempo — uma mulher que você admite ainda estar conhecendo — é extremamente impulsivo."

"Isso é uma pergunta?"

"Uma observação." Ele esperou um instante, mas, como eu não disse nada, continuou. "Às vezes é difícil para os parceiros de pessoas com o histórico de Eva. A confiança dela na terapia ajudou vocês dois, no entanto, é provável que ela comece a mudar de formas que você não havia previsto. Pode ser estressante para você."

"Também não sou nada fácil", respondi, secamente.

"Você é um sobrevivente de outra espécie. Alguma vez relacionou o estresse com uma piora nos pesadelos?"

A pergunta me irritou. "Que diferença faz? Eles acontecem."

"Você não acha que pode fazer mudanças que diminuiriam o impacto deles?"

"Acabei de casar. É uma mudança e tanto, não acha, doutor? Pra mim é suficiente por enquanto."

"E por que se limitar a isso? Você é um cara jovem, Gideon. Tem diversas oportunidades à disposição. Não tem por que evitar mudanças. Qual é o problema de tentar algo novo? Se não der certo, sempre pode voltar ao que estava fazendo antes."

Aquilo me pareceu ironicamente engraçado. "Nem sempre."

"Vamos fazer algo diferente hoje", o dr. Petersen disse, deixando o tablet de lado. "Vamos dar uma volta."

Levantei no mesmo instante que ele, não querendo ser confrontado por uma figura em posição superior. Ficamos frente a frente, com a mesinha de centro entre nós. "Por quê?"

"Por que não?" Ele apontou para a porta. "Talvez meu consultório não seja o melhor lugar para conversar. Você está acostumado a estar no controle. Aqui dentro, quem está no controle sou eu. Então vamos para um território neutro. O saguão do prédio é um lugar público, mas a maior parte das pessoas que trabalha aqui já foi embora."

Saí antes dele e fiquei observando enquanto trancava a porta da sala e depois a porta do consultório.

"Bom, isso sem dúvida é uma mudança", ele disse, abrindo um sorriso irônico. "Pelo menos para mim."

Dei de ombros e comecei a caminhar.

"Quais são os planos para hoje à noite?", ele perguntou, juntando-se a mim.

"Malhar uma hora com o personal trainer", eu disse. Depois acrescentei: "Meu padrasto vai passar lá em casa mais tarde".

"Vai fazer uma visita? Vocês são próximos?"

"Não e não." Mantive o olhar fixo à minha frente. "Tem alguma coisa de errado. Ele só liga por isso."

Senti o olhar do terapeuta em mim. "Você queria que fosse diferente?"

"Não."

"Não gosta dele?"

"Não tenho nada contra." Eu ia parar ali, mas pensei em Eva de novo. "A gente só não se conhece muito bem."

"Isso pode ser mudado."

Deixei escapar uma risada. "Você está realmente obcecado pela questão da mudança hoje."

"Não é nada disso." Ele parou, forçando-me a parar também. Erguendo o queixo, o dr. Petersen fitou o teto, claramente refletindo. "Quando você está examinando uma compra ou avaliando uma nova linha de atuação nos negócios, chama alguém para dar uma opinião, certo? Especialistas?" Ele olhou para mim novamente, sorrindo. "Pode pensar em mim da mesma forma, como um especialista."

"Em quê?"

"No passado." Ele voltou a caminhar. "Eu te ajudo com isso, e o resto da vida você pode descobrir sozinho."

"Concentração, Cross."

Estreitei os olhos. Do outro lado do tatame, James Cho pulava descalço, debochando de mim. Tinha um sorriso zombeteiro nos lábios, sabendo que o desafio implícito ia me estimular. Quinze centímetros mais baixo que eu e mais de dez quilos mais leve, o ex-campeão de MMA era mortalmente veloz e tinha um cinturão para provar isso.

Girando os ombros, ajustei a postura. Subi os punhos, fechando a abertura que o permitira acertar meu torso.

"Faça meu tempo valer, Cho", retruquei, irritado porque ele estava certo. Meu cérebro ainda estava no consultório do dr. Petersen. Alguma coisa tinha mudado, e eu não sabia dizer exatamente o quê, e o significado daquilo.

James e eu giramos no tatame, fintando e tentando acertar golpes, mas nenhum de nós conseguiu nada. Como sempre, estávamos sozinhos no dojô. O som dos tambores taiko soava ao fundo, emanando dos alto-falantes escondidos atrás dos painéis de bambu que iam do chão ao teto.

"Você ainda está se segurando", ele disse. "Amoleceu depois que se apaixonou?"

"Bem que você gostaria. Seria o único jeito de ganhar de mim."

James riu, então tentou um chute circular. Eu me abaixei e dei uma rasteira nele, derrubando-o. Com uma tesoura incrivelmente rápida, ele me derrubou também.

Ficamos de pé. Empate.

"Você está desperdiçando meu tempo", James disparou, investindo com o punho na minha direção.

Desviei. Ataquei com a esquerda, pegando-o de raspão. Ele me acertou em cheio nas costelas.

"Ninguém deixou você puto hoje?" James veio para cima de mim, não me dando outra escolha além de me defender.

Rugi. A raiva cozinhava no fundo da minha mente, escondida até que eu tivesse tempo e atenção para lidar com ela.

"É. Estou vendo na sua cara, Cross. Bota pra fora. Extravasa."

Ela é seu calcanhar de aquiles...

Engatei na sequência um golpe de esquerda e um de direita, fazendo James recuar.

"É só isso que você tem?", ele zombou.

Fintei um chute e cravei um soco, jogando sua cabeça para trás.

"Isso aí", ele arfou, flexionando os braços e gostando. "Agora sim."

Ela sangra de verdade...

Rosnando, investi contra ele.

Revigorado por um banho, mal tinha terminado de vestir a camiseta quando o telefone começou a tocar. Peguei-o da cama e atendi.

"Duas coisas", Raúl disse depois de me cumprimentar. Ao fundo eu podia ouvir barulho de gente conversando e a música diminuindo rapidamente de volume até sumir. "Percebi que Benjamin Clancy ainda está acompanhando a sra. Cross. Não o tempo inteiro, mas com alguma frequência."

"Ah é?", comentei.

"Tudo bem? Ou quer que eu fale com ele?"

"Pode deixar que eu resolvo." Precisava mesmo ter uma conversa com Clancy. Estava me programando para isso, mas teria que ser de imediato.

"Outra coisa: você já deve saber, mas a sra. Cross almoçou hoje com Ryan Landon e outros executivos da equipe dele."

Senti aquela quietude terrível tomar conta de mim. Landon. Merda.

Ele tinha agido sem que eu notasse.

"Obrigado, Raúl. Vou precisar do telefone particular do chefe de Eva, Mark Garrity."

"Mando uma mensagem assim que tiver."

Desliguei o telefone e guardei no bolso, mal contendo um impulso de esmurrar a parede.

Arash tinha me alertado sobre Landon, e eu não dera atenção. Estava concentrado demais na minha vida, na minha esposa, enquanto Landon tinha se casado com sua ambição primordial de me destruir.

O telefone fixo tocou, dando-me um susto. Atendi, impaciente. "Cross."

"Boa noite, senhor. Aqui é Edwin, da portaria. O sr. Vidal está aqui."

Minha nossa. Apertei o fone com força. "Mande subir."

"Certo."

Peguei as meias e os sapatos e me calcei na sala de estar. Assim que Chris saísse, eu iria para o outro apartamento. Queria abrir um vinho, achar um daqueles filmes antigos que Eva conhecia de cor e ficar ouvindo minha esposa recitar os diálogos cafonas. Ninguém me fazia rir como ela.

Ouvi o barulho do elevador e fiquei de pé, ajeitando o cabelo molhado com as mãos. Estava tenso e odiava essa fraqueza.

"Gideon." Chris parou na entrada, parecendo triste e cansado, o que era raro, e sempre culpa do meu irmão. "Eva está em casa?"

"Está na casa dela. Vou para lá depois da nossa conversa."

Ele assentiu mecanicamente, mexendo os lábios sem pronunciar som algum.

"Entre", eu disse, apontando para a poltrona perto da mesa de centro. "Quer beber alguma coisa?"

Depois de um dia como aquele, eu bem que precisava de um drinque.

Chris entrou na sala de estar, caminhando pesadamente. "Alguma coisa bem forte."

"Pra mim também." Fui até a cozinha e servi dois copos de armanhaque. Assim que baixei o decanter na bancada, meu telefone vibrou no bolso. Mensagem de Eva.

Era um selfie de uma perna nua e molhada apoiada na banheira, com velas ao fundo. **Quer me fazer companhia?**

Revi depressa meus planos para a noite. Ela tinha passado o dia inteiro me mandando mensagens provocantes. Seria mais que um prazer recompensá-la.

Salvei a foto e respondi. **Quem me dera. Mas prometo deixar você molhadinha de novo quando chegar aí.**

Guardei o telefone e me virei, encontrando Chris ao meu lado na bancada da cozinha. Passei um dos copos para ele e dei um gole no meu. "O que aconteceu?"

Ele suspirou, segurando o copo com ambas as mãos. "Vamos regravar o clipe de 'Golden'."

"Ah é?" Uma despesa desnecessária, algo que Chris sabiamente evitava como regra.

"Ouvi Kline e Christopher discutindo no escritório ontem", ele disse asperamente, "e entendi tudo. Kline quer refazer, e eu concordei."

"Mas aposto que Christopher não quer." Recostei-me na bancada, com a mandíbula tensa. Aparentemente, Brett Kline tinha sentimentos muito fortes por Eva. E eu não gostava nada disso. Nada mesmo.

"Seu irmão vai superar."

Tinha minhas dúvidas, mas não adiantava falar.

Chris, no entanto, pareceu ler meu pensamento e assentiu com a cabeça. "Sei que o clipe foi motivo de muito estresse para você e Eva. Eu devia ter prestado mais atenção na época."

"Agradeço sua compreensão."

Ele fitou o copo e então deu um longo gole, quase virando o conteúdo de uma única vez. "Deixei sua mãe."

Inspirei fundo e rapidamente, entendendo afinal que o motivo da visita não era trabalho. "Ireland me contou que vocês dois brigaram."

"É. Odeio que ela tenha ouvido." Ele olhou para mim e, nos seus olhos, vi que sabia de tudo. Vi o horror. "Eu não sabia, Gideon. Juro por Deus que não sabia."

Meu coração deu um salto no peito, então começou a pular. Minha boca ficou seca.

"Eu... hum... fui ver Terrence Lucas." A voz de Chris ficou mais rouca. "Passei no consultório dele. Ele negou, aquele mentiroso filho da puta, mas eu vi na cara dele."

A bebida se agitou no meu copo. Baixei-o com cuidado na bancada, sentindo o chão mover-se sob meus pés. Eva havia confrontado Lucas, mas Chris...

"Dei um murro na cara dele. Caiu no chão, apagado. Mas, meu Deus... minha vontade era de pegar um daqueles troféus na prateleira e enfiar na cabeça do cara."

"Chega." A palavra cortou minha garganta feito caco de vidro.

"E o filho da puta que... O cara tá morto. Não posso fazer mais nada. Merda." Chris baixou o copo na bancada de granito com um baque, mas foi o soluço que saiu de sua boca que me despedaçou. "Que merda, Gideon. Era meu trabalho proteger você. E eu falhei."

"*Já chega!*" Empurrei a bancada, as mãos em punho. "Não me olhe assim!"

Ele tremeu visivelmente, mas não recuou. "Eu tinha que contar..."

Meus punhos amarrotaram sua camisa, erguendo Chris do chão. "Para de falar. Agora!"

As lágrimas escorriam por seu rosto. "Eu te amo como se fosse meu filho. Sempre te amei."

Coloquei-o no chão e empurrei-o para longe. Ele bateu na parede, e eu virei de costas. Fui embora, atravessando a sala de estar sem olhar para trás.

"Não vim pedir perdão", ele gritou, as palavras abafadas pelo choro. "Não mereço isso. Mas você precisa ouvir que eu teria arrebentado o canalha com minhas próprias mãos se soubesse."

Virei para ele, sentindo uma ânsia subir pelo estômago até queimar minha garganta. "*O que você quer, merda?*"

Chris ajeitou os ombros e me encarou com os olhos vermelhos e o rosto molhado; trêmulo, mas não burro o suficiente para fugir. "Quero que saiba que não está sozinho."

Sozinho. Isso mesmo. Longe da pena, da culpa e da dor me encarando por entre lágrimas. "Vá embora."

Assentindo, ele caminhou até a entrada. Permaneci imóvel, o peito arfando e os olhos ardendo. As palavras ficaram presas em minha garganta; a violência latejava em meus punhos doloridos.

Antes de sair, Chris parou e virou para mim. "Fico feliz que você tenha contado para Eva."

"Não fale dela." Não podia nem pensar em Eva. Não agora, quando estava tão perto de perder o controle.

Ele saiu.

O dia pesou em meus ombros, fazendo-me cair de joelhos.

E eu explodi.

14

Estava sonhando com uma praia particular e Gideon pelado quando o toque do meu celular me acordou com um sobressalto. Girei de lado na cama, esticando o braço, e tateei o criado-mudo, procurando pelo aparelho no escuro. Senti os dedos o roçarem de leve, peguei o telefone e me sentei na cama.

O rosto de Ireland apareceu na tela. Franzi a testa e olhei para a cama vazia ao meu lado. Gideon não estava em casa. Claro, devia ter me visto dormindo e ido deitar no apartamento ao lado...

"Alô?", atendi, notando que o relógio dizia que já eram mais de onze.

"Eva? Chris Vidal. Desculpa ligar tão tarde, mas estou preocupado com Gideon. Ele está bem?"

Senti um frio na barriga. "Como assim? O que aconteceu?"

Chris fez uma pausa. "Você não falou com ele hoje?"

Levantei da cama e acendi o abajur. "Não. Peguei no sono. O que está acontecendo?"

Ele xingou com uma intensidade que fez meus pelos do braço arrepiarem. "Falei com ele hoje mais cedo sobre... as coisas que você me contou. Ele não reagiu bem."

"Ai." Olhei ao redor, sem enxergar nada. Uma roupa. Precisava vestir alguma coisa sobre a lingerie com que tinha planejado seduzir meu marido.

"Tem que achar Gideon, Eva", Chris disse, com urgência. "Ele precisa de você agora."

"Estou indo." Joguei o telefone na cama e tirei um casacão de lã do armário antes de sair correndo do quarto. Peguei na bolsa a chave do apartamento dele e atravessei o corredor. Acabei me atrapalhando para abrir a porta e demorando demais.

O lugar estava escuro e silencioso como um túmulo, os quartos completamente vazios.

"Cadê você?", gritei para a escuridão, sentindo na garganta a ardência de lágrimas desesperadas.

Acabei voltando para meu apartamento, os dedos trêmulos ao abrir o aplicativo para rastrear o celular de Gideon.

Ele não reagiu bem.

Meu Deus. Claro que não. Ele não tinha reagido bem quando me viu contando tudo para Chris. Tinha ficado furioso. Agressivo. E tivera um pesadelo terrível naquela noite.

O pontinho vermelho no mapa piscou exatamente onde eu esperava. "A cobertura."

Calcei um chinelo e sai correndo para pegar minha bolsa.

"Que roupa é essa?", Cary perguntou da cozinha, dando-me um susto.

"Ah! Você quase me mata de susto!"

Ele veio saltitando até a bancada só de cueca, o peito e o pescoço cobertos de suor. Como o ar-condicionado estava funcionando perfeitamente bem e Trey estava no apartamento, eu sabia exatamente por que Cary estava com tanto calor.

"Ainda bem! Você não pode sair assim", ele falou.

"Não? Quem disse?" Coloquei a bolsa no ombro e corri para a porta.

"Você é louca, meu amor", ele gritou. "Igualzinha a mim!"

O porteiro do prédio de Gideon não demonstrou espanto quando saltei do táxi. Já tinha me visto em pior estado. O zelador também; ele apenas sorriu e me cumprimentou pelo nome como se eu não parecesse uma mendiga maluca usando um casaco Burberry.

Caminhei em direção ao elevador da cobertura o mais rápido que meus chinelos permitiam. Esperei que chegasse, então digitei o código. Pequeno e elegante, o elevador ia direto para o andar de Gideon, mas a subida parecia não ter mais fim. Queria ter espaço para andar ali dentro. Meu rosto preocupado me encarava de volta nos espelhos impecavelmente limpos.

Gideon não tinha ligado. Não tinha respondido à mensagem em que eu flertava com ele, prometendo uma noite quente. Não tinha voltado para mim, nem mesmo para dormir no apartamento ao lado. E ele não gostava de ficar longe de mim.

A menos que estivesse sofrendo. E envergonhado.

A porta do elevador se abriu, e ele foi invadido por um heavy metal pulsando no último volume. Fiz uma careta e cobri as orelhas. O som que vinha dos alto-falantes embutidos no teto era tão alto que machucava meus ouvidos.

Dor. Fúria. A violência colérica da música me tomou de assalto. Meu peito ardia com uma pontada profunda. Eu sabia. Entendia. Aquela música era uma manifestação sonora do que Gideon sentia por dentro e não era capaz de extravasar.

Ele era controlado demais. Contido. Suas emoções eram tão reprimidas quanto suas memórias.

Vasculhei a bolsa em busca do celular e acabei deixando cair tudo no chão do elevador e do hall. Deixei as coisas onde estavam, pegando apenas o telefone e abrindo o aplicativo que controlava o sistema de som. Coloquei uma música mais calma e baixei o volume.

A cobertura ficou em silêncio pelo que pareceu uma eternidade, então os acordes suaves de "Collide", de Howie Day, começaram a soar pelos alto-falantes.

Senti Gideon se aproximando antes de vê-lo, o ar estalando com a energia violenta de uma tempestade iminente. Ele despontou no corredor que vinha dos quartos. Perdi o fôlego.

Estava descalço e sem camisa, a cabeleira desgrenhada roçando os ombros. Usava uma calça preta de moletom de cintura baixa, o que realçava os músculos rijos em seu abdome. Estava com as costelas e um dos ombros machucados, sinais de luta que intensificavam a aparência de cólera e ferocidade fortemente contidas.

Minha escolha de música destoou da emoção que emanava dele. Meu lindo, selvagem e elegante guerreiro. Amor da minha vida. Tão atormentado que sua simples visão me trouxe lágrimas ardentes aos olhos.

Gideon parou de repente ao me ver, fechando as mãos em punho ao lado do corpo, com um brilho louco nos olhos e as narinas pulsando.

O celular escorregou da minha mão e bateu no chão. "Gideon."

Ele inspirou fundo ao ouvir minha voz. Algo se alterou nele. Vi a mudança tomar conta de seu corpo como uma porta sendo batida. Num instante, era emoção pura. No outro, parecia frio feito gelo.

"O que está fazendo aqui?", ele perguntou, a voz soando perigosamente estável.

"Procurando você." Porque ele estava perdido.

"Não sou boa companhia pra ninguém agora."

"Posso dar conta."

Ele estava imóvel demais, como se tivesse medo de se mexer. "Melhor ir embora. Não é seguro para você aqui."

Meu coração acelerou. A compreensão invadiu meus sentidos. O calor que ele emanava inundava todo o cômodo. Sua necessidade. Sua urgência. De repente, eu estava derretendo dentro do casaco. "Estou mais segura com você do que em qualquer outro lugar do mundo." Respirei fundo, criando coragem. "Chris acredita em você?"

Ele puxou a cabeça para trás. "Como você sabe?"

"Ele me ligou. Está preocupado com você. *Eu* estou preocupada com você."

"Vou ficar bem", ele retrucou, indicando que não estava nada bem naquele momento.

Caminhei na direção dele, sentindo seu olhar arder na pele à medida que me examinava. "Claro que vai. Você casou comigo."

"Você tem que ir embora, Eva."

Fiz que não com a cabeça. "Parece que dói mais, não é, quando acreditam na gente? Você fica se perguntando por que demorou tanto para contar. Talvez pudesse ter resolvido antes se tivesse falado com a pessoa certa."

"Cala a boca."

"Tem sempre aquela vozinha lá dentro que acha que a culpa é da gente."

Ele apertou os olhos com tanta força quanto os punhos. "Não faça isso."

Aproximei-me mais um pouco. "Isso o quê?"

"Não seja o que eu preciso. Não agora."

"Por que não?"

Aqueles penetrantes olhos azuis se abriram e me encararam com tanta intensidade que parei no meio da passada. "Estou por um fio, Eva."

"Não precisa se segurar", eu disse, estendendo a mão para ele. "Pode se soltar. Eu pego você."

"Não." Ele balançou a cabeça. "Não posso... Não vou ser gentil."

"Você quer me tocar."

Ele abriu a boca. "Eu quero te *foder*. Com força."

Minhas bochechas arderam. O fato de que ele ainda me achava atraente apesar daquela roupa ridícula era uma prova do quanto me desejava. "Por mim tudo bem. Sempre."

Levei os dedos até a gola do casaco. Tinha abotoado tudo quando estava no táxi, para evitar mostrar mais do que devia. Agora que estava fervendo ali dentro, estava suando.

Gideon correu e agarrou meus pulsos, apertando-os com força. "Não faça isso."

"Acha que não sou capaz de lidar com você? Depois de tudo por que passamos? Tudo o que planejamos e sobre o que conversamos?"

Meu Deus. Seu corpo inteiro estava tenso, com todos os músculos rígidos e saltados. E os olhos pareciam tão claros em contraste com a pele bronzeada, tão perturbados. Meu Moreno Perigoso.

Ele me segurou pelo cotovelo e começou a andar.

"O que você...?", gaguejei.

Gideon estava me arrastando de volta para o elevador. "Você tem que ir embora."

"Não!" Lutei com ele, tirando os chinelos e fincando os pés no chão.

"Merda." Gideon me ergueu e me encarou. "Não posso prometer que vou parar. Se for longe demais e você usar a palavra de segurança, talvez não pare, e aí vou perder isso, tudo, *nós*!"

"Gideon! Pelo amor de Deus, não tenha medo de me querer demais!"

"Quero punir você", ele rosnou, segurando meu rosto com ambas as mãos. "É tudo culpa sua! Foi você quem criou essa situação. Pressionando as pessoas... me pressionando. Olha só o que fez!"

O cheiro de álcool forte em seu hálito, de alguma bebida cara, me invadiu. Nunca o tinha visto bêbado de verdade — Gideon valorizava demais o autocontrole para entorpecer os sentidos —, mas agora estava mesmo embriagado.

Senti o primeiro sinal de apreensão dominar meu corpo.

"Isso", respondi, vacilante. "É minha culpa. Te amo demais. Vai me punir por isso?"

"Meu Deus." Ele fechou os olhos. Então encostou a testa úmida na minha, esfregando com força. Seu suor cobriu minha pele, marcando-me com um lascivo odor masculino que só ele tinha.

Gideon soltou o corpo, relaxando minimamente. Virei a cabeça e beijei seu rosto quente.

Ele enrijeceu. "Não."

Então me puxou na direção do elevador, arrastando-me pelo hall e chutando no caminho o conteúdo da bolsa que estava espalhado pelo chão.

"Para com isso!", gritei, tentando soltar o braço.

Mas ele não me ouvia. Apertou o botão, e as portas do elevador privativo abriram no mesmo instante. Ele me jogou para dentro, e eu bati na parede do fundo.

Desesperada, puxei o cinto do casaco, encontrando forças na urgência que sentia. Abri-o arrebentando os botões, que voaram para todo lado. As portas estavam fechando quando me virei para encará-lo, mantendo o casaco aberto para que visse o que eu estava vestindo por baixo.

Gideon esticou o braço, evitando que a porta fechasse, e a abriu por completo. Minha lingerie era vermelho-sangue — a nossa cor — e praticamente inexistente. A renda transparente exibia meus seios e meu sexo, e as faixas que se cruzavam sobre minha cintura deixavam entrever a pele.

"Sua puta", ele sibilou, entrando no espaço minúsculo e fazendo-o parecer ainda menor. "Você não consegue parar de me pressionar."

"*Sua* puta", revidei, sentindo as lágrimas encherem meus olhos e escorrerem pelo rosto. Era doloroso demais que ele estivesse com tanta raiva de mim, mesmo entendendo o motivo. Gideon precisava de uma válvula de escape, e eu estava disposta a servir de alvo. Ele tinha me avisado... tentado me proteger... "Eu aguento, Gideon Cross. Aguento qualquer coisa que vier de você."

Ele me espremeu contra a parede do elevador com tanta força que o impacto tirou meu fôlego. Então cobriu minha boca com a sua, enfiando a língua. Apertou meus seios com violência, abrindo minhas pernas bruscamente com os joelhos.

Arqueei o corpo junto ao dele, tentando me desvencilhar do casaco. Estava quente demais ali, o suor escorria pelas costas e pela barriga. Gideon arrancou-o e o jogou num canto, a boca ainda grudada à minha. Deixei escapar um gemido de gratidão e o envolvi pela nuca, o coração acelerado por enfim poder abraçá-lo. Meus dedos correram por entre seus cabelos, e o apertei contra mim para me equilibrar.

Ele se afastou e arrancou minhas mãos de seu corpo. "Não toque em mim."

"Vai se foder", revidei, magoada demais para ficar de boca fechada. Só para provocar, soltei as mãos e comecei a acariciar seus ombros e bíceps rígidos.

Gideon me afastou de novo, segurando-me contra a parede com uma única mão no meio do tórax. Por mais que eu lutasse e arranhasse aquele braço de aço, não conseguia movê-lo. Tudo o que podia fazer era observá-lo enquanto tirava o cordão da calça de moletom.

O desejo e a apreensão se confundiram dentro de mim. "Gideon...?"

Seus olhos encontraram os meus, tão sombrios e perturbados. "Dá pra tirar as mãos de cima de mim?"

"Não. Não quero."

Com um aceno de cabeça, Gideon me soltou, apenas para me virar de cara para a parede do elevador. Espremida por seu corpo, eu tinha pouco espaço de manobra.

"Não resista", ele ordenou, os lábios junto da minha orelha.

E então amarrou meus pulsos ao corrimão interno do elevador.

Gelei, assustada que ele realmente estivesse me amarrando. Fiquei tão surpresa e incapaz de acreditar que nem tentei impedir. Foi só depois de vê-lo atar o nó fino que entendi que não estava de brincadeira.

Segurando-me pelo quadril, Gideon afastou meu cabelo com o rosto e enfiou os dentes no meu ombro. "Eu digo quando."

Arfei, tentando puxar as mãos. "O que você está fazendo?"

Ele não respondeu.

Simplesmente foi embora.

Virando-me o máximo que conseguia, pude vê-lo voltando para a sala de estar antes de as portas do elevador se fecharem.

"Meu Deus", sussurrei. "Ele não seria capaz."

Não podia acreditar que estivesse me mandando embora daquele jeito... amarrada no elevador só de lingerie. Que Gideon era problemático eu já sabia, mas não dava para crer que meu marido loucamente ciumento pudesse me expor daquele jeito, para qualquer pessoa que estivesse na portaria, apenas para se livrar de mim.

"*Gideon!* Puta merda. Você não vai me deixar aqui assim! Está me *ouvindo*?! Volte aqui agora!"

Torci o cordão que prendia meus pulsos, mas o nó estava apertado demais. Os segundos se passaram, e então os minutos. O elevador não se mexeu, e depois de gritar até ficar rouca, dei-me conta de que ele não ia sair do lugar. Sempre à espera das ordens de Gideon, ele só se moveria se o botão fosse apertado.

Exatamente como eu.

Gideon ia ver só quando eu saísse dali. Nunca tinha sentido tanta raiva na vida. "*Gideon!*"

Caminhei para trás, abaixando-me, então levantei uma perna e apertei com o dedão do pé o botão que abria a porta. À medida que ela foi se abrindo, inspirei fundo, pronta para gritar...

... e soltei a respiração imediatamente, arfando assustada.

Gideon estava andando da sala de estar para o hall... *completamente nu*. E molhado da cabeça aos pés. O pau estava tão duro que apontava para o umbigo. Tinha a cabeça deitada para trás e bebia uma garrafa d'água. Embora tranquilo, seu caminhar era absolutamente predatório.

Ajeitei o corpo à medida que ele se aproximava, arfando com a avalanche de emoções e a intensidade do meu desejo. Filho da mãe ou não, queria aquele homem com uma ferocidade contra a qual era incapaz de lutar. Ele era complicado e sensual, perturbado e perfeito.

"Aqui." Gideon levou à minha boca um copo de cristal que trazia numa das mãos. Eu estava tão ocupada cobiçando seu corpo que nem tinha percebido. O copo estava cheio, e o líquido avermelhado tocou meus lábios à medida que ele o inclinava para eu beber.

Abri a boca por instinto, e Gideon virou a bebida. O alto teor alcoólico queimou minha língua e minha garganta. Tossi, e ele esperou, com os olhos semicerrados. Tinha tomado banho, e estava limpo e refrescado.

"Beba tudo."

"É forte demais!", reclamei.

Ele simplesmente virou mais um longo gole na minha boca.

Dei um chute nele, xingando por causa da dor que senti no pé, mas Gideon nem pestanejou. "Pare com isso!"

Ele deixou a garrafa d'água vazia cair no chão e pegou meu rosto. Com o polegar, limpou uma gota da bebida em meu queixo. "Você tem que me dar um tempo para me acalmar. E precisa pegar leve. A gente vai se matar se fizer alguma coisa desse jeito."

Uma lágrima idiota escorreu pelo canto do meu olho.

Gideon gemeu e se debruçou sobre mim, percorrendo com a língua o caminho da lágrima ao longo do meu rosto. "Eu estou despedaçado e você vem me dar uma surra. Assim eu não aguento, Eva."

"Não suporto você me excluindo da sua vida", sussurrei, puxando o cordão. A bebida queimava em minhas veias. Já podia sentir os rios de intoxicação entorpecendo meus sentidos.

Ele colocou a mão sobre a minha, interrompendo meus movimentos. "Para com isso. Você vai se machucar."

"Me solta."

"Se me tocar de novo, não respondo por mim. Estou por um fio", ele disse de novo, parecendo desesperado. "Não posso perder o controle. Não com você."

"E com outra pessoa pode?" Minha voz era um guincho estridente. "Você precisa de outra pessoa?"

Eu também não estava conseguindo me controlar. Gideon era a rocha no nosso relacionamento, minha âncora. Achei que poderia ser o mesmo por ele. Queria acolhê-lo, abrigá-lo. Mas Gideon não precisava de abrigo contra a tempestade; ele *era* a tempestade. E eu não era forte o suficiente para suportar o peso de sua mudança de temperamento.

"Não. Deus do céu." Ele me beijou com força. "Você precisa que eu esteja no controle. *Eu* preciso estar no controle quando estou com você."

Senti o pânico tomar conta de mim. Ele sabia. Sabia que eu não era suficiente. "Você era diferente com as outras. Não se segurava..."

"*Puta que pariu!*" Gideon se afastou, dando um soco no painel do elevador. As portas abriram e de repente Sarah McLachlan estava cantando na sala de estar. Ele arremessou o copo de cristal, que se espatifou contra a parede. "É isso mesmo. Eu era diferente! *Você* me transformou."

"E você me odeia por isso." Comecei a chorar, deixando o corpo escorregar, apoiado na parede do elevador.

"Não." Ele me envolveu pelas costas com seu corpo molhado. Então esfregou o rosto em mim, num abraço tão apertado que eu mal podia respirar. "Eu te amo. Você é minha *esposa*. Minha vida. É tudo pra mim."

"Só estou tentando ajudar", chorei. "Quero estar ao seu lado, mas você não deixa!"

"Que merda, Eva." Suas mãos começaram a se mexer, a deslizar e a escorregar. A me acariciar. A me acalmar. "Não posso te impedir. Preciso demais de você."

Segurei o corrimão com ambas as mãos, a bochecha grudada no espelho. O álcool começou a fazer sua mágica. Uma onda ardente de lassidão atravessou meu corpo, afogando a raiva e a vontade de lutar até que tivessem sumido por completo, deixando-me triste, com medo e desesperadamente apaixonada.

Suas mãos abriram minhas pernas, esfregando-me, insistentes. Com um puxão enérgico, ele abriu o fecho da lingerie. O súbito alívio daquela pressão me fez gemer. Meu sexo estava molhado e inchado por causa dos movimentos habilidosos daquelas mãos e da imagem em minha mente de Gideon caminhando na minha direção.

Deitei a cabeça em seu ombro e vi seu reflexo no espelho. Ele estava com os olhos fechados e os lábios entreabertos. A vulnerabilidade estampada em seu rosto maravilhoso me deixou enfeitiçada. Gideon estava sofrendo demais. Eu não aguentava ver aquilo.

"Me diga o que fazer", sussurrei. "Me diga como ajudar."

"Shh." A língua dele sibilou em minha orelha. "Me deixa resolver isso."

O toque suave de seu polegar por sobre a renda em meu mamilo estava me deixando louca. Eu tremia com os dedos que deslizavam sobre minha carne escorregadia. Ele sabia como me tocar, como fazer a pressão exata.

Gideon enfiou dois dedos, e eu gritei, ficando na ponta dos pés. Senti os joelhos fraquejarem, o músculo da perna ardendo com o esforço. O ar dentro do elevador ficou quente e abafado, pesado do desejo que emanava dele em ondas.

"Puta merda." Ele gemeu ao sentir meu sexo comprimindo-o, e mexeu os quadris junto de mim para esfregar a ereção na minha bunda. "Vou arrebentar essa bocetinha gostosa, Eva. Não aguento mais."

Com o braço ao redor da minha cintura, ele me ergueu, puxando-me para trás, fazendo com que eu tivesse que esticar os braços e me debruçar sobre ele. Gideon abriu minhas pernas e tirou os dedos molhados de mim. Senti sua mão esfregando meu quadril, então ele passou a cabeça do pau na minha bunda até roçar os lábios.

Prendi o fôlego, retorcendo-me com aquele toque aveludado. Tinha passado o dia inteiro desejando aquele homem, querendo sentir seu pau enorme dentro de mim, precisando que ele me fizesse gozar.

"Espere", Gideon gemeu, segurando-me pela cintura e pelo ombro com os dedos tesos. "Deixa que eu..."

Meu sexo se apertou em volta da cabeça do seu pau.

Gideon soltou um palavrão e entrou fundo dentro de mim com um movimento brusco. A dor e o prazer me fizeram gritar, puxando o corpo para me desvencilhar daquela plenitude rígida, sentindo a ardência dos músculos que se esticavam.

"Assim", ele gemeu, puxando-me de volta e entrando até o talo. Então girou o quadril, os testículos espremidos contra meu clitóris inchado. "Apertado pra cacete..."

Gemi e tentei me segurar ao corrimão; meu corpo começou a se mover para a frente e para trás quando ele começou a me foder. A sensação era devastadora, ser preenchida por inteiro e então esvaziada abruptamente. Meus joelhos cederam, e eu me contorci de prazer enquanto ele me abria com força e completamente. Gideon estava despejando em mim toda a emoção que havia acumulado dentro de si, com as investidas implacáveis de seu pau massageando cada um dos meus pontos sensíveis.

Antes que pudesse perceber, eu já estava gozando, arfando seu nome à medida que o prazer se espalhava por meu corpo em espasmos violentos.

Deixei a cabeça pender entre meus braços, os músculos fracos e inúteis. Gideon me segurava com as mãos, com seu membro. Usando meu corpo. Reivindicando-o. Rugindo feito um animal toda vez que entrava em mim.

"Tão fundo", ele gemeu. "Tão gostoso."

Detectei um movimento em minha visão periférica, e meus olhos embaçados se concentraram em nosso reflexo. Com um urro grave e dolorido, comecei a gozar de novo, ou talvez o primeiro orgasmo ainda não tivesse terminado. Gideon era a coisa mais erótica que eu já tinha visto — o bíceps grosso e rígido ao me segurar, as coxas tensionadas pelo esforço, a bunda flexionando com os movimentos, o abdome ondulando à medida que mexia os quadris a cada investida.

Ele tinha sido feito para transar, mas aperfeiçoara sua técnica, usando cada centímetro do corpo magistral para escravizar uma mulher em prazer. Aquilo era inato, instintivo. Mesmo bêbado e quase selvagem de tanta angústia, seu ritmo era curto e preciso, e ele ficava absolutamente concentrado.

A cada entrada seu membro tocava o ponto mais perfeito, de novo e de novo, levando-me ao êxtase até eu não aguentar mais. Senti mais um clímax se aproximando como um maremoto.

"Isso", ele gemeu. "Molha meu pau, meu anjo. Ah... Você vai me fazer gozar."

Senti seu membro aumentar e enrijecer. Minha pele formigava. Meus pulmões imploravam por ar.

Gideon jogou a cabeça para trás e rugiu como um animal, gozando com um esguicho quente. Apertando meus quadris, ele continuou entrando em mim enquanto ejaculava, num orgasmo forte e longo, enchendo-me até seu sêmen escorrer pelas minhas coxas.

Ele reduziu o movimento, arfando, debruçando-se até encostar a bochecha no meu ombro.

Comecei a desmoronar de joelhos. "Gideon..."

Mas ele me puxou de volta. "Não terminei", disse, bruscamente, ainda grande e duro dentro de mim.

E então começou de novo.

Acordei com seus cabelos roçando meu ombro e a sensação de lábios quentes e firmes em mim. Exausta, tentei me virar, mas um braço ao redor da cintura me puxou de volta.

"Eva", ele suspirou. Segurava meu seio com uma das mãos, os dedos habilidosos brincando com meu mamilo.

Estava escuro, e estávamos na cama, embora eu mal lembrasse quando Gideon me carregara até ali. Ele tinha tirado minha lingerie, limpado-me com uma toalha úmida e me coberto de beijos no rosto e nos pulsos. Havia curativos cuidadosos neles, escorregadios por causa da pomada.

Seu toque gentil na pele esfolada me deixou excitada, em uma mistura de dor e prazer. Ele percebeu.

Com os olhos cálidos de desejo, abriu minhas pernas e me chupou com uma urgência que aniquilava qualquer habilidade de pensar ou me mover. Lambia e chupava minha boceta continuamente, até eu perder a conta de quantas vezes tinha me feito gozar com aquela língua perversa.

"Gideon..." Virando o rosto, olhei para meu marido por sobre o ombro. Ele estava apoiado num dos braços, os olhos brilhando sob a luz tênue da lua. "Você passou a noite comigo?"

Talvez fosse imprudente da minha parte gostar que ele tivesse ficado comigo enquanto eu dormia, mas dividir a cama com Gideon era algo que eu adorava. E pelo qual ansiava.

Ele fez que sim. "Não podia deixar você sozinha."

"Que bom."

Gideon me virou na sua direção, beijando-me com carinho na boca. Suas lambidas insistentes me provocaram de novo, fazendo-me gemer.

"Não consigo parar de tocar você", ele sussurrou, segurando-me pela nuca e aumentando a intensidade dos beijos, os dentes mordiscando de leve o lábio inferior. "Quando toco você, não penso em mais nada."

Carinho misturado com amor. "Posso tocar você também?"

Fechando os olhos, ele disse: "Por favor".

Joguei-me em cima dele, deslizando as mãos por seu cabelo para segurá--lo da mesma forma que me segurava. Rocei os lábios nos dele, com nossas bocas quentes e úmidas. Entrelaçamos a língua, e meu corpo se arqueou para apertar os músculos rijos do meu marido.

Gideon murmurou baixinho e me fez desacelerar, rolando para ficar em cima de mim. Erguendo o rosto, ele interrompeu o beijo e começou a me mordiscar e chupar. Com a ponta da língua, traçava a curva do meu lábio.

Gemi em protesto, querendo-o mais fundo e mais forte. Mas, em vez disso, ele lambia tranquilamente meu céu da boca e a bochecha. Fechei as pernas, trazendo-o para junto de mim. Ele se movia, pressionando a ereção em minha coxa.

Gideon me beijou até meus lábios ficarem quentes e inchados e o sol surgir no horizonte. Ele me beijou até gozar num jato quente contra minha pele. Não uma vez, mas duas.

A sensação dele gozando, o som de seus gemidos roucos de prazer, de saber que era capaz de levá-lo ao orgasmo apenas com beijos... Esfreguei-me contra sua coxa com todo o meu desejo até atingir o clímax.

À medida que o tempo foi passando, ele estreitou a distância que havia colocado entre nós no elevador. Gideon fez amor comigo sem sexo. Prometeu devoção me colocando no centro do seu mundo. Não havia mais nada além da nossa cama. Só nós e um amor que nos desnudava e completava.

Quando acordei de novo, encontrei-o dormindo ao meu lado, com os lábios tão inchados quanto os meus. Seu rosto estava relaxado, repousando, mas a testa franzida me dizia que não tão tranquilo quanto eu gostaria que estivesse. Ele estava deitado de lado, com o corpo longo e esguio esticado no colchão e os lençóis enrolados nas pernas.

Já era tarde, quase nove da manhã, mas eu não tinha coragem de acordá--lo nem de deixá-lo ali. Ainda não estava naquele emprego tempo o suficiente para faltar, mas resolvi que tinha que fazer isso.

Até então vinha colocando minhas necessidades em primeiro lugar quando se tratava de carreira, de modo que um dia ela talvez se tornasse um obstáculo no nosso relacionamento. Sabia que não havia nada de errado com minha vontade de ser independente, mas naquele momento essa escolha não parecia certa.

Vestindo uma camiseta e uma calcinha, saí do quarto e caminhei até o escritório, onde o alarme do celular de Gideon tocava. Desliguei-o e fui para a cozinha.

Montando na cabeça uma lista das coisas que precisava fazer, liguei para Mark e deixei um recado avisando que ia faltar por causa de uma emergência familiar. Então liguei para Scott e deixei uma mensagem avisando que Gideon não ia chegar às nove e que provavelmente não iria para o escritório. Disse que poderia me ligar se precisasse.

Queria manter meu marido em casa o dia inteiro, embora tivesse minhas dúvidas de que ele concordasse. Precisávamos de um tempo juntos, sozinhos. Para curar as feridas.

Peguei o celular no hall e liguei para Angus, que atendeu no primeiro toque.

"Bom dia, sra. Cross. Você e o sr. Cross estão prontos para sair?"

"Não, Angus, vamos ficar por aqui por enquanto. Acho que não vamos sair hoje. Sabe onde Gideon guarda aquelas garrafas contra ressaca?"

"Sei, claro. Precisa de uma?"

"Acho que Gideon pode precisar quando acordar. Queria uma, só por precaução."

Silêncio. "Posso fazer uma pergunta?", ele falou, o sotaque escocês mais pronunciado do que o normal. "Tem alguma coisa a ver com a visita do sr. Vidal ontem à noite?"

Esfreguei a testa, sentindo os sinais alarmantes de uma dor de cabeça iminente. "Tudo."

"Chris acredita nele?", Angus perguntou baixinho.

"Acredita."

Ele suspirou. "Ah, então é por isso. Ele não estava preparado. Negação é tudo o que o rapaz conhece, e ele só sabe lidar com isso."

"Gideon não reagiu bem."

"Imagino. Ainda bem que ele tem você, Eva. Está fazendo a coisa certa por ele, embora ele talvez precise de tempo para valorizar. Vou pegar aquela garrafa pra você."

"Obrigada."

Com esse problema resolvido, voltei minha atenção para o lugar. Primeiro lavei o decanter e o copo que encontrei na bancada da cozinha, então fui até o hall com uma vassoura e uma pá para limpar os cacos do outro copo. Scott ligou, e conversei com ele enquanto juntava as coisas que tinham caído da bolsa. Quando desliguei, comecei a esfregar a parede e o chão do hall para remover as manchas de conhaque seco.

Gideon havia dito na noite anterior que estava despedaçado. Eu não queria que ele acordasse e encontrasse sua casa daquele jeito.

Nossa casa, corrigi. Nossa casa. Precisava aprender a pensar daquele jeito. E Gideon também. Íamos ter uma conversa sobre ele tentar me expulsar de lá. Se eu ia me esforçar para ter uma vida em conjunto, ele também precisava se dedicar a isso.

Queria ter alguém com quem conversar, um amigo que me ouvisse e pudesse me aconselhar. Cary ou Shawna. Ou até Steven, que tinha alguma coisa que tornava fácil me abrir com ele. Tínhamos o dr. Petersen, mas não era a mesma coisa.

Gideon e eu tínhamos segredos que não podíamos dividir com mais ninguém, e isso nos isolava do resto do mundo, tornava nós dois dependentes um do outro. As pessoas que tinham abusado de nós não roubaram apenas nossa inocência — privaram-nos de liberdade. Mesmo muito tempo depois, vivíamos presos atrás de uma fachada. Enclausurados em mentiras.

Tinha acabado de limpar todas as marcas do espelho do elevador quando ele começou a descer comigo dentro. Só de calcinha e camiseta.

"Tá de brincadeira?", resmunguei comigo mesma, tirando as luvas de borracha e tentando ajeitar o cabelo. Depois de rolar na cama com Gideon a noite inteira, eu estava um trapo.

A porta abriu, e Angus começou a entrar, interrompendo a passada assim que notou minha presença. Mudei de posição, tentando esconder o cordão ainda atado ao corrimão atrás de mim. Gideon tinha soltado meus pulsos com uma tesoura, mas deixara a prova do crime para trás.

"Hum, oi", eu disse, contorcendo-me de vergonha. Não havia como explicar por que estava ali dentro quase sem roupas segurando luvas de borracha. Para piorar, meus lábios estavam tão vermelhos e inchados que não havia como esconder o que eu e Gideon tínhamos feito durante a noite.

Os olhos claros de Angus brilharam, divertidos. "Bom dia, sra. Cross."

"Bom dia, Angus", respondi com o máximo de dignidade de que fui capaz.

"Aqui." Ele me estendeu uma garrafa do que eu tinha certeza de que se tratava de uma dose de álcool com vitaminas.

"Obrigada", agradeci, também por Angus não ter feito nenhuma pergunta.

"Liga se precisar de alguma coisa. Vou ficar por aqui."

"Você é o máximo, Angus." Voltei para a cobertura. Quando a porta do elevador abriu, ouvi o telefone tocando.

Corri para a cozinha, deslizando no piso para tirar o fone do gancho e torcendo para que o barulho não acordasse Gideon.

"Alô?"

"Eva, é Arash. Cross está com você?"

"Sim. Ainda está dormindo, acho. Vou dar uma olhada." Fui em direção ao quarto.

"Ele não está doente, está? Nunca fica doente."

"Tem uma primeira vez pra tudo."

Espiando dentro do quarto, vi meu marido magnificamente esparramado em seu sono, abraçado ao travesseiro, o rosto enterrado nele. Caminhei na ponta do pé até o criado-mudo e deixei a garrafa. Então saí e fechei a porta atrás de mim.

"Ainda está apagado", sussurrei.

"Uau. Bom, mudança de planos então. Tem uns documentos aqui que vocês precisam assinar antes das quatro. Vou mandar um portador entregar aí. Me liga quando estiver assinado e eu mando alguém buscar."

"*Eu* tenho que assinar também? O que é?"

"Ele não contou?" Arash riu. "Bem, não sou eu quem vai estragar a surpresa. Você vai ver quando receber os papéis. Se tiver alguma dúvida, liga."

"Certo. Obrigada", respondi baixinho.

Desliguei e estreitei os olhos na direção do quarto. O que Gideon estava aprontando? Ficava maluca quando ele tomava decisões sem falar comigo.

Meu celular começou a tocar na cozinha. Atravessei a sala às pressas e dei uma olhada na tela. Era um número desconhecido, mas de Nova York.

"Ninguém merece", resmunguei, sentindo como se tivesse passado o dia todo no escritório, embora ainda fossem dez e meia da manhã. Como Gideon aguentava ter que lidar com tantas coisas ao mesmo tempo? "Alô?"

"Eva, Chris de novo. Espero que não se importe que Ireland tenha me dado seu número."

"Não, tudo bem. Desculpa não ter ligado mais cedo. Não queria deixar você preocupado."

"Ele está bem então?"

Caminhei até um dos bancos do bar e sentei. "Não. Foi uma noite pesada."

"Liguei para o escritório. Disseram que ele não vai pra lá."

"Estamos em casa. Ele ainda está dormindo."

"É pior do que eu pensava então."

Chris conhecia meu esposo. Gideon era cheio de hábitos e tinha uma vida rigidamente organizada e compartimentada. Desvios eram tão raros que se tornavam motivo de preocupação.

"Ele vai ficar bem." Tentei transmitir confiança. "Pode deixar comigo. Só precisa de um tempo."

"Tem alguma coisa que eu possa fazer?"

"Se eu pensar em alguma coisa, aviso."

"Obrigado." Chris parecia cansado e preocupado. "Obrigado por me contar e por ficar ao lado dele. Gostaria de ter apoiado Gideon quando tudo aconteceu. Mas vou ter que conviver pelo resto da vida com o fato de que eu não estava lá."

"Todos nós vamos, Chris. E não foi culpa sua. Sei que não ajuda em nada, mas tem que se lembrar disso, ou vai acabar com você. E isso não vai ajudar Gideon."

"Você é madura demais para sua idade, Eva. Fico tão feliz que ele tenha te encontrado."

"A sorte é toda minha", respondi baixinho. "Toda minha."

Encerrei a ligação e não consegui evitar pensar na minha mãe. Ver o que Gideon estava passando me fez ter ainda mais carinho por ela. Minha mãe ficara ao meu lado, lutara por mim. Também sentia culpa, o que a tornava absurdamente superprotetora. Havia uma parte de mim, no entanto, que não se despedaçara tanto quanto Gideon por causa do amor dela.

Decidi ligar, e minha mãe atendeu no primeiro toque.

"Eva. Você está me evitando de propósito. Como posso planejar o casamento sem sua participação? São tantas coisas para decidir, e se eu fizer alguma escolha errada, você vai..."

"Oi, mãe", interrompi. "Tudo bem?"

"Não. Um estresse só", ela respondeu, com sua voz naturalmente rouca transmitindo mais do que uma leve acusação. "O que você acha? Estou planejando o dia mais importante da sua vida sozinha e..."

"Estava pensando que a gente podia se encontrar no sábado pra resolver isso, se você estiver livre, claro."

"Sério?" O prazer e o deleite com que ela formulou a pergunta fizeram com que eu me sentisse culpada.

"Sério." Eu vinha pensando no segundo casamento como algo mais para minha mãe do que para qualquer outra pessoa, mas era mentira. A cerimônia também seria importante para Gideon e para mim, como outra oportunidade de confirmar nosso vínculo inquebrável. Não para o mundo ver, mas para nós dois.

Ele tinha que parar de me afastar toda vez que eu tentava protegê-lo, e eu tinha que parar de achar que desapareceria ao me tornar a sra. Gideon Cross.

"Que maravilha, Eva! A gente pode almoçar aqui com a cerimonialista. E passar a tarde revendo as opções."

"Quero uma cerimônia pequena, mãe. Íntima." Antes que ela tivesse chance de reclamar, insisti na sugestão de Gideon. "Você pode esbanjar o quanto quiser na festa, mas a cerimônia vai ser privada."

"Eva, as pessoas vão ficar ofendidas se você convidá-las só para a festa, e não para a cerimônia!"

"Não estou nem aí. Não vou casar por causa delas. Vou casar porque estou apaixonada pelo homem dos meus sonhos, e vamos passar o resto da vida juntos. Não quero perder o foco nem por um minuto."

"Meu amor..." Ela suspirou, como se eu fosse uma idiota. "A gente conversa no sábado."

"Tá legal. Mas não vou mudar de ideia." Senti um arrepio e virei a cabeça.

Gideon estava de pé na porta da cozinha, observando-me. Tinha vestido a calça de moletom da noite anterior e estava descabelado e com as pálpebras pesadas.

"Tenho que ir", eu disse. "Vejo você no fim de semana. Te amo, mãe."

"Eu também, Eva. Por isso só quero o melhor pra você."

Desliguei e coloquei o telefone na bancada da cozinha. Saltando do banco, virei para Gideon. "Bom dia."

"Você não está no trabalho", ele disse, a voz mais grave e sensual do que o normal.

"Nem você."

"Vai chegar atrasada?"

"Não. Nem você." Caminhei até ele e o envolvi pela cintura. Seu corpo ainda estava quente da cama. Ele era meu sonolento e atraente sonho realizado. "Hoje a gente vai se esconder do mundo, garotão. Só eu e você, de pijama, descansando."

Gideon passou um braço em volta do meu quadril e com a outra mão tirou uma mecha do meu rosto. "Você não está brava."

"Por que estaria?" Fiquei na ponta do pé e beijei seu queixo. "Você está bravo comigo?"

"Não." Ele me segurou pela nuca, apertando o rosto contra o meu. "Que bom que está aqui."

"E vou continuar aqui para sempre. Até que a morte nos separe."

"Você estava planejando o casamento."

"Ah, você ouviu? Se tiver alguma exigência, fale agora ou cale-se para sempre."

Ele ficou quieto por um tempo, o bastante para eu concluir que não tinha nada a pedir.

Virei a cabeça e toquei seus lábios com os meus, num beijo rápido e suave. "Você viu o que deixei ao lado da cama?"

"Vi, obrigado." Uma sombra de sorriso tocou seus lábios.

Ele parecia um homem saciado, o que me enchia de orgulho feminino. "Salvei sua pele no trabalho também, mas Arash disse que tinha que nos mandar uns documentos. Não quis me falar o que era."

"Acho que você vai ter que esperar pra ver."

Levei os dedos até sua testa. "Como está se sentindo?"

Ele deu de ombros. "Não sei. Neste instante, um lixo."

"Vamos voltar àquele banho que você pulou ontem à noite."

"Hum, já estou muito melhor."

Entrelaçando nossos dedos, comecei a caminhar com ele na direção do quarto.

"Quero ser o homem dos seus sonhos, meu anjo", ele disse, surpreendendo-me. "Mais que tudo."

Voltei o olhar para ele. "Você já é."

Fitei o contrato à minha frente, o coração batendo acelerado com um misto de amor e satisfação. Ergui os olhos da mesa de centro e observei Gideon entrar na sala, o cabelo ainda úmido do banho que tínhamos tomado juntos, usando uma calça de pijama de seda preta.

"Vai comprar a casa da Carolina do Norte?", perguntei, precisando de confirmação mesmo tendo a prova nas mãos.

Seus lábios sensuais se curvaram num sorriso. "*Vamos* comprar a casa. Combinamos isso."

"Conversamos sobre a possibilidade." O preço era um tanto exagerado, o que me dizia que não tinha sido fácil convencer os proprietários. E Gideon tinha pedido que deixassem o exemplar de *Nudez mortal* e todos os móveis do quarto de casal. Ele sempre pensava em tudo.

Gideon sentou ao meu lado no sofá. "E agora estamos fazendo algo a respeito."

"Seria muito mais fácil comprar um lugar nos Hamptons. Ou em Connecticut."

"De avião é um pulo." Ele virou meu queixo com os dedos e colou os lábios nos meus. "Não se preocupe com a logística", murmurou. "Fomos muito felizes naquela casa. Ainda posso ver você andando na areia. E me lembro do beijo no deque... e de colocar você naquela cama branca enorme. Parecia um anjo. Pra mim, aquele lugar é o paraíso."

"Gideon." Descansei a testa contra a dele. Eu o amava muito. "Onde a gente assina?"

Ele virou o contrato e me mostrou o adesivo amarelo indicando o local. Então correu os olhos pela mesa de centro, franzindo a testa. "Cadê minha caneta?"

Fiquei de pé. "Tem uma na minha bolsa."

Segurando-me pelo pulso, ele me puxou de volta para o sofá. "Não. Preciso da minha caneta. Cadê o envelope em que veio isto?"

Eu o encontrei no chão entre o sofá e a mesa, onde o deixara cair quando me dera conta do que Arash havia enviado. Ao erguê-lo, notei que ainda estava pesado e despejei o conteúdo na mesa. Uma caneta-tinteiro bateu contra o vidro, e uma pequena fotografia deslizou sobre o tampo da mesa.

"Agora sim", ele disse, pegando a caneta e assinando na linha pontilhada. Enquanto Gideon revisava o restante dos documentos, peguei a fotografia e senti um aperto no coração.

Ele estava com o pai numa praia. Era a foto sobre a qual tinha me contado quando estávamos na Carolina do Norte. Gideon era bem novo, tinha uns quatro ou cinco anos, e estava concentrado, ajudando-o a construir um castelo de areia. Geoffrey Cross estava sentado diante do filho, e seus cabelos escuros esvoaçavam com a brisa do mar, emoldurando seu rosto de artista de cinema. Estava apenas de sunga, exibindo um corpo bem parecido com o que Gideon ostentava.

"Uau", suspirei, sabendo que faria várias cópias para emoldurar e pendurar nas nossas casas. "Que foto linda."

"Aqui." Ele deslizou o contrato pela mesa na minha direção, com a caneta sobre as folhas.

Coloquei a foto na mesa e peguei a caneta, girando-a até encontrar as iniciais *GC* na lateral. "Você é supersticioso ou algo assim?"

"Era do meu pai."

"Ah." Olhei para meu marido.

"Ele assinava tudo o que fazia com ela. Nunca ia a lugar nenhum sem levar essa caneta no bolso." Gideon tirou o cabelo do rosto. "Destruiu nosso sobrenome com essa caneta."

Pousei a mão sobre sua coxa. "E você está reconstruindo tudo com a mesma caneta. Entendi."

Gideon tocou minha bochecha com a ponta dos dedos, com uma expressão tranquila e reluzente nos olhos. "Tinha certeza de que você entenderia."

15

"Uma suíte para ele, uma para ela. Um clássico." Blaire Ash sorriu, a caneta voando sobre a folha presa à prancheta.

Ele correu os olhos pelo quarto de Eva na cobertura, o mesmo que eu pedira que decorasse exatamente como o quarto dela em seu apartamento no Upper West Side.

"Qual vai ser o tamanho da obra?", o arquiteto perguntou. "Querem começar do zero ou fazer apenas algumas mudanças estruturais para juntar os dois quartos?"

Deixei a resposta a cargo de Eva. Era difícil para mim participar, sabendo que era uma mudança que nenhum de nós queria muito fazer. Em breve nossa casa ia transmitir quão perturbado eu era e o quanto isso afetava negativamente nosso casamento. Eu me sentia como se tivesse uma faca no pescoço.

Ela me fitou de lado e então perguntou: "O que seria mais fácil?".

Ash sorriu, revelando um dente ligeiramente torto. Era um sujeito atraente — ou pelo menos Ireland achava isso — e estava com a calça jeans rasgada e a camiseta que sempre usava sob o paletó de alfaiate. Eu não ligava a mínima para a aparência dele. O que me importava era seu talento, que admirava o suficiente para contratá-lo para decorar tanto meu escritório como minha casa. O que não me agradava era o jeito como estava olhando para minha esposa.

"Podemos só ajustar o banheiro do casal e abrir um arco nesta parede, juntando os dois quartos."

"É exatamente disso que a gente precisa", Eva respondeu.

"Certo. Seria rápido, e a obra não atrapalharia muito a vida de vocês. Ou... eu poderia mostrar outras opções."

"Como o quê?"

Ash se aproximou dela, chegando tão perto que ficaram com os ombros encostados. Ele era quase tão loiro quanto Eva, e os dois pareciam lindos juntos, o arquiteto com a cabeça inclinada na direção dela.

"Com a metragem dos três cômodos", ele respondeu, falando exclusivamente com Eva, como se eu não estivesse ali, "eu poderia fazer um projeto equilibrado. Os dois quartos teriam o mesmo tamanho, com um escritório para cada um. Ou uma sala de descanso, se preferir."

"Ah." Ela mordiscou o lábio inferior, absorta por um instante. "Não acredito que você desenhou isso tão rápido."

Ash deu uma piscadinha para ela. "Rápido e rasteiro é meu lema. Vou fazer um trabalho tão bem-feito que você vai se lembrar de mim quando quiser mudar o visual de novo."

Recostei contra a parede de braços cruzados, observando os dois. Eva parecia alheia ao joguinho do arquiteto. Mas eu não estava.

O telefone fixo tocou, e ela ergueu a cabeça. Então olhou para mim. "Aposto que é Cary."

"Por que não atende, meu anjo?", comentei, tranquilamente. "Talvez devesse ir lá embaixo buscar Cary, e dividir a empolgação com ele."

"Claro!" Ela correu a mão ao longo do meu braço e saiu às pressas do quarto, um toque fugaz que reverberou por meu corpo todo.

Ajeitei o corpo, concentrando-me em Ash. "Você está flertando com minha mulher."

Ele ficou tenso na mesma hora, o sorriso desaparecendo do rosto. "Desculpa. Não foi por mal. Só queria deixar a srta. Tramell à vontade."

"Pode deixar que eu cuido dela. Você tem que se preocupar comigo." Não tinha dúvidas de que o arquiteto estranhava nosso pedido. Qualquer um que visse aquilo pensaria o mesmo. Que homem no mundo casaria com Eva para dormir não só numa cama diferente, mas em outro quarto?

Senti a faca entrar um pouquinho mais fundo e girar.

Seus olhos escuros tornaram-se frios. "Claro, sr. Cross."

"Agora mostre aí o que você desenhou."

"O que vocês acham?", Eva perguntou, entre um pedaço e outro de pizza de pepperoni. Ela estava debruçada sobre a bancada da cozinha, com uma das pernas estendida atrás, de pé do lado oposto em que Cary e eu estávamos sentados.

Considerei o que responder.

"Quero dizer, a ideia da suíte com duas áreas espelhadas é genial", ela prosseguiu, limpando a boca com um guardanapo, "mas se a gente optar pela solução mais fácil, vai demorar muito menos. E se a gente quisesse usar o quarto para alguma outra coisa, é só fechar a parede de novo."

"Tipo o quarto do bebê", Cary disse, colocando pimenta na sua fatia de pizza.

Meu apetite desapareceu na mesma hora, e coloquei minha fatia no prato. Recentemente, comer pizza em casa não estava dando certo para mim.

"Ou um quarto de visitas", Eva corrigiu. "Gostei das ideias que vocês estavam discutindo para seu apartamento."

Cary estreitou os olhos. "Mudando de assunto?"

"Ei, talvez você esteja pensando em bebês, mas o restante de nós tem outras prioridades."

Eva estava dizendo exatamente o que eu queria que dissesse, mas...

Será que tinha os mesmos medos que eu? Talvez tivesse me aceitado como marido porque não podia evitar, mas tinha limites quanto a me querer como pai de seus filhos.

Levei meu prato descartável até a lixeira e joguei fora. "Tenho que fazer umas ligações. Fica aí, Cary. Passa um tempo com Eva."

Ele fez que sim. "Obrigado."

Deixei a cozinha e fui para a sala de estar.

"Então, gata", Cary começou, embora eu ainda pudesse ouvi-lo, "aquele arquiteto gostoso tá a fim do seu marido."

"Tá nada!", Eva riu. "Deixa de ser doido."

"Não posso. Mas o cara nem ligou pra você, só tinha olhos para Cross."

Ri com desdém. Ash tinha entendido o recado, o que confirmava minha crença na inteligência do arquiteto. Cary que pensasse o que bem entendesse.

"Bem, só posso dizer que então o sujeito tem bom gosto", Eva disse.

Fui em direção ao escritório e pousei os olhos na colagem de fotos de Eva na parede.

Ela era a única coisa que eu não era capaz de afastar de meus pensamentos. Estava sempre em primeiro plano, presente em todas as decisões que eu tomava.

Sentei à mesa e comecei a trabalhar, preocupado em recuperar o tempo perdido para a semana não ir por água abaixo. Demorei para conseguir me concentrar. Quando consegui, senti certo alívio. Era um consolo poder focar em problemas com soluções concretas.

Estava fazendo progresso quando ouvi um grito vindo da sala de estar que parecia ter vindo de Eva. Parei e fiquei ouvindo. Os dois ficaram em silêncio por um instante, depois ouvi o grito de novo, seguido pela voz elevada de Cary. Levantei e abri a porta do escritório.

"Você podia falar comigo, Cary!", minha esposa disse, nervosa. "Podia me dizer o que está acontecendo."

"Você sabe o que está acontecendo, merda!", ele retrucou com um tom de voz que me fez sair do escritório.

"Eu não sabia que você estava se cortando de novo!"

Quando entrei na sala, Eva e Cary pareciam prestes a se engalfinhar, encarando-se a poucos metros de distância.

"Não é da sua conta", ele disse, os ombros tensos e o queixo erguido em posição de desafio. Então me fitou de relance. "Nem da sua."

"Não discordo", respondi, embora não fosse exatamente verdade. O modo como Cary se autodestruía era indiferente para mim, mas o efeito que isso tinha em Eva, não.

"Isso não é verdade." Ela cravou os olhos em mim, incluindo-me na conversa. Então voltou a atenção para Cary. "Achei que estava indo no dr. Travis."

"Quando tenho tempo?", ele zombou, jogando o cabelo que caíra sobre a testa para trás. "Com o trabalho e Tati, fora o esforço que tenho feito para Trey não me largar... Ele poderia ter o homem que quisesse, sem essa bagagem toda! Não tenho tido tempo nem pra dormir!"

Eva balançou a cabeça. "Para de dar desculpa."

"Não me venha com lição de moral, gata", ele avisou. "Não preciso dessa merda agora."

"Meu Deus." Ela jogou a cabeça para trás e encarou o teto. "Por que os homens da minha vida insistem em me excluir quando mais precisam de mim?"

"Não sei quanto a Cross, mas você não tem estado muito presente na minha vida. Preciso me virar com o que tenho."

Ela baixou a cabeça. "Isso não é justo! Você tem que me dizer quando precisa de mim. Não leio pensamentos!"

Dei as costas para a cena, deixando os dois a sós. Já tinha problemas suficientes com que lidar. Quando Eva quisesse, ela iria até mim, e eu ia ouvi-la, com bastante cuidado para não opinar demais.

Sabia que minha mulher não queria ouvir que eu achava que ela estaria melhor sem Cary.

A luz da manhã atingiu a cama e iluminou a ponta dos cabelos de Eva enquanto ela dormia. As mechas claras e macias brilharam feito ouro polido, como se tivessem acendido por dentro. Sua mão repousava no travesseiro diante do rosto bonito, e a outra estava aninhada entre os seios. O lençol branco que embolamos antes de dormir a cobria do quadril à coxa, deixando as pernas bronzeadas expostas.

Eu não era muito de fantasiar, mas naquele momento minha esposa parecia o anjo que eu achava que era. Apontei a máquina fotográfica para aquela visão, querendo preservá-la para todo o sempre.

A máquina fez barulho, e Eva se mexeu, abrindo os lábios. Tirei outra foto, feliz por ter comprado uma câmera que fizesse jus a ela.

Eva abriu os olhos pesados. "O que está fazendo, garotão?", perguntou com a voz rouca de quem acabara de acordar.

Coloquei a máquina sobre a cômoda e me juntei a ela na cama. "Admirando você."

Eva sorriu. "Como está se sentindo hoje?"

"Melhor."

"Melhor é bom." Eva girou na cama e pegou uma bala no criado-mudo. Então se voltou para mim com um gostinho de canela na boca e estudou meu rosto. "Pronto para encarar o mundo?"

"Preferia ficar em casa com você."

Ela estreitou os olhos. "Você diz isso da boca pra fora. Está doido para exercer seu domínio global."

Eu me aproximei dela e beijei a pontinha do nariz. "Você me conhece tão bem."

Ainda me espantava com como ela era capaz de me interpretar com tanta precisão. Eu estava me sentindo inquieto, vacilante. A concentração no trabalho — acompanhando um progresso concreto em qualquer um dos projetos que estava tocando pessoalmente — ia aliviar um pouco aquela sensação.

Ainda assim, sugeri: "Eu podia trabalhar de casa pela manhã e depois passar a tarde com você".

Ela fez que não com a cabeça. "Se quiser conversar, posso ficar em casa. Se não, tenho um emprego e um monte de coisas pra fazer."

"Se você trabalhasse comigo, também ia poder trabalhar de casa."

"Ah, então você prefere entrar nesse assunto? É disso que quer falar?"

Virei de costas na cama e cobri os olhos com o antebraço. Ela não tinha me pressionado no dia anterior e eu sabia que não ia me pressionar naquele dia. Nem no dia seguinte. Como o dr. Petersen, Eva estava esperando que eu me abrisse. Mas saber que esperava algo de mim já era pressão o suficiente.

"Não tenho nada a dizer", murmurei. "Aconteceu. E agora Chris sabe. Falar disso agora não vai mudar nada."

Senti Eva virando na cama para me olhar. "Não é uma questão de falar do que aconteceu, mas de como você se sente a respeito."

"Não sinto nada. Eu... fiquei surpreso. Não gosto disso. Pronto, acabou."

"Até parece." Ela saiu da cama antes que eu pudesse segurá-la. "Se é pra mentir, melhor ficar calado."

Sentei e fiquei olhando enquanto Eva contornava o pé da cama, os ombros tensos incapazes de desviar minha atenção de sua beleza. Meu sangue pulsava com a urgência que sentia por ela, sempre tão facilmente provocado por seu temperamento latino tempestuoso, que me fazia ferver com uma necessidade impaciente e irrequieta.

Já tinha ouvido dizerem que minha mulher era tão deslumbrante quanto a mãe, mas discordava. Monica Stanton tinha uma beleza fria, um ar de inalcançável. Eva tinha fogo e sensualidade — você até podia alcançá-la, mas ia se queimar.

Pulei da cama e cruzei seu caminho antes que entrasse no banheiro, segurando-a pelos braços. "Não posso brigar com você agora", disse, com toda a sinceridade, fitando-a fundo nos olhos turbulentos. "Se a gente se desentender agora, não vou aguentar até o final do dia."

"Então não venha me dizer que superou tudo quando está fazendo a maior força pra manter a linha!"

Rosnei, frustrado. "Não sei o que fazer com isso. Não sei por que o fato de Chris saber muda alguma coisa."

Ela ergueu o queixo. "Ele está preocupado com você. Você vai ligar?"

Virei o rosto. A simples ideia de ver meu padrasto fazia meu estômago revirar. "Vou ter que falar com ele em algum momento. Tocamos um negócio juntos."

"Mas você prefere evitar. Me diga por quê."

Afastei-me dela. "Não vamos virar melhores amigos de um dia pro outro, Eva. A gente quase não se via antes, não entendo por que isso deveria mudar."

"Está com raiva dele?"

"Quer dizer que agora sou obrigado a fazer o cara se sentir bem?" Caminhei em direção ao banheiro.

Ela me seguiu. "Nada pode fazer Chris se sentir melhor, e não acho que ele esteja esperando isso de você. Só quer saber que você está nos eixos de novo."

Entrei no box e abri o chuveiro.

Eva levou a mão até as minhas costas. "Gideon... você não pode simplesmente esconder seus sentimentos. A menos que queira explodir igual à outra noite. Ou ter um pesadelo."

Foi a menção aos pesadelos recorrentes que me fez virar na direção dela. "A gente deu conta das duas últimas noites muito bem!"

Eva não recuava diante da minha fúria como a maioria das pessoas, o que só servia para me enfurecer ainda mais. E ver a infinidade de reflexos de seu corpo nu nos espelhos não ajudava.

"Você não dormiu na terça", ela disse. "E na noite passada estava tão exausto que duvido que tenha sonhado."

Eva não sabia que eu havia passado parte da noite no outro quarto, e eu não via motivo algum para mencionar isso. "O que quer que eu diga?"

"Isso não tem nada a ver comigo! Gideon, conversar sobre as coisas ajuda. Pôr todas as cartas na mesa coloca as coisas em perspectiva."

"Perspectiva? Quanto a isso não tenho problema nenhum. Vi muito bem a pena na cara de Chris ontem. E na sua também! Não preciso de ninguém sentindo pena de mim, merda. Não preciso que ninguém se sinta culpado."

Ela ergueu as sobrancelhas. "Não posso falar por Chris, mas não foi pena que você viu em mim, Gideon. Compaixão talvez, porque sei o que você está sentindo. E dor, sem dúvida, porque meu coração está ligado ao seu. Quando você sofre, eu sofro. Você vai ter que aprender a lidar com isso, porque eu te amo e não vou parar de te amar."

Aquelas palavras me atingiram. Estendi a mão e abri a porta de vidro do box.

Cedendo, Eva entrou e me abraçou. Curvei a cabeça ao recebê-la. Seu cheiro, a sensação da sua pele. Com o braço livre, envolvi seu quadril, segurando a curva da bunda em minha mão. Eu já não era mais o mesmo homem desde que a conhecera. Estava mais forte em alguns aspectos, mais fraco em outros. Era contra a fraqueza que lutava. Antes não sentia nada. Agora...

"Ele não vê você como fraco", Eva murmurou, entendendo, como sempre, exatamente o que eu estava pensando. Então encostou o rosto no meu peito. "Ninguém poderia ver. Depois de tudo por que passou... virar o homem que você é hoje. Isso é ser forte, meu amor. E eu fico impressionada."

Passei os dedos por sua pele. "Você é parcial", murmurei. "Está apaixonada por mim."

"Claro que estou. Como poderia ser diferente? Você é o máximo. E perfeito..."

Grunhi, desdenhando.

"Perfeito para *mim*", ela se corrigiu. "E, já que você é meu, isso é uma coisa boa."

Puxei-a para debaixo do chuveiro, encharcando-a com o jato de água morna. "Tenho a sensação de que isso alterou alguma coisa", admiti, "mas não sei exatamente o quê."

"A gente vai descobrir juntos." Eva correu as mãos por meus ombros e ao longo dos meus braços. "Só não tente me afastar de novo. Você tem que parar de me proteger, principalmente de você próprio!"

"Não posso machucar você, meu anjo. Não posso correr riscos."

"Tá, mas, mesmo que perca o controle, eu aguento, garotão."

Se fosse verdade, poderia servir de consolo.

Tentei alterar o rumo da conversa, querendo evitar uma briga que destruiria o restante do dia. "Estive pensando sobre a obra."

"Você está mudando de assunto."

"Já esgotamos o assunto anterior. Não está encerrado", expliquei, "mas vamos aguardar novas variáveis para discutir."

Ela me lançou um olhar. "Por que fico excitada toda vez que você dá uma de macho alfa pra cima de mim?"

"Não vem me dizer que tem alguma coisa em mim que não deixa você excitada."

"Bem que eu queria. Seria uma pessoa muito mais produtiva."

Tirei seu cabelo da testa. "Já pensou no que quer?"

"Qualquer coisa que termine com seu pau dentro de mim."

"Bom saber. Mas estou falando da cobertura."

Ela deu de ombros, os olhos reluzindo de malícia. "A resposta é a mesma."

O lugar era o tipo de restaurante em que os turistas nunca reparavam. Pequeno e pouco atraente, tinha uma cobertura de plástico na porta que não ajudava em nada para distingui-lo como especial ou convidativo. A especialidade eram as sopas, com opções de sanduíche para os que precisavam de mais. Uma geladeira perto da entrada oferecia uma seleção limitada de bebidas, e a caixa registradora ultrapassada só aceitava dinheiro.

Turistas jamais iriam a um estabelecimento tocado por imigrantes vivendo o sonho americano. Preferiam os lugares que tinham ficado famosos no cinema ou nas séries, ou os que estavam próximos ao circo que era a Times Square. Os moradores da cidade, no entanto, conheciam aquela preciosidade e faziam fila na porta.

Caminhei ao longo da fila até chegar ao fundo do restaurante, onde uma pequena sala acomodava um punhado de mesas com a pintura descascando. Numa delas, um homem solitário lia o jornal com a sopa fumegante diante de si.

Puxei a cadeira diante dele e me sentei.

Benjamin Clancy não ergueu os olhos ao falar. "O que posso fazer por você, sr. Cross?"

"Acho que estou te devendo um obrigado."

Ele fechou o jornal tranquilamente e o colocou de lado, encarando-me. Era robusto, puro músculo. O cabelo era loiro-escuro, cortado rente. "Ah é? Bom, eu aceito. Embora não esteja fazendo nada por você."

"Não achei que estivesse." Estudei suas feições. "Você ainda está de olho nela."

Clancy assentiu. "Eva já sofreu demais. Vou me certificar de que não volte a acontecer."

"E você não confia em mim pra isso?"

"Não o conheço o suficiente. E, na minha opinião, nem ela. Então vou manter o olho aberto por um tempo."

"Amo aquela mulher. Acho que já provei quão longe iria para protegê-la."

Ele endureceu o olhar. "Alguns homens precisam ser sacrificados como cães raivosos. Outros precisam executar o trabalho. Não consigo definir em que grupo está. Para mim, isso faz de você uma exceção."

"Eu cuido do que é meu."

"Ah, sim, você cuida direitinho." O sorriso no rosto não se refletia no olhar. "E eu tive que cuidar do resto. Desde que Eva esteja feliz com você, pra mim está bom. Se um dia decidir que ela não é o que você quer, trate de terminar as coisas direito e de forma respeitosa. Se a magoar de qualquer forma, então vai ter um problema, estando eu vivo ou morto e enterrado."

"Você não precisa me ameaçar para que eu seja bom pra ela, mas entendi o recado." Eva era uma mulher forte. Forte o suficiente para sobreviver ao passado e planejar um futuro comigo. Mas era também vulnerável de formas que as pessoas não enxergavam. Por isso eu queria protegê-la, e, aparentemente, Benjamin Clancy também.

Aproximei-me dele. "Eva não gosta de ser espionada. Se você se tornar um problema para ela, vamos ter que retomar esta conversa."

"Você está pensando em me transformar num problema?"

"Não. Se ela pegar você não vai ser porque dei com a língua nos dentes. Só não esqueça que Eva passou a vida olhando por cima do ombro e sendo sufocada pela mãe. É a primeira vez na vida que conhece a liberdade. E não quero que tire isso dela."

Clancy estreitou os olhos. "Acho que estamos de acordo."

Fiquei de pé diante da mesa e estendi a mão. "Também acho."

Quando o dia chegou ao fim e terminei de arrumar minha mesa, sentia-me sólido e seguro.

Ali no escritório, no comando das Indústrias Cross, controlava cada detalhe. Não tinha dúvidas, muito menos a meu respeito.

Podia sentir o chão firme sob meus pés. Já colocara em dia todas as reuniões de quarta-feira que tinham sido canceladas sem comprometer as atividades de quinta. Apesar de ter perdido um dia inteiro de trabalho, não estava atrasado no cronograma.

Scott entrou na sala. "Acabei de confirmar sua agenda de amanhã. A sra. Vidal vai encontrar você e a srta. Tramell ao meio-dia no restaurante The Modern."

Merda. Tinha esquecido o almoço com minha mãe.

Olhei para ele de relance. "Obrigado, Scott. Boa noite."

"Boa noite, sr. Cross. Até amanhã."

Relaxando os ombros, caminhei até a janela e contemplei a cidade. A vida era mais fácil antes de Eva. Mais simples. Durante o dia, absorto com o trabalho, sentira falta daquela simplicidade por um momento.

Agora que a noite estava se aproximando e eu tinha tempo para pensar, a perspectiva de uma modificação substancial na casa que passara a enxergar como um refúgio me incomodava mais do que estava disposto a admitir para minha mulher. Essa e as outras pressões pessoais que tínhamos diante de nós me faziam sentir como se estivesse sendo esmagado pelo tamanho das mudanças que eu estava fazendo na minha vida.

Acordar ao lado de Eva como naquela manhã valia qualquer coisa, mas isso não significava que eu não estava tendo dificuldades para me ajustar aos efeitos de sua entrada em minha vida.

"Sr. Cross."

Virei ao ouvir a voz de Scott. Ele estava de pé junto à porta. "Você ainda está aqui."

Ele sorriu. "Estava saindo do elevador quando Cheryl me chamou na recepção. Tem uma Deanna Johnson na portaria pedindo para falar com você. Queria confirmar se deveria dizer que já foi."

Fiquei tentado a dispensá-la. Tinha pouca paciência com jornalistas e menos ainda com ex-amantes. "Pode mandar subir."

"Quer que eu fique mais um pouco?"

"Não, pode ir embora. Obrigado."

Observei Scott sair, e logo depois Deanna entrar. Ela se dirigiu à minha sala com o caminhar confiante de suas pernas compridas e seus sapatos de salto. A saia justa cinza roçava os joelhos, e os longos cabelos escuros balançavam sobre os ombros, emoldurando o zíper que dava à sua blusa tradicional um ar moderno.

Ela me abriu um sorriso eletrizante e estendeu a mão. "Gideon. Obrigada por me receber assim em cima da hora."

Apertei sua mão rapidamente. "Imaginei que não se daria o trabalho de vir aqui em pessoa se não fosse importante."

A frase era tanto uma constatação quanto um alerta. Havíamos chegado a um acordo, mas ele não ia durar muito tempo se ela achasse que podia tirar mais proveito ainda da nossa conexão.

"Já vale só pela vista", ela disse, mantendo os olhos fixos em mim um segundo a mais do que o necessário antes de voltar o olhar para a janela.

"Olha, tenho um compromisso daqui a pouco, então não estou com muito tempo."

"Também estou com pressa." Jogando o cabelo para trás, ela sentou na cadeira mais próxima, então cruzou as pernas de forma a revelar mais das coxas firmes do que eu gostaria de ver. Começou a vasculhar a bolsa imensa.

Tirei o telefone do bolso, conferi que horas eram e liguei para Angus. "Vamos sair daqui a dez minutos", disse a ele assim que atendeu.

"Vou levar o carro."

Desliguei e olhei para Deanna, impaciente para terminar logo com aquilo.

"E Eva? Tudo bem?", ela perguntou.

"Daqui a pouco ela aparece aqui. Você pode perguntar diretamente."

"Ah." Deanna ergueu o olhar para mim, com o cabelo cobrindo um dos olhos. "Melhor eu sair antes. Acho que ela fica pouco à vontade com nossa... história."

"Ela sabe como eu era", respondi, impassível, "e também sabe que não sou mais daquele jeito."

Deanna assentiu. "Claro que sabe, e claro que você não é mais daquele jeito, mas mulher nenhuma gosta de ter o passado do homem esfregado na cara."

"Então melhor você não fazer isso."

Outro alerta.

Ela puxou um pequeno panfleto da bolsa. Ficando de pé, caminhou na minha direção. "Eu não faria isso. Aceitei suas desculpas e valorizo isso."

"Ótimo."

"É com Corinne Giroux que você tem que se preocupar."

Qualquer resquício de paciência que restava em mim desapareceu na mesma hora. "É o marido dela que tem que se preocupar, não eu."

Deanna me passou um envelope. Dentro havia um release.

À medida que lia, comecei a apertar o papel em minhas mãos até amarrotar as laterais.

"Ela fechou um contrato para a publicação de um livro bombástico sobre o relacionamento de vocês." Deanna repetiu o que eu tinha acabado de ler. "Essa informação vai ser divulgada oficialmente para a imprensa na segunda-feira, às nove da manhã."

16

"Outros casais se conhecem, começam a namorar, os amigos enchem o saco um pouco, mas em geral apoiam, e eles curtem a vida a dois por um tempo, só aproveitando a companhia um do outro." Suspirei e olhei de relance para Gideon, que estava sentado ao meu lado no sofá. "Mas a gente não tem descanso."

"Como assim?", o dr. Petersen perguntou, olhando para nós com um interesse genuíno.

A sinceridade da sua expressão me transmitiu esperança. Assim que cheguei ao consultório com Gideon, notei que a dinâmica entre os dois estava diferente. Como se estivessem mais relaxados, tranquilos. Menos cautelosos.

"As únicas pessoas que realmente querem que a gente fique junto são minha mãe, que acha que o que importa é o dinheiro de Gideon, e o padrasto e a irmã dele."

"Não acho que esteja sendo justa com sua mãe", o dr. Petersen disse, recostando-se na cadeira e mantendo os olhos em mim. "Ela quer que você seja feliz."

"Tá, tudo bem, mas para minha mãe felicidade tem muito a ver com estabilidade financeira, o que não entendo. Não é como se ela tivesse passado necessidade na vida, então de onde vem o medo da privação? Enfim..." Dei de ombros. "Só estou irritada com o mundo neste momento. Gideon e eu nos damos muito bem quando estamos sozinhos. Quer dizer, a gente briga às vezes, mas sempre se resolve. E tenho a impressão de que ficamos mais fortes toda vez que isso acontece."

"Por que vocês brigam?"

Dei outra olhada de relance para Gideon. Ele estava perfeitamente à vontade ao meu lado, parecendo lindo e bem-sucedido em seu terno feito sob medida. Eu queria acompanhá-lo um dia quando fosse ao alfaiate. Morria de vontade de presenciar alguém tirar as medidas daquele corpo maravilhoso e escolher o tecido e o corte.

Achava meu marido muito sensual de jeans e camiseta, e era de tirar do sério quando ele colocava um smoking. Mas sempre teria um fraco pelos ternos, que ele preferia. Lembravam-me de como ele estava vestido no dia em que nos conhecemos, lindo e aparentemente inatingível, um homem que tinha desejado com tanta urgência que a necessidade foi maior que meu impulso de autopreservação.

Olhei de volta para o dr. Petersen. "Ainda discutimos sobre as coisas que ele não me conta. E quando ele tenta me afastar."

O terapeuta voltou a atenção para Gideon. "Você sente necessidade de manter distância de Eva?"

Ele abriu um sorriso irônico. "Não existe distância entre nós, doutor. Eva quer que eu despeje todas as minhas irritações nela, e eu não vou fazer isso. Nunca. Já basta que um de nós se incomode com isso."

Estreitei os olhos. "Pois eu discordo. Parte desse negócio de relacionamento é dividir a carga. Talvez eu não possa resolver o problema, mas posso ouvir. E acho que você não me conta as coisas porque prefere enxotar tudo pra um canto e ignorar."

"As pessoas processam informação de forma diferente, Eva."

Eu não ia engolir aquela resposta esquiva. "Você não está processando, está ignorando. E nunca vou concordar que me afaste quando está sofrendo."

"Como ele afasta você?", o dr. Petersen perguntou.

Olhei para o terapeuta. "Ele... se distancia. Vai para algum lugar em que possa ficar sozinho. Não me deixa ajudar."

"Como assim 'algum lugar'? Você se distancia emocionalmente, Gideon? Ou fisicamente?"

"Os dois", respondi. "Ele se fecha emocionalmente e vai embora fisicamente."

Gideon segurou minha mão. "Não consigo desligar quando estou com você. Esse é o problema."

"Isso não é um problema!" Balancei a cabeça. "Ele não precisa de espaço", disse para o dr. Petersen. "Precisa de mim, mas me afasta porque fica com medo de me machucar."

"E como você a machucaria, Gideon?"

Ele expirou pesadamente. "Eva desperta certas coisas em mim. Tenho isso em mente o tempo todo. Sou cuidadoso. Mas, se não estiver pensando direito, posso passar dos limites."

Dr. Petersen nos avaliou. "Com que limites você está preocupado?"

Gideon apertou minha mão com mais força, o único sinal visível de que não estava à vontade. "Tem horas em que preciso demais dela. E posso ser meio bruto... exigir demais. Nem sempre tenho o controle necessário."

"Você está falando da questão sexual?" Gideon fez que sim, e o terapeuta assentiu em resposta. "Tocamos rapidamente neste assunto. Vocês disseram que fazem sexo todo dia, várias vezes. Isso continua?"

Senti o rosto arder de vergonha.

Gideon acariciou as costas da minha mão com o polegar. "Sim."

O dr. Petersen baixou o tablet. "Você tem razão de se preocupar, Gideon. Talvez esteja usando o sexo para manter Eva a uma distância emocional. Quando estão fazendo amor, ela não está falando, e você não está respondendo. Em determinado momento, você não está nem pensando, seu corpo assume o comando, e seu cérebro vai na onda da endorfina. Por outro lado, pessoas com um histórico de abuso sexual, como Eva, podem usar o sexo como uma forma de estabelecer uma conexão emocional. Está vendo o problema aqui? Você pode estar tentando criar uma distância a partir do sexo, enquanto Eva está tentando se aproximar."

"Já falei, não existe distância." Gideon se aproximou, colocando minha mão em seu colo. "Não com Eva."

"Então me diga: quando você está com uma dificuldade emocional e inicia uma relação sexual com Eva, o que está buscando?"

Olhei de lado para Gideon, totalmente entregue à sua resposta. Nunca tinha me perguntado *por que* ele precisava estar dentro de mim, apenas *como*. Para mim, era simples: ele precisava e eu oferecia.

Seus olhos encontraram os meus. O escudo havia desaparecido, aquela máscara que ele sempre usava. E eu vi seu anseio, seu amor.

"A conexão", ele respondeu. "Tem um momento. Ela se abre e eu... eu me abro, e ficamos os dois ali. Juntos. Preciso disso."

"E você precisa da brutalidade?"

Gideon continuou me olhando. "Às vezes. Tem horas em que ela se segura. Mas consigo fazer com que me acompanhe. Eva quer que eu a ajude nesse sentido, precisa disso tanto quanto eu. Tenho que forçar. Com cuidado. Com controle. Quando perco o controle, preciso me distanciar."

"E como você a força?", o dr. Petersen perguntou baixinho.

"Tenho meus métodos."

O terapeuta voltou a atenção para mim. "Alguma vez ele foi longe demais?"

Fiz que não com a cabeça.

"E você se preocupa que algum dia isso possa acontecer?"

"Não."

Ele tinha uma expressão amável, mas as sobrancelhas franzidas. "Pois deveria, Eva. Vocês dois deveriam."

Eu estava na cozinha, fazendo curry de frango com legumes, quando ouvi a porta da frente abrir. Curiosa, esperei para ver quem era, torcendo para que Cary estivesse sozinho.

“Que cheiro bom”, ele disse, aproximando-se da bancada para me observar. Usando uma camiseta branca de gola V grande demais para ele e uma bermuda cáqui, ele tinha um ar descontraído. Trazia os óculos escuros na gola da camiseta e usava pulseiras de couro para esconder os cortes que eu tinha visto na noite anterior. “Tem pra mim?”

“Está sozinho?”

Ele abriu um sorriso atrevido, mas reparei na tensão em sua boca. “Só euzinho.”

“Então tem, *se* você servir o vinho.”

“Combinado.”

Cary se juntou a mim na cozinha e deu uma olhada na panela. “Tinto ou branco?”

“É frango.”

“Branco, então. Cadê o Cross?”

Observei enquanto ele caminhava até a adega. “Malhando. Como foi o dia?”

Cary deu de ombros. “A mesma merda.”

“Cary.” Baixei o fogo e me virei para ele. “Não faz muito tempo você estava todo bobo de estar aqui em Nova York, trabalhando. Agora está tão... infeliz.”

Tirando uma garrafa da adega, ele deu de ombros de novo. “É isso que mereço por vacilar.”

“Desculpa não ter sido mais presente.”

Ele me olhou de relance enquanto pegava o abridor. “Mas...”

Fiz que não com a cabeça. “Sem mas. Desculpa. Eu poderia dizer que, como sempre tinha alguém passando a noite com você em casa, achei que era por isso que a gente não conseguia conversar, mas não é desculpa para não ter ajudado quando sabia que estava passando por dificuldades.”

Cary suspirou, assentindo. “Não foi justo despejar tudo em você ontem à noite. Sei que Cross já tem problemas o bastante, e que você precisa lidar com isso agora.”

“O que não significa que não esteja aqui para você.” Pousei uma das mãos no ombro dele. “Qualquer hora em que precisar de mim, é só dizer que estarei lá.”

Cary virou de repente e meu deu um abraço apertado, de tirar o fôlego. O restante ficou a cargo do sentimento de compaixão, que apertava meu coração.

Abracei-o de volta, acariciando sua cabeça com uma das mãos. Seu cabelo castanho-escuro era macio como seda, e os ombros eram duros feito pedra. Tinham que ser, para aguentar o peso do estresse que vinha carregando. A culpa me fez apertá-lo ainda mais forte.

"Puta merda", ele murmurou. "Fodi com tudo de vez."

"O que aconteceu?"

Cary me soltou, então se virou para abrir a garrafa. "Não entendo nada de hormônios ou sei lá o quê, mas Tati está uma fera esses dias. Nada é bom o bastante. Não fica satisfeita com coisa nenhuma, principalmente com a gravidez. O que vai ser desse pobre menino com um pai como eu e uma mãe que é uma diva que só pensa em si mesma e o odeia?"

"Pode ser menina", eu disse, passando as taças de vinho que pegara no armário.

"Nem me fale. Já estou em pânico sem pensar nisso." Ele serviu duas taças cheias, passou uma para mim e deu um longo gole na sua. "Me sinto um babaca de falar assim da mãe do meu filho, mas é verdade. É a mais pura verdade."

"Tenho certeza de que são só os hormônios. Daqui a pouco ela vai assimilar a ideia e vai ficar feliz." Dei um gole, torcendo por dentro para que aquilo realmente acontecesse. "Já contou pro Trey?"

Cary fez que não. "É a única coisa de bom rolando. Se perder aquele cara, acho que piro de vez."

"Ele já aguentou tanta coisa por você."

"E eu tento retribuir, Eva. Todo dia. Nunca me dediquei tanto. E não estou falando de sexo."

"Não achei que estivesse." Peguei duas tigelas no armário e duas colheres. "O que acho é que você é um cara maravilhoso e que qualquer pessoa teria muita sorte de ficar com você. Tenho certeza de que Trey acha a mesma coisa."

"Nem vem. Por favor." Cary me encarou. "Estou tentando ser razoável aqui. Não preciso de você puxando meu saco."

"Não estou puxando o saco de ninguém. Posso não ter sido muito profunda, mas é verdade." Parei na frente da panela de arroz. "Gideon esconde de mim o que está acontecendo o tempo todo. Diz que está tentando me proteger, mas só está protegendo a si mesmo."

Foi preciso que eu dissesse aquelas palavras em voz alta para realmente assimilá-las.

"Ele está com medo, acha que quanto mais me contar mais motivos vou ter para ir embora. Mas é exatamente o contrário, Cary. Quanto mais ele esconde mais eu sinto como se não confiasse em mim, e isso magoa. Você e Trey estão juntos há tanto tempo quanto eu e Gideon." Toquei seu braço. "Você tem que contar pra ele. Se descobrir do bebê por outra pessoa — e ele vai acabar descobrindo — talvez nunca perdoe você."

Cary murchou em cima da bancada, parecendo de repente mais velho e mais cansado. “Fico repetindo que com um pouquinho mais de tempo posso resolver as coisas com Trey.”

“Esperar não vai ajudar”, eu disse com carinho, enquanto servia o arroz nas duas tigelas. “Você está enrolando.”

“E o que mais eu tenho?” Sua voz tornou-se ríspida pela raiva. “Não pego mais ninguém. Um padre come mais gente que eu.”

Fiz uma careta, sabendo que Cary era um exemplo perfeito do que o dr. Petersen tinha dito. Quando transava, ele desligava o cérebro e deixava seu corpo fazer com que se sentisse bem, ao menos por um tempo. Não tinha que pensar além do sensorial. Era um mecanismo de sobrevivência que havia aperfeiçoado quando era a pessoa que estava sendo comida, muito antes de ter idade suficiente para querer.

“Você tem a mim”, rebati.

“Eu te amo, gata, mas nem sempre você é o que eu preciso.”

“Cortar o braço e sair comendo todo mundo que aceitar não é o que você precisa também. Sem dúvida não está ajudando você a se sentir melhor.”

“Alguma coisa tem que ajudar.”

Servi o curry sobre o arroz e passei uma das tigelas com uma colher para ele. “Cuidar de si mesmo vai ajudar. Acreditar nas pessoas que ama também. Ser honesto consigo mesmo e com elas. Parece simples, mas nós dois sabemos que não é. Ainda assim, Cary, é o único jeito.”

Ele abriu um sorriso rápido e triste e pegou a tigela. “Estou com medo.”

“Isso aí”, respondi baixinho, sorrindo de volta pra ele. “Isso é ser honesto. Você quer que eu esteja junto quando contar para Trey?”

“Quero. Me sinto um covarde por não fazer isso sozinho, mas quero.”

“Então vou com você.”

Cary me abraçou pelas costas, descansando a bochecha no meu ombro. “Você faz tudo por mim. Te amo por isso.”

Levando a mão até sua cabeça, corri os dedos por entre seu cabelo. “Também te amo.”

Acordei com o edredom sendo erguido, e então o colchão cedeu com o peso de um homem deitando ao meu lado.

“Gideon.”

De olhos fechados, rolei para junto dele. Inspirando fundo, senti o cheiro da sua pele. Minhas mãos tocaram seu corpo forte e frio, deslizando sobre os músculos e puxando-o para junto de mim.

Ele me beijou profundamente e com urgência. O impacto da sede que sentia me acordou de vez; a gula com que me tocava fez meu coração disparar. Gideon subiu em cima de mim, então desceu pelo meu corpo, acariciando meus mamilos com a língua, minha barriga, minha boceta.

Arfei e arqueei o corpo. Ele chupava meu clitóris com uma dedicação exigente, enlouquecendo-me, as mãos mantendo meu quadril firme no lugar enquanto eu me contorcia sob o ataque de sua língua.

Gozei forte, gritando. Ele limpou a boca na parte interna da minha coxa e voltou para junto de mim, apenas uma sombra sedutora na escuridão da noite. Montou em mim e me penetrou com força.

Além dos meus gemidos, ouvi sua voz rosnando meu nome como se o prazer de me possuir fosse forte demais para suportar. Eu o segurei pela cintura; ele se agarrou aos lençóis. Gideon girava e movia o quadril, enfiando incansavelmente aquele pênis magnífico fundo dentro de mim.

Quando acordei de novo, o sol já tinha nascido e o lugar ao meu lado na cama estava frio e vazio.

17

Na manhã seguinte, eu estava fazendo café para Eva quando meu celular começou a tocar. Deixei o leite sobre a bancada e fui até o banco onde havia pendurado o paletó.

Peguei o telefone do bolso e, preparando-me para o pior, atendi. "Bom dia, mãe."

"Gideon. Desculpa cancelar assim em cima da hora", ela disse com a voz trêmula, "mas hoje não vou poder almoçar com vocês."

Voltei para o café, sabendo que ia precisar dele para aguentar o longo dia que teria pela frente. "Tudo bem."

"Tenho certeza de que está aliviado", ela disse, amargurada.

Dei um gole no café, desejando que fosse algo mais forte, embora não passassem das oito. "Não começa. Se não quisesse almoçar com você, eu mesmo teria cancelado."

Ela ficou em silêncio por um instante, então acrescentou: "Você tem visto Chris?".

Dei outro gole e olhei para o corredor, esperando por Eva. "Encontrei com ele na terça."

"Faz tanto tempo assim?" Havia um tom de medo na voz dela. Não senti prazer naquilo.

Eva entrou descalça na sala, usando um vestido justo bege que lhe dava uma aparência profissional ao mesmo tempo que exibia todas as suas curvas. Eu tinha escolhido o vestido para ela, sabendo que a cor ia realçar o tom da sua pele e dos seus cabelos.

O prazer daquela visão percorreu minhas veias como o álcool que gostaria de estar tomando. Esse era o efeito que ela tinha em mim: intoxicante e cativante.

"Tenho que ir", eu disse. "Ligo mais tarde."

"Você nunca liga."

Coloquei a caneca na bancada para pegar a de Eva. "Eu não diria isso se não tivesse intenção de ligar."

Encerrei a ligação, coloquei o telefone no bolso do paletó e entreguei o café para minha esposa. "Você está linda", murmurei, aproximando-me para beijar seu rosto.

"Para um homem que diz não entender as mulheres você sabe como vestir uma", ela disse, olhando-me por cima da caneca enquanto dava um gole.

Eva deixou escapar um gemido de prazer ao engolir o café, um som muito parecido com o que fazia quando eu colocava o pau dentro dela. Eu já havia aprendido que café era um de seus vícios.

"Eu erro, mas acabo aprendendo." Reclinei-me contra a bancada e a puxei para junto de mim. Será que dera falta de um vestido Vera Wang no armário? Eu o havia retirado de lá depois de perceber que deixava seus seios deliciosos expostos.

Ela segurou a caneca. "Obrigada pelo café."

"Não tem de quê." Acariciei seu rosto com a ponta dos dedos. "Preciso conversar com você sobre uma coisa."

"O que foi, garotão?"

"Você ainda recebe os alertas do Google sobre mim?"

Ela baixou os olhos para seu café. "Este é o momento em que eu recorro ao direito de ficar calada?"

"Não precisa." Esperei até ela erguer os olhos para mim e continuei: "Corinne está escrevendo um livro sobre a gente".

"*O quê?*" Seus olhos foram de cinza-claro a ardósia.

Segurei-a pela nuca e acariciei seu pulso acelerado com o polegar. "Pelo release, ela mantinha um diário naquela época. Também pretende divulgar fotos pessoais."

"Por quê? Por que Corinne exporia essas coisas a qualquer um?"

A mão segurando o café tremeu, então peguei a caneca e coloquei na bancada. "Acho que nem ela sabe."

"Você pode impedir?"

"Não. Apenas se mentir sobre alguma coisa que eu possa provar."

"Mas isso só aconteceria depois que o livro tivesse sido publicado." Ela levou as mãos ao meu peito. "Corinne sabe que você vai ter que ler tudo. Que vai ter que ver as fotos e ler sobre o quanto ela te ama. Você vai ler sobre coisas que fez e nem lembra mais."

"Não tem importância." Beijei sua testa. "Nunca amei Corinne, não do jeito que te amo. Relembrar aquele tempo não vai me fazer querer ficar com ela em vez de com você."

"Ela não exigia tanto de você", Eva suspirou. "Não como eu."

Respondi com os lábios junto à pele dela, desejando poder imprimir aquelas palavras na cabeça da minha mulher de um jeito que ela não pudesse mais duvidar. "Corinne não me fazia arder de desejo. Não me deixava sedento, cheio de esperanças e sonhos, como você. Não tem comparação, meu anjo, e não tem mais volta. Nunca vou querer Corinne."

Eva fechou seus lindos olhos e se aninhou em mim. “A gente leva uma porrada atrás da outra, né?”

Olhei por cima da cabeça dela para a janela e o mundo que esperava por nós lá fora. “Pois que venha mais.”

Ela expirou profundamente. “Que venha mais.”

Vi Arnoldo assim que entrei no Tableu One. Ele estava de pé junto a uma mesa para dois no fundo do restaurante, usava uma camisa branca de cozinheiro impecável e calça preta e falava com uma mulher que eu não podia ver direito.

Ela voltou o rosto na minha direção quando me aproximei. Seu cabelo escuro comprido deslizou sobre os ombros, e seus olhos azuis se iluminaram por um instante, mas o brilho se extinguiu imediatamente. O sorriso com que me cumprimentou foi frio e mais do que convencido.

“Corinne.” Cumprimentei-a com um aceno de cabeça antes de apertar a mão de Arnoldo. O restaurante que ele tocava com meu apoio estava cheio para o almoço, e o burburinho das inúmeras conversas era alto o suficiente para abafar o som da música italiana que vinha dos alto-falantes embutidos no teto.

Arnoldo pediu licença para voltar à cozinha, levando a mão de Corinne aos lábios para um beijo de despedida. Antes de nos deixar, lançou-me um olhar com o qual indicava que precisávamos conversar mais tarde.

Sentei diante de Corinne. “Obrigado por tirar um tempo para encontrar comigo.”

“Seu convite foi uma surpresa agradável.”

“Mas não inesperada, imagino.” Recostei-me na cadeira, absorvendo a cadência suave da fala dela. Enquanto a voz rouca de Eva me despertava um desejo profundo, a de Corinne me acalmava.

Ela abriu um sorriso e limpou uma poeirinha invisível no decote acentuado do vestido vermelho. “Não, eu diria que não.”

Irritado com aquele joguinho, fui direto ao ponto. “O que está fazendo? Você valoriza a privacidade tanto quanto eu.”

Corinne estreitou os lábios numa linha firme. “Foi o que pensei quando vi pela primeira vez aquele vídeo de vocês dois discutindo no parque. Você diz que não te conheço, mas conheço muito bem, e ter a vida exposta nos tabloides é algo que jamais admitiria em circunstâncias normais.”

“E o que é normal?”, rebati, incapaz de negar que eu era diferente com Eva. Nunca cedi a mulheres que me testassem esperando um gesto grandioso em troca. Se me seguissem com agressividade suficiente, permitia uma noite comigo. Com Eva, era eu quem corria atrás.

"Esse é justamente o ponto... Você não lembra mais. Porque está envolvido num caso passional e não consegue enxergar nada além dele."

"Não existe nada além dele, Corinne. Vou ficar com Eva até morrer."

Ela suspirou. "Você acha isso agora, mas relações tempestuosas não duram, Gideon. Queimam até virar cinzas. Você gosta de ordem, de calma, e não vai ter isso com Eva. Nunca. No fundo, uma parte de você sabe disso."

Aquelas palavras me atingiram. De alguma forma, ela ecoara meus próprios pensamentos.

Um garçom se aproximou da mesa. Corinne pediu uma salada; eu pedi um drinque — duplo.

"Então está escrevendo um livro sobre a gente... pra quê?", perguntei assim que o garçom saiu. "Pra se vingar de mim? Magoar Eva?"

"Não. Só quero que você lembre."

"Não é assim que vai conseguir isso."

"E como vou?"

Sustentei o olhar dela. "Acabou, Corinne. Expor suas memórias não vai mudar nada."

"Talvez não", ela admitiu, parecendo tão triste que senti uma pontada de arrependimento por ter sido duro. "Mas você disse que nunca me amou. O mínimo que posso fazer é provar o contrário. Eu te dei conforto. Satisfação. Você foi feliz comigo. Não vejo essa tranquilidade quando está com ela. Você não pode me dizer que se sente da mesma forma."

"Tudo o que está falando me faz acreditar que nem liga se eu ficar com você ou não. Mas você está se separando de Giroux, e talvez ligue para dinheiro. Quanto pagaram pra você vender seu 'amor' por mim?"

Ela ergueu o queixo num desafio. "Não é por isso que estou escrevendo o livro."

"Você só quer ter certeza de que não vou ficar com Eva."

"Só quero que você seja feliz, Gideon. E, desde que conheceu essa mulher, você não parece nada feliz."

Como Eva reagiria quando lesse o livro? Não muito melhor do que eu estava reagindo a "Golden".

Os olhos de Corinne repousaram em minha mão esquerda, que descansava sobre a mesa. "Você deu a aliança da sua mãe para Eva."

"Há muito tempo que não é mais dela."

Corinne deu um gole na taça de vinho que estava na mesa antes de eu chegar. "Você já tinha a aliança quando estava comigo?"

"Já."

Ela estremeceu.

"Pode tentar convencer a si mesma de que Eva e eu somos incompatíveis," disse firme, "e que só brigamos ou transamos e não temos nada mais substancial. Mas a verdade é que ela é minha outra metade e o que você está fazendo vai magoá-la. Se cancelar o livro, posso cobrir o valor do contrato com a editora."

Ela me olhou por um longo tempo. "Não... não posso, Gideon."

"Por quê?"

"Está me pedindo para desistir de você. Esse é meu jeito de não fazer isso."

Eu me aproximei dela sobre a mesa. "Se sente alguma coisa por mim, Corinne, por favor, não publique este livro."

"Gideon..."

"Se fizer isso, vai transformar as boas lembranças que eu tinha em algo que odeio."

Seus olhos azuis encheram-se de água. "Sinto muito."

Afastei a cadeira da mesa e me levantei. "Vai sentir mesmo."

Dando as costas para ela, saí do restaurante e fui até o Bentley que esperava por mim. Angus abriu a porta, com o olhar fixo além de mim, na janela ampla do Tableau One.

"Merda." Sentei no banco traseiro. "Puta que pariu!"

As pessoas que se sentiam injustiçadas por mim de alguma forma estavam surgindo das trevas feito aranhas, atraídas pela presença de Eva na minha vida.

Ela era minha maior vulnerabilidade, uma que eu não era capaz de ocultar muito bem. E isso estava começando a se tornar um problema que eu precisava resolver. Christopher, Anne, Landon, Corinne... eram apenas o começo. Havia mais gente que não gostava de mim. E mais gente ainda que guardava rancor do meu pai.

Antigamente eu provocava essas pessoas, divertindo-me com o desafio. Agora, os filhos da mãe estavam tentando me atingir através da minha esposa. E todos de uma vez. Aquilo estava me esgotando. Se eu não fechasse a guarda de vez, se não me concentrasse completamente, ia deixar Eva desprotegida.

E tinha que evitar isso a todo custo.

"Ainda quero ver você hoje", Eva disse, a voz sedutora emanando do telefone feito fumaça.

"Isto não está em questão", respondi, recostando-me na cadeira. Pela janela, podia ver o sol baixo no horizonte. O dia estava chegando ao fim. Em algum ponto no meio daquela semana turbulenta, agosto dera lugar a setembro. "Você lida com Cary, eu vou encontrar Arnoldo, e nosso fim de semana vai começar em seguida."

"Nossa, a semana passou voando. Preciso malhar. Faltei a aulas demais."

"Você pode lutar comigo amanhã."

Ela riu. "Ah, é, tá bom."

"Estou falando sério." Pensei em Eva usando roupas de ginástica, e meu pau reagiu na mesma hora.

"Não posso lutar com você!", ela protestou.

"Claro que pode."

"Você treina há muito tempo. É bom demais."

"Vamos testar esse seu curso de defesa pessoal, meu anjo." Uma ideia que surgira do nada agora parecia a melhor que eu tivera o dia inteiro. "Quero saber se é capaz de se virar sozinha, caso precise."

Ela jamais precisaria, mas eu ficaria mais tranquilo de saber que podia se esquivar de uma ameaça.

"Tenho coisas do casamento amanhã, mas vou pensar", Eva disse. "Espera aí."

Ouvi a porta do carro abrir e Eva cumprimentar o porteiro. Ela deu oi para a recepcionista, depois escutei a campainha do elevador, que chegava ao saguão do prédio.

"Sabe", ela suspirou, "estou mantendo a pose na frente de Cary, mas no fundo estou preocupada com o que vai acontecer com Trey. Se ele acabar tudo, acho que Cary vai surtar."

"Ele está pedindo demais", avisei, ouvindo de novo a campainha do elevador. "Cary está basicamente dizendo que tem outra pessoa e ela está grávida. Quer dizer, ele está dizendo que Trey vai ser a outra pessoa. Não vejo como alguém poderia receber bem isso."

"Eu sei."

"Estou com o celular. Liga se precisar de mim para alguma coisa."

"Sempre preciso de você. Acabei de entrar em casa. Vejo você daqui a pouco. Te amo."

Será que aquelas palavras iam sempre me deixar sem fôlego?

Assim que desligamos, notei uma figura familiar contornar o corredor na direção da minha sala. Quando Mark Garrity chegou à porta aberta, levantei e caminhei em sua direção com a mão estendida.

"Mark, obrigado por reservar um tempo para falar comigo."

Ele sorriu e apertou minha mão com firmeza. "Eu que agradeço, sr. Cross. Tem muita gente nesta cidade — no mundo, na verdade — que faria qualquer coisa para estar aqui neste momento."

"Me chama de Gideon, por favor." Apontei para o sofá. "Como vai Steven?"

"Está ótimo, obrigado. Estou começando a achar que ele devia trabalhar como cerimonialista."

Sorri. "Eva vai começar os preparativos neste fim de semana."

Abrindo o paletó, Mark puxou um pouco a calça e sentou no sofá. O terno cinzento combinava com a pele escura e a gravata listrada, criando uma aparência de profissional urbano em ascensão.

"Se Eva se divertir metade do que Steven está se divertindo, vão ser os melhores dias da vida dela."

"Então vou torcer para que não se divirta tanto", falei devagar, permanecendo de pé. "Queria que esses preparativos acabassem de vez para o casamento chegar logo."

Mark riu.

"Quer beber alguma coisa?", perguntei.

"Não, estou bem, obrigado."

"Certo. Então vou direto ao assunto." Sentei-me. "Pedi para passar aqui depois do trabalho porque não seria adequado fazer uma proposta de trabalho no meio do expediente da Waters Field & Leaman."

Ele ergueu as sobrancelhas.

Deixei que absorvesse a informação por um segundo ou dois e então acrescentei: "As Indústrias Cross têm várias empresas internacionais, com foco em propriedades, entretenimento e marcas, ou seja, bens que acreditamos conferir status".

"Como a vodca Kingsman."

"Exatamente. Em geral, a parte de publicidade e marketing é gerenciada pelo pessoal operacional, mas renovações de marca e ajustes de estratégia são aprovados aqui. Por causa dessa diversidade de que falei, estamos sempre projetando estratégias para fortalecer uma marca ou fazer um rebranding. Acho que você seria muito útil nesse sentido."

"Uau." Mark esfregou a palma das mãos nos joelhos. "Não sei bem o que estava esperando dessa reunião, mas você me pegou de surpresa."

"Pago o dobro do seu salário atual, para começar."

"É uma proposta e tanto."

"Não gosto de ouvir *não*."

Ele abriu um sorriso. "Duvido que ouça essa palavra com frequência. Então imagino que Eva esteja saindo da Waters Field & Leaman?"

"Ela ainda não decidiu."

"Não?" Mark ergueu as sobrancelhas novamente. "Se eu deixar a empresa, ela perde o emprego."

"E ganha outro aqui, claro." Mantive minhas respostas tão curtas e enigmáticas quanto possível. Queria que ele cooperasse e não ficasse fazendo perguntas de cuja resposta talvez não gostasse.

"Ela está me esperando para tomar uma decisão?"

"Sua escolha vai ser um catalisador."

Mark alisou a gravata. "Estou lisonjeado e animado, mas..."

"Sei que não era uma mudança que estava planejando agora", interrompi sutilmente. "Está feliz no cargo atual e estável. Por isso estou disposto a garantir seu emprego pelos próximos três anos, exceto em situações de justa causa. E você vai receber bônus consideráveis e aumentos anuais."

Inclinei-me para alcançar o envelope que Scott havia deixado na mesa e o entreguei a Mark. "Você vai encontrar todos os detalhes aqui. Leva para casa, conversa com Steven e me responde na segunda."

"Na segunda?"

Fiquei de pé. "Imagino que queira comunicar a Waters Field & Leaman com bastante antecedência e não tenho problema nenhum com isso, mas preciso do seu comprometimento o quanto antes."

Ele pegou o papel e se levantou. "E se eu tiver alguma dúvida?"

"Pode me ligar. Coloquei meu cartão dentro do envelope." Conferi a hora no relógio. "Desculpa. Tenho outra reunião."

"Ah, sim, claro." Mark apertou minha mão. "Desculpa. Ainda não consegui processar direito. Mas entendo que se trata de uma grande oportunidade e fico muito grato."

"Você é bom no que faz", respondi, com sinceridade. "Não teria feito essa proposta se não fosse. Pensa com calma, depois me diz que aceita."

Ele riu. "Vou pensar direitinho, e a gente se fala na segunda."

Assim que Mark saiu, voltei o olhar para o prédio que abrigava os escritórios da LanCorp. Daquela vez, Landon não ia me pegar desprevenido.

"Ela começou a chorar no instante em que você foi embora."

Fitei Arnoldo por cima do copo com dois dedos de uísque. Dei um gole, então perguntei: "Você quer que eu me sinta culpado?".

"Não. Nem quero que tenha pena dela. Mas achei que deveria saber que Corinne não é uma pessoa sem coração."

"Nunca achei que fosse. Só pensei que tivesse entregado o coração ao marido."

Arnoldo deu de ombros. Com uma calça jeans desbotada e uma camisa social branca para dentro da calça, aberta no colarinho e com as mangas arregaçadas, ele estava chamando a atenção de várias mulheres.

O bar estava cheio, mas a área VIP no mezanino era bem vigiada pelos seguranças, que mantinham outros fregueses à distância. Arnoldo estava no mesmo sofá em formato de meia-lua em que Cary sentara na primeira vez em que encontrei Eva fora do Crossfire. O lugar estaria para sempre carregado de memórias dela. Naquela noite eu tinha percebido que ela ia mudar tudo.

"Você parece cansado", Arnoldo disse.

"Foi uma semana daquelas." Percebi o olhar que ele me lançava. "Não, não é nada com Eva."

"Quer conversar?"

"Na verdade, não tenho nada pra falar. Devia ter sido mais inteligente. Deixei o mundo inteiro ver o quanto ela significa para mim."

"Beijos apaixonados na rua, brigas ainda mais apaixonadas no parque." Ele riu, piedoso.

"Abri a porta pra ela, e agora todo mundo quer entrar. Eva é o jeito mais fácil de me atingir, e todo mundo sabe disso."

"Inclusive Brett Kline?"

"Ele não é mais uma questão."

Arnoldo me avaliou por um instante e deve ter encontrado o que esperava, porque em seguida assentiu. "Que bom, cara."

"É, também acho." Dei outro gole. "E você? O que conta de novo?"

Ele dispensou a pergunta com um aceno descuidado, correndo os olhos pelas mulheres que dançavam ali perto ao som de uma música da Lana Del Rey. "O restaurante está indo bem, como você sabe."

"É, fico muito feliz. Ultrapassou todas as projeções."

"Esta semana, fizemos umas chamadas para a nova temporada. Quando as propagandas estiverem no Food Network e os episódios novos começarem, acho que vai dar uma animada nos negócios."

"Sempre vou poder dizer que era seu amigo antes de você ficar famoso."

Ele riu e brindou comigo quando ergui meu copo.

As coisas tinham voltado ao normal entre nós, o que apaziguava um pouco a inquietação que eu vinha sentindo. Não precisava tanto do apoio de Arnoldo quanto Eva precisava dos amigos, ou Cary precisava dela, mas ele era importante para mim. Não era próximo de muitas pessoas. Reencontrar o ritmo que havíamos perdido era uma grande vitória numa semana que parecia uma batalha perdida.

18

"Minha nossa", murmurei, enquanto mastigava um cupcake de chocolate com caramelo. "É divino."

Kristin, a cerimonialista, abriu um sorriso. "É um dos meus preferidos também. Mas espera só até provar o de baunilha. É muito melhor."

"Baunilha melhor que chocolate?" Corri os olhos pelas guloseimas na mesinha de centro. "Impossível."

"Eu também achava", Kristin disse, fazendo uma anotação, "mas essa confeitaria me fez mudar de ideia. O de limão também é muito bom."

A luz do início de tarde entrava pelo janelão da sala de estar da minha mãe, iluminando seus cachos dourados e sua pele de porcelana. Ela tinha redecorado a casa fazia pouco tempo, optando por um tom azul acinzentado mais claro para as paredes que dava uma energia totalmente nova ao lugar — e combinava com ela.

Esse era um dos seus talentos: exibir-se sempre sob a melhor luz. E na minha opinião era também um dos seus maiores defeitos. Ela se preocupava demais com a aparência.

Eu não entendia como minha mãe não ficava entediada redecorando tudo de acordo com a última moda, mesmo que levasse um ano para terminar todos os cômodos e o corredor da cobertura de quase seiscentos metros quadrados dos Stanton.

Meu único encontro com Blaire Ash dizia que o gene da decoração tinha pulado uma geração. As ideias dele me interessavam, mas eu não conseguia me empolgar com os detalhes.

Enquanto levava mais um cupcake à boca, minha mãe graciosamente espetava com um garfo aquela miniatura de bolo.

"Quais suas preferências para arranjos?", Kristin perguntou, cruzando e descruzando as longas pernas cor de café. Os sapatos de salto Jimmy Choo eram ao mesmo tempo elegantes e sensuais; o vestido Diane von Furstenberg era vintage e clássico. O cabelo preto, cortado na altura dos ombros, caía em cachinhos pequenos, emoldurando e complementando seu rosto, e os lábios carnudos eram realçados pelo brilho labial rosa-claro.

A cerimonialista parecia feroz e deslumbrante, e gostei dela de cara.

"Vermelho", respondi, limpando um pouquinho de cobertura do canto da boca. "Tem que ter vermelho."

"Vermelho?" Minha mãe negou enfaticamente com a cabeça. "Que espalhafatoso, Eva. É seu primeiro casamento. Vá de branco, creme e dourado."

Encarei minha mãe. "Quantos casamentos você acha que vou ter?"

"Não foi o que eu quis dizer. Mas você é uma noiva de primeira viagem."

"Não estou falando de usar um vestido vermelho", argumentei. "Vai ser a cor da decoração."

"Não vai funcionar, meu amor. Tenho bastante experiência organizando casamentos."

Eu me lembrei de minha mãe organizando os casamentos dela, cada um mais elaborado e memorável que o anterior. Sem exageros e com muito bom gosto. Casamentos lindos para uma noiva jovem e bonita. Esperava envelhecer com metade da graciosidade dela, porque Gideon só ia ficar mais bonito com o tempo. Ele era esse tipo de homem.

"Vou mostrar o que a gente pode fazer com vermelho, Monica", Kristin disse, tirando da bolsa um portfólio de couro. "É uma ótima cor, e funciona muito bem à noite. O mais importante é que tanto a cerimônia quanto a festa representem os noivos. E, para ser um dia inesquecível, é crucial transmitir o estilo deles, a história e as ambições dos dois."

Minha mãe pegou o imenso portfólio e passou os olhos pela colagem de fotos. "Eva... você não pode estar falando sério."

Lancei um olhar agradecido na direção de Kristin por ter me apoiado, principalmente porque ela estava imaginando que minha mãe ia pagar a conta. É claro que o fato de eu estar casando com Gideon Cross talvez fosse suficiente para trazê-la para meu lado. Incluí-lo em seu catálogo certamente ajudaria a atrair clientes.

"Tenho certeza de que dá pra chegar a um meio-termo, mãe." Pelo menos eu torcia para que desse. Ainda não tinha soltado a maior bomba.

"Vocês têm uma ideia de orçamento?", Kristin perguntou.

Pronto...

Vi minha mãe abrir a boca em câmera lenta, e meu coração disparou num princípio de pânico. "Cinquenta mil para a cerimônia", falei sem pensar. "Sem o vestido."

As duas viraram o rosto para me encarar.

Minha mãe soltou uma risada descrente, levando a mão ao pingente do colar da Cartier, acomodado entre seus seios. "Meu Deus, Eva. Que hora pra fazer piada!"

"Papai vai pagar pelo casamento, mãe", eu disse, endurecendo a voz agora que o momento que eu mais temia havia passado.

Ela piscou para mim, os olhos azuis revelando-se mais gentis, mesmo que só por um instante. "Só o vestido vai custar mais do que isso. As flores, o aluguel do salão..."

"A gente vai casar na praia", acrescentei, tendo a ideia naquele exato momento. "Na Carolina do Norte. Na casa em que Gideon e eu acabamos de comprar. Só vamos precisar de flores para os buquês."

"Você não está entendendo." Minha mãe olhou para Kristin como quem pedia ajuda. "Não tem como dar certo. É totalmente fora de controle."

Fora do controle *dela*, minha mãe queria dizer.

"Clima imprevisível", ela continuou, "areia pra todo lado... Além do mais, exigir que as pessoas viagem para tão longe... com certeza vai ter alguém que não vai poder ir. E onde as pessoas vão ficar?"

"Quem são essas pessoas todas de que você está falando? Eu já disse, a cerimônia vai ser pequena, só a família e alguns amigos. Gideon vai cuidar do transporte. E tenho certeza de que pode cuidar da acomodação também."

"Posso ajudar com isso", Kristin disse.

"Não dá corda para essa maluquice!", minha mãe rosnou.

"Olha a falta de educação, mãe!", rosnei de volta. "Acho que você está esquecendo que é o *meu* casamento. E não uma campanha de marketing."

Ela respirou fundo, tentando manter a calma. "Eva, acho muito bonito que você esteja tentando incluir seu pai, mas ele não entende o sacrifício que está exigindo com isso. Mesmo que eu contribuísse com um dólar para cada dólar que ele desse, não chegaria nem..."

"É mais do que o suficiente." Entrelacei as mãos no colo, apertando os anéis com força contra os dedos. "E não é sacrifício nenhum."

"As pessoas vão ficar ofendidas. Você tem que entender que um homem na posição de Gideon precisa de todas as oportunidades que tem para fortalecer sua rede de contatos. Ele vai querer..."

"... casar escondido", pensei em voz alta, frustrada com o choque de opiniões que já conhecia tão bem. "Se fosse ser do jeito dele, a gente fugiria e casaria numa praia deserta com duas testemunhas e uma vista paradisíaca."

"Ele pode até dizer isso..."

"Não, mãe. Escuta o que estou falando. Ele faria *exatamente* isso."

"Hum, posso dar uma ideia?" Kristin inclinou-se para a frente para falar. "Acho que pode dar certo, Monica. Muitas celebridades fazem casamentos íntimos. Um orçamento limitado vai nos ajudar a manter o foco nos detalhes. E, se Gideon e Eva concordarem, podemos selecionar umas fotografias, vender para algumas revistas e reverter o lucro para caridade."

"Gostei da ideia!", eu disse, embora estivesse pensando como isso ia funcionar com o acordo de exclusividade de quarenta e oito horas que Gideon havia oferecido a Deanna Johnson.

Minha mãe parecia consternada. "Sonhei com seu casamento desde o dia em que você nasceu", ela disse baixinho. "Sempre quis que tivesse um dia de princesa."

"Mãe." Peguei a mão dela. "Você pode esbanjar na festa, tá legal? Pode fazer o que quiser. Esquece esse negócio de vermelho, pode convidar o mundo inteiro, qualquer coisa. Mas para a cerimônia já não é suficiente que eu tenha encontrado meu príncipe?"

Ela apertou minha mão e me olhou com lágrimas nos olhos azuis. "Acho que vou ter que me contentar com isso."

Tinha acabado de sentar no banco traseiro da Mercedes quando meu celular começou a tocar. Peguei o aparelho da bolsa, olhei para a tela e vi que era Trey. Meu estômago se contorceu de leve.

Não conseguia tirar da cabeça a imagem de sua expressão arrasada na noite anterior. Ficara escondida na cozinha enquanto, na sala, Cary contava sobre Tatiana e a gravidez. Tinha colocado um ensopado no forno e sentado num banco da cozinha dentro do campo de visão de Cary, lendo um livro no tablet. Mesmo de perfil, dava para ver como Trey recebera a novidade.

Ainda assim, ele ficara para o jantar e passara a noite no apartamento, então eu estava torcendo para que as coisas terminassem bem. Pelo menos não tinha simplesmente levantado e ido embora.

"Oi, Trey", respondi. "Como você está?"

"Oi, Eva." Ele soltou um suspiro pesado. "Não tenho a menor ideia. E você?"

"Bem, acabei de sair da casa da minha mãe depois de passar horas falando sobre o casamento. Não foi tão ruim quanto achei que seria, mas poderia ter sido mais tranquilo. O que é normal quando se trata da minha mãe."

"Ah... bom, você deve estar ocupada. Desculpa incomodar."

"Claro que não, Trey. Estou feliz que tenha ligado. Se quiser conversar, estou aqui."

"Será que a gente pode se encontrar? Quando for melhor pra você."

"Que tal agora?"

"Sério? Estou numa feira de rua no West Side. Minha irmã me arrastou até aqui, mas estou meio insuportável. Ela foi embora há alguns minutos, e não tenho nada para fazer."

"Posso encontrar você aí."

"Fica entre as ruas 82 e 83, perto da Amsterdam. Só pra você saber, está lotado."

"Certo. Aguenta firme. Já estou chegando."

"Obrigado, Eva."

Quando desliguei, vi Raúl me olhando pelo retrovisor. "Amsterdam com a 82. O mais rápido que puder."

Ele assentiu.

"Obrigada." Viramos a esquina e olhei pela janela, assimilando a cidade naquela tarde de sábado.

O ritmo de Manhattan era mais lento nos fins de semana, as roupas eram mais casuais e havia mais vendedores de rua. Mulheres de sandália e vestidos leves de verão olhavam as vitrines tranquilamente, enquanto homens de bermuda e camiseta caminhavam em grupos, olhando as mulheres e falando sobre o que os homens falam. Donos passeavam com cachorros de todos os tamanhos, enquanto crianças balançavam o pé em carrinhos de bebê ou dormiam. Um casal de idosos vagava de mãos dadas, os dois ainda encantados um com o outro depois de tantos anos de familiaridade.

Eu estava ligando para Gideon antes mesmo de perceber.

"Meu anjo", ele atendeu. "Está vindo pra casa?"

"Ainda não. Acabei de sair da minha mãe e vou encontrar Trey."

"Quanto tempo vai levar?"

"Não sei. Não mais do que uma hora, acho. Espero que ele não me diga que terminou com Cary."

"Como foi com sua mãe?"

"Eu disse que a gente vai casar na casa da Carolina do Norte." Hesitei, "Desculpa. Devia ter perguntado primeiro."

"Acho uma excelente ideia", a sua voz áspera se imbuindo daquele timbre especial que me dizia que estava comovido.

"Ela me perguntou como a gente planeja acomodar todo mundo. Meio que deixei isso por sua conta. A cerimonialista vai ajudar."

"Tudo bem. A gente dá um jeito."

Fui envolvida pelo amor que sentia por ele, como uma onda de calor. "Obrigada."

"Então o pior já passou", ele disse, compreensivo como sempre.

"Bem, isso eu não sei. Ela ficou toda chorosa. Você sabe como é, tinha um monte de sonhos que não vai poder concretizar. Espero que esqueça isso e entre no clima."

"E a família dela? A gente não falou nada de trazer esse pessoal para a festa."

Dei de ombros, então lembrei que ele não podia me ver. "Não vou convidar. A única coisa que sei deles foi o que descobri no Google. Eles deserdaram minha mãe quando ficou grávida de mim, então nunca fizeram parte da minha vida."

"Tudo bem, então", ele disse, tranquilamente. "Tenho uma surpresa esperando por você em casa."

"Ah, é?" Meu humor se acendeu no mesmo instante. "Vai me dar uma dica?"

"Claro que não. Se está curiosa, venha logo."

Fiz beicinho. "Não me provoca."

"Não é provocação se eu satisfizer suas expectativas..."

Os dedos dos meus pés se contraíram ao som daquela voz de veludo. "Vou pra casa o mais rápido que puder."

"Estarei esperando", ele murmurou.

O trânsito perto da feira estava impossível. Raúl estacionou o carro na garagem do meu apartamento e então caminhou comigo até lá.

A meio quarteirão, comecei a salivar com o cheiro da comida. Já dava para ouvir a música. Quando chegamos à rua Amsterdam, vi que havia uma moça cantando num pequeno palco para um mundo de gente.

As barraquinhas se enfileiravam ao longo da rua lotada, e as mercadorias estavam protegidas do sol por tendas brancas. Cachecóis e chapéus, joias e obras de arte, legumes, verduras e comidas prontas — não havia nada que alguém pudesse querer que não encontraria ali.

Levei alguns minutos para encontrar Trey na multidão. Ele estava sentado nos degraus de um prédio não muito longe da esquina em que havíamos marcado. Usava uma calça jeans larga e uma camiseta verde, e os óculos escuros estavam apoiados no alto do nariz torto que obviamente já havia sido quebrado um dia. O cabelo loiro estava mais revolto do que nunca, e a boca atraente estava fechada numa linha rígida.

Ele ficou de pé ao me ver, estendendo a mão para apertar a minha. Puxei-o num abraço e o segurei até sentir seu corpo relaxar e me abraçar de volta. Ao nosso redor, a cidade fervilhava — nova-iorquinos não tinham problemas com demonstrações públicas de afeto. Raúl se afastou discretamente.

"Estou um caos", Trey murmurou junto ao meu ombro.

"É normal." Interrompi o abraço e apontei em direção aos degraus em que o encontrei. "Qualquer um estaria confuso."

Ele se sentou no degrau do meio. Eu me acomodei ao lado dele.

"Acho que não vou conseguir, Eva. E não acho que preciso. Quero alguém com quem dividir a vida, alguém que me apoie enquanto termino a faculdade e depois quando estiver tentando abrir minha clínica. Mas Cary vai montar a vida dele ao redor daquela modelo e me encaixar quando puder. Como não me arrependeria disso?"

"É uma pergunta válida", eu disse, esticando as pernas na minha frente. "Você sabe que Cary não vai poder ter certeza de que é o pai da criança até fazer o teste de paternidade."

Trey balançou a cabeça. "Não acho que faça diferença. Ele parece totalmente dedicado."

"Acho que faz sim. Talvez ele não abandone completamente a criança, talvez resolva dar uma de tio ou algo assim. Não sei. Por enquanto, a gente tem que considerar que ele é o pai, mas pode não ser. É uma possibilidade."

"Então você está falando para eu esperar mais seis meses?"

"Não. Não tenho respostas, se era isso que você queria. Tudo o que posso dizer é que Cary te ama, mais do que já vi amar qualquer pessoa. Se ele te perder, não vai aguentar. Não estou tentando fazer você se sentir culpado e obrigado a ficar com ele. Só acho que deveria saber que, se decidir terminar tudo, não é o único que vai sofrer."

"Como isso ajuda?"

"Talvez não ajude." Coloquei a mão em seu joelho. "Talvez eu seja egoísta demais por achar isso reconfortante. Mas, se as coisas não dessem certo entre mim e Gideon, gostaria de saber que ele ficaria tão infeliz quanto eu."

Trey curvou os lábios num sorriso triste. "É, acho que entendi. Você ficaria com ele se descobrisse que comeu outra pessoa? Enquanto estava com você?"

"Já pensei nisso. Não consigo me imaginar a não ser ao lado de Gideon. Se não estivéssemos namorando sério na época, e fosse uma mulher do passado dele, e ele tivesse decidido ficar comigo e não com ela, talvez sim."

Vi uma mulher pendurar outra sacola de compras na alça já abarrotada de um carrinho de bebê. "Mas se ele passasse a maior parte do tempo com ela e me visse quando desse... acho que eu terminaria."

Era duro ser honesta quando a verdade era exatamente o oposto do que Cary gostaria que eu dissesse, mas me pareceu a coisa certa.

"Obrigado, Eva."

"Se vale de alguma coisa, saiba que não vou pensar menos de você se resolver tentar com Cary. Não é fraqueza nenhuma ficar do lado de quem se ama enquanto essa pessoa tenta consertar um erro terrível, nem é fraqueza pensar em si próprio em primeiro lugar. Não importa a decisão que tomar, Trey, ainda vou achar você um cara e tanto."

Ele se aproximou e deitou a cabeça no meu ombro. "Obrigado, Eva."

Entrelacei meus dedos aos dele. "Não tem de quê."

*

"Vou pegar o carro", Raúl disse assim que entramos no saguão do prédio.

"Certo. Vou ver se chegou correspondência." Acenei para a recepcionista ao passar pela portaria e fui até as caixinhas de correio, enquanto Raúl seguia para o elevador.

Destranquei minha caixinha, abri a porta de metal e dei uma olhada lá dentro. Só havia alguns panfletos, o que me poupava de ter que subir até o apartamento. Peguei-os, joguei na lixeira mais próxima e fechei a caixinha.

Voltei para o saguão bem a tempo de pegar uma mulher saindo do prédio. O cabelo ruivo curto chamou minha atenção. Fitei-a, esperando que virasse ao sair para a calçada, para ver se conseguia vê-la melhor.

Perdi o fôlego. Já tinha visto aquele cabelo numa pesquisa no Google. E do rosto eu me lembrava do evento beneficente a que tinha ido com Gideon poucas semanas antes.

Então ela sumiu.

Corri atrás dela, mas, quando cheguei à calçada, estava entrando num carro preto.

"Ei!", gritei.

O carro acelerou, deixando-me para trás.

"Tudo bem?"

Virei e deparei com Louie, o porteiro dos fins de semana. "Você sabe quem é aquela mulher?"

Ele fez que não. "Não mora aqui."

Voltei para o saguão e fiz a mesma pergunta à recepcionista.

"Não entrou nenhum visitante aqui hoje que não estivesse acompanhado de um morador, então não prestei atenção."

"Hum. Certo, obrigada."

"Seu carro chegou, Eva", Louie avisou da porta.

Agradeci à recepcionista e saí para encontrar Raúl. Passei todo o trajeto entre o apartamento e a cobertura pensando em Anne Lucas. Quando saí do elevador privativo e entrei no hall da cobertura, estava distraída com pensamentos confusos.

Gideon esperava por mim. Usando uma calça jeans desbotada e uma camiseta da Universidade Columbia, ele parecia jovem e lindo. Então abriu um sorriso, e eu quase me esqueci completamente do mundo.

"Meu anjo", ele murmurou, atravessando o piso preto e branco descalço. Meu marido tinha uma expressão nos olhos que eu conhecia muito bem. "Vem aqui."

Caminhei direto para seus braços abertos, aninhando-me em seu corpo musculoso. Senti seu cheiro. "Você vai achar que estou louca", sussurrei junto ao seu peito, "mas posso jurar que vi Anne Lucas saindo do saguão do meu prédio."

Ele enrijeceu. Eu sabia que ele não gostava da terapeuta.

"Quando?", Gideon perguntou com aspereza.

"Há uns vinte minutos. Logo antes de vir pra cá."

Ele me soltou e tirou o celular do bolso traseiro da calça. Com a outra mão, pegou a minha e me puxou para a sala de estar.

"A sra. Cross acabou de ver Anne Lucas no prédio dela", Gideon disse para alguém do outro lado da linha.

"*Acho* que vi", corrigi, franzindo a testa diante de seu tom severo.

Mas ele não estava me ouvindo. "Pois então descubra", ordenou antes de desligar.

"Gideon, o que está acontecendo?"

Ele me levou até o sofá e nos sentamos. Acomodei-me junto a ele, colocando a bolsa na mesinha de centro.

"Encontrei Anne um dia desses", ele explicou, segurando minha mão. "Raúl confirmou que foi ela que falou com você no evento beneficente. Anne admitiu, e eu disse para manter distância de você, mas ela não me ouviu. Quer me machucar e sabe que pode fazer isso através de você."

"Certo." Processei a informação.

"Você tem que avisar Raúl no instante em que a vir, não importa onde. Mesmo que só *ache* que era ela."

"Espere aí, garotão. Você encontrou essa mulher um dia desses e não me contou?"

"Estou contando agora."

"Por que não me contou na época?"

Ele expirou fundo. "Foi no mesmo dia em que Chris passou aqui."

"Ah."

"Pois é."

Mordi o lábio inferior por um instante. "Como ela me machucaria?"

"Não sei. Pra mim já basta saber que tem essa intenção."

"Quebraria minha perna? Meu nariz?"

"Duvido que apele pra violência", ele respondeu secamente. "É muito mais divertido fazer joguinhos psicológicos. Aparecer no mesmo lugar que você. Deixar que a veja de relance."

Isso era ainda mais pérfido. "Pra você ter que ir falar com ela. É isso que Anne quer", murmurei. "Você."

"Mas não vou me dobrar. Já falei tudo o que tinha pra falar."

Fitando nossas mãos entrelaçadas, brinquei com a aliança dele. "Anne,

Corinne, Deanna... Tudo isso é meio louco, Gideon. Quer dizer, acho que não é normal para a maioria dos homens. Quantas mulheres vão perder a cabeça por sua causa?"

Ele me lançou um olhar de quem obviamente não estava se divertindo com aquilo. "Não sei o que deu em Corinne. Nada do que fez depois que voltou para Nova York parece com ela. Não sei se é o remédio que está tomando, o aborto, o divórcio..."

"Ela está se separando?"

"Não fique preocupada, Eva. Não faz a menor diferença pra mim ela estar solteira ou não. Sou casado. Isso nunca vai mudar, e não sou do tipo que trai. Respeito você — e eu mesmo — demais pra ser esse tipo de marido."

Inclinei-me para a frente, oferecendo minha boca, que ele recebeu num beijo gentil e carinhoso. Ele falou exatamente o que eu precisava ouvir.

Gideon se afastou, esfregando o nariz no meu. "Quanto às outras duas... Você tem que entender que Deanna foi um dano colateral. Puta merda. Minha vida é uma zona de guerra, e algumas pessoas acabaram na linha de fogo."

Segurei seu queixo, tentando aliviar um pouco da tensão com o polegar. Sabia bem o que ele estava querendo dizer.

Gideon engoliu em seco. "Se eu não tivesse usado Deanna para mandar um recado para Anne de que a porta estava fechada, ela teria sido um caso de uma noite só. Uma história morta e enterrada."

"Mas agora está resolvido?"

"Acho que sim." Ele levou os dedos até meu rosto, seu toque reproduzindo o que eu havia acabado de fazer. "Já que estamos falando abertamente, não acho que ela me recusaria se eu tentasse alguma coisa — o que nunca vai acontecer. Mas acredito que ela não se encaixa mais na categoria das mulheres magoadas."

"É, eu sei que ela se entregaria a você na primeira oportunidade. Absolutamente compreensível. Você tinha que ser tão bom de cama? Já não basta ser gostoso, ter esse corpo lindo e um pau enorme?"

Ele balançou a cabeça, nitidamente exasperado. "Não é *enorme*."

"Você é bem-dotado. E sabe usar o que tem. Nós, mulheres, não estamos acostumadas a ter sexo bom com muita frequência, então, quando temos, ficamos meio alucinadas. Acho que isso responde minha dúvida a respeito de Anne, já que ela teve você diversas vezes."

"Ela nunca me teve." Gideon se recostou no sofá, soltando o corpo, com o rosto retorcido. "Em algum momento você vai cansar de ouvir como eu era um babaca."

Aninhei-me junto a ele, deitando a cabeça em seu ombro. "Você não é o primeiro gostosão do mundo a se aproveitar das mulheres. E não vai ser o último."

"Foi diferente com Anne", ele murmurou. "Não foi só por causa do marido dela."

Gelei, então tentei relaxar para não deixá-lo ainda mais nervoso do que já estava.

Ele inspirou profunda e rapidamente. "Ela às vezes me lembra de Hugh", Gideon disse num suspiro. "O jeito como anda, algumas das coisas que diz... Tem um traço de família. E algo mais. Não sei como explicar."

"Então não explique."

"Às vezes a linha entre os dois sumia na minha cabeça. Era como se eu estivesse punindo Hugh através de Anne. Fiz coisas com ela que não fiz com mais ninguém. Coisas que me embrulham o estômago hoje."

"Gideon." Passei o braço em torno de sua cintura.

Ele nunca tinha me contado aquilo. Dissera antes que era o dr. Terrence Lucas quem estava tentando punir, e eu tinha certeza de que em parte era isso mesmo. Mas agora eu sabia que não era só isso.

Gideon se ajeitou no sofá. "O que aconteceu entre mim e Anne foi uma perversão. Eu a perverti. Se pudesse voltar no tempo e mudar as coisas..."

"A gente vai lidar com isso. Fico feliz que tenha me contado."

"Eu tinha que contar. Escuta, meu anjo, se você a vir de novo, tem que dizer a Raúl. Mesmo se estiver na dúvida. E não vá a lugar nenhum sozinha. Vou dar um jeito de lidar com ela. Enquanto isso, preciso saber que você está segura."

"Tudo bem." Não sabia ainda como esse plano ia funcionar no longo prazo. Morávamos na mesma cidade que ela e o marido, e o próprio Lucas já havia entrado em contato comigo. Eles eram um problema, e a gente precisava de uma solução.

Mas não seria naquele dia. Sábado. Um dos únicos dois dias do fim de semana pelo qual eu tanto ansiava, porque podia passar bastante tempo a sós com meu marido.

"Então", comecei, deslizando a mão sob a camiseta de Gideon para tocar sua pele quente, "cadê minha surpresa?"

"Bem..." Ele intensificou a aspereza de sua voz sensual. "Daqui a pouquinho. Que tal uma taça de vinho?"

Deitando a cabeça para trás, fitei meu marido nos olhos. "Está tentando me seduzir, garotão?"

Gideon beijou meu nariz. "Sempre."

"Hum... Vá em frente."

Quando Gideon não se juntou a mim no banho, eu sabia que estava tramando alguma coisa. A única ocasião em que perdia uma oportunidade de colocar as mãos no meu corpo molhado era de manhã, depois de já ter se divertido bastante comigo.

Quando entrei na sala de estar de bermuda e camiseta, sem sutiã, ele estava me esperando com uma taça de vinho tinto. Nós nos sentamos no sofá para assistir *Três dias para matar*, o que só provava que meu marido me conhecia muito bem. Era o tipo de filme de que eu gostava — um pouco engraçado, bem exagerado. E tinha Kevin Costner, o que para mim era sempre uma vantagem.

Ainda assim, por mais divertido que fosse ficar de bobeira com Gideon, quanto mais as horas passavam, mais a ansiedade me devorava. Gideon, perverso como sempre, sabia disso muito bem. E estava me atiçando. Mantinha minha taça sempre cheia e as mãos em mim — acariciando meu cabelo, tocando meu ombro, alisando minha coxa.

Às nove horas, eu já estava me jogando em cima dele. Sentei em seu colo e comecei a beijar seu pescoço, a língua voando sobre sua pele. Senti seu pulso acelerar, mas ele não reagiu. Ficou sentado como se estivesse absorto na reprise que passava na TV depois que o filme acabou.

"Gideon?", sussurrei com minha voz de quem quer trepar, a mão descendo por entre as pernas dele para encontrá-lo duro e pronto, como sempre.

"O quê?"

Mordisquei o lóbulo de sua orelha, puxando de leve. "Você se importa se eu enfiar seu pau enorme em mim enquanto vê TV?"

Gideon desceu a mão ao longo das minhas costas. "Acho que você vai ficar na frente", ele respondeu, parecendo distraído. "Talvez fosse melhor se ajoelhar e me chupar."

Eu me afastei, boquiaberta. Ele me olhou com um sorriso nos olhos.

Empurrei seu ombro. "Você é terrível!"

"Meu anjinho", ele cantarolou. "Está com tesão, é?"

"O que você acha?" Apontei para meus seios. Os mamilos duros e rígidos, apertados contra o algodão fino, clamavam por sua atenção em silêncio.

Segurando-me pelos ombros, ele me aproximou de si e mordiscou meu mamilo, acariciando a pele com a língua. Gemi.

Gideon me soltou, com os olhos tão sombrios que pareciam safiras. "Está molhadinha?"

Ah, se estava. Toda vez que Gideon me olhava daquele jeito, meu corpo amolecia e ansiava. "Por que não vê?", provoquei.

"Me mostra."

O tom autoritário me deixou ainda mais excitada. Saí do colo dele, sentindo-me inexplicavelmente tímida. Ele empurrou a mesinha de centro com o pé, para me dar mais espaço na sua frente. Seus olhos desceram pelo meu corpo, mas seu rosto se manteve inexpressivo. A falta de encorajamento me deixou ainda mais ansiosa, e eu suspeitava que essa era a intenção.

Gideon estava me provocando.

Jogando os ombros para trás, sustentei seu olhar e corri a língua ao longo de meu lábio inferior. Ele semicerrou os olhos. Abaixei a bermuda de ginástica e a tirei, girando o quadril de leve para fazer um movimento de striptease sem demonstrar minha falta de jeito.

"Sem calcinha", ele murmurou, com os olhos fixos na região. "Que safada."

Fiz beicinho. "Estou tentando ser boazinha."

"Abra pra mim", ele sussurrou. "Me deixa ver."

"Gideon..."

Ele esperou pacientemente, e eu sabia que não ia desistir. Poderia levar cinco minutos ou cinco horas, mas ele esperaria por mim. E era por isso que confiava nele. Porque nunca tinha sido uma questão de *se* eu me submeteria, mas *quando* estaria pronta para isso, e era uma decisão que ele deixava nas minhas mãos.

Abri as pernas e tentei acalmar a respiração. Baixando as mãos, peguei os lábios e os abri, expondo meu clitóris para o homem por quem tanto ansiava.

Gideon ajeitou o corpo lentamente. "Você tem uma boceta tão linda, Eva."

Segurei o fôlego, enquanto ele se aproximava, erguendo as minhas coxas para me segurar firme naquela posição. "Não se mexa", ele ordenou.

Então me deu uma lambida provocante.

"Ah", murmurei, com as pernas trêmulas.

"Sente", ele disse, com a voz rouca, ficando de joelhos no chão. Eu obedeci.

O tampo de vidro era gelado contra minha bunda, num contraste gritante com o calor da pele. Estiquei o braço atrás do corpo, agarrando-me à beirada da mesa para me equilibrar à medida que ele abria minhas coxas.

Seu hálito era quente contra minha carne úmida, e seu olhar estava absolutamente concentrado na minha boceta. "Você podia estar mais molhada."

Arfando, vi enquanto ele baixava a cabeça para envolver meu clitóris com os lábios. O calor era abrasador, e os golpes de sua língua, devastadores. Gritei, querendo desmoronar, mas me segurei firme no lugar. Joguei a cabeça para trás, as orelhas tinindo com o sangue que pulsava em mim e o som dos gemidos de Gideon. Sua língua tremulou sobre o montinho inchado, levando-me persistentemente ao orgasmo. Meu estômago se contraiu à medida que o prazer foi progredindo, seus cabelos macios roçando contra a parte interna e sensível das minhas coxas.

Deixei escapar um ruído rouco. "Vou gozar", arfei. "Gideon... Ah... Vou gozar."

Ele enfiou a língua em mim. Meus cotovelos fraquejaram, fazendo meu torso descer. Gideon fodeu com a língua minha boceta apertadinha, abrindo a pele sensível e me provocando com a promessa da penetração pela qual eu tanto ansiava.

"Me fode", implorei.

Ele se afastou, lambendo os beiços. "Aqui não."

Fiz um som de protesto à medida que Gideon levantava, tão perto do orgasmo que podia sentir seu cheiro. Ele estendeu a mão e me ajudou a levantar. Cambaleei e Gideon me levantou, jogando-me por cima do ombro.

"Gideon!"

Mas então ele passou a mão por entre minhas pernas, massageando minha boceta molhada e inchada, e eu não me importei mais com como estava me carregando, desde que me levasse para onde achava que levaria.

Chegando ao corredor, fizemos a curva e paramos antes de chegar ao quarto dele. Ouvi uma maçaneta ser girada, e então ele acendeu a luz.

Estávamos no meu quarto. Gideon me colocou de pé na sua frente.

"Por que aqui?", perguntei. Alguns homens talvez fossem até a cama mais próxima, mas Gideon tinha autocontrole. Se me queria ali, havia um motivo.

"Vire", ele disse, baixinho.

Havia algo na sua voz... no jeito como olhava para mim...

Olhei por cima do ombro.

Então vi o balanço.

Não era exatamente o que eu estava esperando.

Tinha pesquisado balanços na internet na época em que Gideon falara disso pela primeira vez. Os que vi eram instáveis, feitos para pendurar no umbral da porta, ou alguns mais firmes que ficavam sob uma armação ou num gancho no teto. Todos tinham correntes e/ou cordas para segurar diversas partes do corpo. Pelas fotos das mulheres amarradas, pareciam desconfortáveis.

Para falar a verdade, não entendia como alguém podia ignorar a vergonha e o medo de cair, quanto mais chegar ao orgasmo.

Eu devia saber que Gideon tinha outra ideia na cabeça.

Virei-me de frente para o balanço. Gideon tinha esvaziado o quarto em algum momento. A cama e os móveis haviam desaparecido. O único objeto no cômodo era o balanço, suspenso por uma estrutura robusta que parecia uma jaula. Uma base sólida e larga de metal ancorava as laterais de aço e o teto, que sustentava o peso de uma cadeira de metal acolchoada e das correntes. Algemas de couro vermelhas para os pulsos e os tornozelos pendiam dos lugares apropriados.

Ele me envolveu pelas costas, deslizando uma das mãos sob minha blusa para segurar meu seio, enquanto a outra subia por entre as pernas, então enfiou dois dedos em mim.

Ajeitando meu cabelo com o rosto, ele beijou meu pescoço. "O que acha?"

Pensei por um instante. "Estou intrigada. Um pouco apreensiva."

Senti sua boca se curvando num sorriso. "Vamos ver como se sente nele."

Fui tomada por um arrepio de ansiedade e apreensão. Pela posição das algemas, eu sabia que estaria completamente vulnerável, incapaz de me mover ou de me afastar. Sem qualquer controle sobre o que poderia acontecer comigo.

"Quero fazer isso direito, Eva. E não igual àquela noite no elevador. Quero sentir que estou no controle e que estamos nessa juntos."

Deitei a cabeça no ombro dele. De alguma forma, era mais difícil consentir com aquilo. Eu tinha menos... responsabilidade quando ele simplesmente assumia o controle.

Mas isso seria tirar o corpo fora.

"Qual é a palavra de segurança, meu anjo?", ele murmurou, os dentes arranhando com carinho minha garganta. Suas mãos eram mágicas, seus dedos deslizavam para dentro de mim.

"Crossfire."

"É só falar que a gente para. Fale de novo."

"Crossfire."

Seus dedos habilidosos puxaram meu mamilo, apertando-o com destreza. "Não precisa ter medo. Você só tem que sentar e receber meu pau. Vou fazer você gozar fácil."

Respirei fundo. "Tenho a sensação de que é sempre assim com a gente."

"Tenta uma vez", ele insistiu, tirando minha camiseta. "Se não gostar, a gente vai pra cama."

Por um momento, quis adiar, conseguir mais tempo para assimilar aquilo. Tinha prometido o balanço, mas ele não estava me cobrando...

"Crossfire", ele suspirou, abraçando-me por trás.

Eu não sabia se ele estava me lembrando da palavra de segurança ou dizendo que me amava tanto que não havia palavras para expressar. De qualquer forma, o efeito foi o mesmo. Eu me senti segura.

Senti também a excitação dele. Sua respiração havia acelerado no exato instante em que eu vira o balanço. A ereção parecia aço contra minha bunda, e sua pele quente estava junto à minha. Seu desejo incitou o meu, fez-me querer fazer qualquer coisa que desse a Gideon tanto prazer quanto ele era capaz de suportar.

Se precisava de alguma coisa, eu queria ser a mulher que oferecia isso a ele. Gideon já me dava tanto. Ele me dava tudo.

"Tá", eu disse baixinho. "Tudo bem."

Ele beijou meu ombro, então deu um passo para ficar ao meu lado e pegou minha mão.

Eu o segui até o balanço, examinando-o atentamente. O assento estreito estava ajustado para a altura da cintura dele, por isso Gideon teve que se virar de frente para mim e me erguer para me colocar ali. Sua boca tocou a minha assim que minha bunda encostou no couro frio, e sua língua brincou com a curva dos meus lábios. Estremeci. Se do frio, do beijo ou de ansiedade, não sei.

Gideon se afastou, com as pálpebras pesadas e um olhar sensual. Ele me colocou na posição, segurando as correntes enquanto eu deitava no encosto da cadeira, que era bem reclinado, de modo que eu precisava esticar as pernas para me equilibrar.

"Está confortável?", ele perguntou, olhando-me atentamente.

Sabia que Gideon estava falando de conforto físico. Assenti.

Ele deu um passo para trás, sem tirar os olhos do meu rosto nem por um momento. "Vou prender seus tornozelos. Diga se alguma coisa parecer errada."

"Tudo bem." Minha voz estava rouca, e meu pulso, acelerado.

Ele deslizou uma das mãos ao longo da minha perna, com seu toque quente e provocante. Eu não conseguia olhar para mais nada enquanto ele passava o couro vermelho ao redor do meu tornozelo e atava o fecho de metal. A algema era bem justa, mas não demais.

Gideon se movia com confiança e velocidade. Um segundo depois, minha outra perna estava presa também.

Ele me olhou. "Tudo bem por enquanto?"

"Você já fez isso antes." Fiz um beicinho. Ele parecia à vontade demais para um iniciante.

Gideon não respondeu. Em vez disso, começou a tirar a roupa tão devagar e metodicamente quanto havia me algemado.

Atônita, saboreei cada centímetro de pele que revelava. Meu marido tinha um corpo maravilhoso. Era forte e musculoso, viril. Era impossível não ficar excitada ao vê-lo nu.

Ele correu a língua ao longo do lábio inferior numa carícia lenta e erótica. "Tudo bem ainda, meu anjo?"

Gideon sabia exatamente o que a visão de seu corpo provocava em mim, e eu ficava ainda mais excitada por ele ser arrogante o bastante para usar aquela fraqueza contra mim. E eu fazia o mesmo com ele quando podia.

"Você é tão gostoso", eu disse, lambendo meus lábios.

Ele sorriu e aproximou o pau grosso e comprido de mim. "Acho que você vai gostar disso."

Eu não tinha que perguntar por que estava dizendo aquilo, pois ficou evidente quando ele pegou minhas mãos. Minha visão dele ali de cima era completamente desimpedida. Gideon estava totalmente exposto da coxa para cima, entre minhas pernas.

Ele se inclinou e me beijou de novo. Com gentileza. Com ternura. Murmurei diante da delicadeza inesperada e da luxúria do gosto dele.

Soltando uma das minhas mãos, ele segurou o pau e o inclinou para acariciar minha boceta. A cabeça grande deslizou por aquele caminho escorregadio, então pressionou meu clitóris. O prazer me invadiu, e eu descobri quão vulnerável estava. Não podia arquear o quadril. Não podia retesar os músculos da coxa para perseguir aquela sensação.

Deixei escapar um gemido grave. Precisava de mais, e tudo o que podia fazer era esperar por ele.

"Você confia em mim", ele sussurrou junto à minha boca.

Não foi uma pergunta, mas respondi mesmo assim. "Confio."

Gideon assentiu. "Segure as correntes."

Havia algemas para os pulsos acima da minha cabeça. Fiquei me perguntando por que ele não as usava, mas acreditei que sabia o que era melhor. Se achava que eu não estava pronta, então era porque me conhecia muito bem. De muitas formas, Gideon me conhecia melhor do que eu mesma.

O amor que eu sentia por ele se espalhou por meu peito até preenchê-lo por completo, afastando qualquer vestígio de medo que pairasse nos cantos sombrios da minha mente. Nunca me sentira tão próxima de Gideon, jamais imaginara que era possível acreditar tanto em alguém.

Obedeci e segurei as correntes. Ele se aproximou ainda mais, seus músculos abdominais brilhando com os primeiros sinais de suor. Podia ver suas veias pulsando no pescoço, nos braços, no pênis. Seu coração estava tão acelerado quanto o meu. A cabeça do pau estava tão molhada de excitação quanto minha boceta. A sede que sentíramos na sala de estar retornava sinuosamente e estreitava o mundo até restar só nós dois.

"Não solte", ele ordenou, esperando por minha confirmação antes de seguir em frente.

Gideon pegou uma das correntes no ponto em que ela se juntava à cadeira. Com a outra mão, guiou o pau até minha boceta. A cabeça grossa me pressionava de forma provocante, incitando-me com a promessa de prazer. Arfando, eu esperava que ele desse o passo seguinte e entrasse em mim, meu âmago doendo com a necessidade de ser preenchida.

Em vez disso, Gideon segurou o assento da cadeira com ambas as mãos e me puxou na sua direção.

O som que emiti da garganta não era humano. A selvagem sensação erótica de ser penetrada tão profundamente me deixou louca. Ele entrou fundo com um único movimento, meu corpo incapaz de oferecer qualquer resistência.

Gideon rosnou, e um tremor percorreu seu corpo poderoso. "Caralho", ele sussurrou. "Sua boceta é gostosa demais."

Baixei as mãos para segurá-lo, mas ele afastou o balanço, retirando seu membro ereto de dentro de mim. A sensação de vazio me fez gemer de aflição.

"Por favor", implorei baixinho.

"Falei pra você não soltar a corrente", ele disse, com um brilho louco nos olhos.

"Não vou soltar", prometi, apertando as correntes com tanta força que doía.

Seus braços se flexionaram ao me puxar de volta, deslizando-me ao redor de seu pau. Contraí os dedos dos pés. A sensação de leveza, de entrega total, era indescritível.

"Fala pra mim", ele murmurou. "Diz que gosta disso."

"Merda", arfei, sentindo o suor escorrer pela nuca. "Não para."

Num instante eu estava parada, no seguinte estava me movendo fluidamente, minha boceta deslizando pelo pau duro de Gideon com uma velocidade impressionante. Seu corpo funcionava como uma máquina bem lubrificada, seus braços, seu peito, seu abdome e suas coxas contraindo-se com o esforço de conduzir magistralmente o balanço. A visão de movimentos tão poderosos, a intensidade com que ele se concentrava em dar prazer a nós dois, a sensação de tê-lo entrando tão fundo e tão rápido em mim...

Gozei com um urro, incapaz de conter a onda que me dominou. Ele continuou me comendo, rugindo roucamente, seu rosto corado e contorcido de desejo. Nunca tinha gozado tão forte, tão depressa. Por um momento, não podia ver nem respirar, com meu corpo fulminado por um prazer mais feroz do que qualquer um que já sentira antes.

O balanço ficou mais lento, então parou completamente, e Gideon deu um passo para a frente, enterrando-se em mim. Seu cheiro era decadente, primal. Puro pecado e sexo.

Ele segurava meu rosto com ambas as mãos. Seus dedos retiravam fios de cabelo das minhas bochechas molhadas de suor. Meu sexo pulsava em volta dele, muito ciente de quão duro e grosso Gideon ainda estava.

"Você não gozou", acusei, sentindo-me vulnerável demais depois da insanidade daquele orgasmo.

Gideon me deu um beijo brusco e exigente. "Vou algemar seus pulsos. Depois vou gozar dentro de você."

Meus mamilos endureceram dolorosamente. "Nossa."

"Você confia em mim", ele disse de novo, os olhos estudando minha expressão.

Toquei o corpo dele enquanto ainda podia, as mãos deslizando pelo peito suado, sentindo o pulsar desesperado do coração. "Mais do que tudo."

19

"Bom dia, garotão."

Ao ouvir a voz de Eva, olhei por cima do ombro, sorrindo enquanto a observava contornar a bancada da cozinha em direção à máquina de café. Seu cabelo estava emaranhado, e as pernas despontavam sensuais sob a barra da camiseta que usava.

Voltei minha atenção para a frigideira e a rabanada que estava fazendo e perguntei: "Tudo bem?".

"Hum..."

Olhei para ela de novo e vi que estava corada.

"Estou meio dolorida", ela respondeu, colocando uma cápsula na máquina. "Lá dentro."

Sorri. No balanço, ela ficara numa posição perfeita, o que permitia uma penetração profunda. Nunca tinha ido tão longe antes. Passara a manhã pensando naquilo e decidira que ia falar com Ash sobre o projeto de reforma. Um dos quartos deveria ter dois closets — um para as roupas, outro para o balanço.

"Nossa", ela murmurou. "Que sorriso convencido. Os homens são todos iguais."

"Poxa, eu estou me matando neste fogão pra você."

"É, tá bom." Ela me deu uma palmada na bunda ao passar por mim com uma caneca fumegante de café na mão.

Puxei-a pela cintura antes que se afastasse, dando-lhe um beijo forte no rosto. "Você foi maravilhosa ontem à noite."

Havia sentido uma harmonia tão forte entre nós que era quase tão palpável quanto a aliança que eu usava, e valorizava aquilo mais que tudo.

Eva abriu um sorriso deslumbrante, então foi até a geladeira pegar o leite. Enquanto preparava o café, coloquei as rabanadas num prato.

"Faz um tempo que eu queria conversar com você sobre uma coisa", ela disse, juntando-se a mim na bancada e se equilibrando em cima de um dos bancos.

Ergui as sobrancelhas. "O quê?"

"Eu queria me envolver com a Crossroads Foundation, tanto financeira quanto administrativamente."

"Você não está sendo muito específica, meu anjo. Me diz o que tem em mente."

Dando de ombros, ela pegou o garfo. "Tenho pensado no dinheiro do acordo com o pai de Nathan. Está lá, parado no banco, e depois do que Megumi passou... eu me dei conta de que preciso colocar esse dinheiro em alguma coisa e mal posso esperar pra fazer isso. Quero ajudar a financiar os programas que a Crossroads oferece e pensar em outras maneiras de expandir isso."

Sorri por dentro, feliz de vê-la movendo-se na direção certa. "Tudo bem. A gente pode pensar em alguma coisa."

"Sério?" Eva se iluminou como o sol, irradiando em meu mundo.

"Claro. Gostaria de ter mais tempo para isso também."

"A gente pode trabalhar junto!" Ela deu um pulinho de felicidade. "Estou tão animada com isso, Gideon."

Abri um sorriso. "Estou vendo."

"Parece uma evolução natural para a gente. Uma extensão da gente, na verdade." Ela cortou um pedaço da rabanada e levou à boca. Então murmurou, satisfeita: "Delícia".

"Que bom que gostou."

"Você é bonito *e* sabe cozinhar. Que sorte a minha."

Decidi não dizer que tinha acabado de ver a receita na internet. Em vez disso, fiquei pensando no que Eva tinha dito.

Será que eu tinha cometido um erro tático ao fazer a proposta a Mark tão depressa? Talvez se tivesse deixado as coisas como estavam, Eva passasse a trabalhar nas Indústrias Cross por conta própria.

Mas eu podia me permitir o luxo de dar mais tempo a ela com Landon na minha cola? Ainda achava que não.

Tentando mitigar qualquer efeito colateral possível, ponderei os prós de mencionar o tópico da ida de Mark para as Indústrias Cross naquele momento. Eva tinha aberto a porta ao falar de nós dois trabalhando juntos. Se eu não aproveitasse o momento, corria o risco de ela descobrir de outra maneira.

Tinha passado por aquilo no sábado, sabendo que Eva e Mark eram amigos e conversavam fora do trabalho. Ele poderia ter ligado para ela a qualquer momento, mas eu estava contando que ia pensar no assunto e conversar com o noivo antes de decidir deixar a Waters Field & Leaman.

"Também tenho uma coisa para dizer, meu anjo."

"Sou toda ouvidos."

Fingindo indiferença, peguei a calda e coloquei um pouco no meu prato, enquanto dizia: "Ofereci um emprego a Mark Garrity".

Houve um momento de silêncio espantado, e então ela disse: "Você o quê?".

O tom em sua voz confirmou que eu estava certo: quanto antes melhor. Olhei para ela. Eva estava me encarando.

"Chamei Mark para trabalhar nas Indústrias Cross", repeti.

Ela ficou branca. "Quando?"

"Na sexta."

"Na sexta", ela repetiu. "E hoje é domingo. Você só pensou em falar isso agora?"

Como era uma pergunta retórica, não respondi, preferindo pensar com calma antes de fazer qualquer coisa que piorasse a situação.

"Por quê, Gideon?"

Segui a mesma tática que havia usado com Mark — contei as partes da verdade que seriam mais facilmente aceitas. "Ele é talentoso. Vai acrescentar muito ao time."

"Mentira." A cor do rosto dela voltou, passando imediatamente para vermelho de raiva. "Não pensa que sou idiota. Vou perder meu emprego e não acha que tinha que discutir isso comigo antes?"

Mudei de estratégia. "A LanCorp exigiu trabalhar especificamente com Mark, não foi?"

Ela ficou em silêncio por um instante. "Então é isso? O sistema Phaze-One? Você está de sacanagem comigo?"

Eu estava me perguntando qual produto Ryan Landon estaria usando para se aproximar de Eva. Fiquei surpreso que tivesse escolhido um tão vital para a empresa, então me odiei por não ter percebido antes. "Você não respondeu a pergunta, Eva."

"E que diferença faz?", ela revidou. "É, eles pediram para trabalhar especificamente com Mark. E daí? Você não quer que seus concorrentes trabalhem com ele? Ou está tentando dizer que foi proposital?"

"Foi pessoal." Baixei o garfo. "Eric Landon, o pai de Ryan Landon, investiu pesado com meu pai e perdeu tudo. Ryan tem feito o que pode para me destruir desde então."

Eva franziu a testa, e uma ruga surgiu em seu cenho. "Então você não queria que a gente trabalhasse na campanha dele? É isso que está me dizendo?"

"Estou dizendo que Ryan Landon pediu para trabalhar com Mark para se aproximar de você."

"O quê? Por quê?" Seu rosto era um misto de raiva e irritação. "Ele é casado! Levou a mulher para almoçar com a gente no outro dia. Você não tem motivo pra ter ciúme."

"Ele não está interessado em você desse jeito", concordei. "É mais um triunfo ter você trabalhando para ele. Quer a satisfação de saber que pode dar uma ordem e você vai fazer de tudo para atender."

"Isso é ridículo."

"Você não sabe a história inteira, Eva. Quantos anos ele passou tentando me sabotar. Todas as decisões de negócios que toma têm o intuito de reescrever a história dos Landon e dos Cross. Cada sucesso que tem é acompanhado de uma menção ao fracasso do pai dele em enxergar que meu pai era uma fraude e a como isso custou caro aos Landon."

"Claro que não sei a história inteira", ela respondeu friamente. "Você nunca se preocupou em me contar."

"Estou contando agora."

"Quando já não faz diferença!" Ela desceu do banco e saiu pisando duro na direção da cozinha.

Fui atrás dela, como sempre. "Eva."

Segurei-a pelo cotovelo, mas ela se soltou, girando o corpo para me encarar.

"Não encosta em mim!"

"Não dá as costas para mim desse jeito", murmurei. "Se é pra brigar, vamos fazer isso logo."

"Você estava contando com isso, não é? Achou que podia fazer o que bem entendesse, depois falar manso comigo ou me comer. Mas isso não tem conserto, Gideon. Dessa você não vai sair com algumas palavras ou sexo selvagem."

"O que tem para consertar? Vi alguém tentando se aproveitar de você e fiz o que tinha que fazer."

"É assim que você vê?" Ela tinha as mãos nos quadris. "Pois eu não. Landon está assumindo um risco. E se Mark e eu fizermos um trabalho de merda? Ele depende do PhazeOne."

"Justamente. Landon tem uma equipe interna de publicidade, marketing e divulgação, como eu. Por que pegar uma coisa com a qual gastou uma fortuna — até para meus padrões — e correr o risco de alguma informação vazar ou da campanha ser um fracasso total?"

Ela ergueu os braços com um suspiro.

"Pois é", rosnei. "Você não pode responder porque não tem como. É uma aposta desnecessária. As pessoas lidando com o lançamento da próxima geração do GenTen comem na minha mão."

"O que você está dizendo?"

"Que Landon esperou tempo demais para se vingar. Talvez ele não ligue para o fato de você estar comigo. Não sei o que está planejando. No mínimo, está nos colocando numa posição em que não podemos dividir informações um com o outro."

Ela franziu o cenho. "E qual é a diferença para como nosso relacionamento funciona normalmente?"

"Não faz isso." Fechei as mãos, frustrado com aquela teimosia. "Não transforme numa discussão sobre nós, quando deveria ser sobre ele. Não vou deixar Landon se aproveitar de você por minha causa."

"Não estou dizendo que você está errado! Se tivesse me falado isso, eu teria tomado a decisão certa por minha conta. Em vez disso, tirou de mim um emprego que eu amo!"

"Espera aí. E que decisão seria essa?"

"Não sei." Ela me lançou um sorriso frio e ríspido que fez meu sangue gelar. "E agora a gente nunca vai saber."

Eva me deu as costas.

"Para."

"Não", ela gritou por cima do ombro. "Vou me vestir. E depois vou embora."

"Nem pensar." Eu a segui até o banheiro.

"Não posso ficar perto de você agora, Gideon. Não quero nem olhar pra você."

Minha cabeça estava fervilhando, procurando algo para dizer que pudesse acalmá-la. "Mark ainda não aceitou."

Ela balançou a cabeça e pegou uma bermuda na gaveta. "Mas vai aceitar. Tenho certeza de que é uma proposta irrecusável."

"Vou retirar a proposta." Minha nossa. Eu ia voltar atrás numa decisão, o que era muito irritante, mas ela estava tão furiosa que não adiantava. Eva nunca estivera tão distante. Longe e intocável. Depois da noite mais erótica que já tínhamos experimentado, quando estivemos mais próximos do que nunca, aquela atitude era insuportável.

"Não perca seu tempo, Gideon. O mal já está feito. Mas você vai ganhar um excelente funcionário que só vai acrescentar ao seu time." Ela vestiu a bermuda e entrou no closet.

Eu estava logo atrás dela, e bloqueei a saída enquanto Eva calçava o chinelo. "Que merda, escuta o que estou falando. Eles estão atrás de você. Todos eles. Estão tentando me atingir através de você. E estou fazendo o melhor que posso, Eva. Estou tentando proteger a gente do único jeito que sei."

Ela parou, virando-se para mim. "Esse é o problema. Esse jeito não funciona comigo. E *nunca* vai funcionar."

"Eu estou *tentando*, porra!"

"Tudo o que você tinha que fazer, Gideon, era falar comigo. Eu já estava chegando lá. Trabalhar com a Crossroads era só o primeiro passo. Eu ia acabar decidindo trabalhar com você, mas então você veio e tirou isso de mim. Tirou isso de nós dois. E nunca vamos ter isso de novo."

A firmeza em seu tom me deixou louco. Eu conseguia lidar com a discussão quando ela pendia para um lado. Era capaz de mudar de estratégia sob pressão. Mas não suportava quando perdia o controle. Quando fizemos nossos votos, eu tinha tomado a decisão irrevogável de abdicar de tudo — minha ambição, meu orgulho, meu coração — para ficar com ela. Se não pudesse fazer aquilo, não tinha nada.

"Não jogue isso na minha cara agora, meu anjo", alertei. "Toda vez que falei de trabalharmos juntos, você recusou."

"Então você resolveu passar por cima de mim com um trator?"

"Eu ia te dar um tempo! Tinha um plano. Ia te seduzir com as possibilidades, deixar você decidir que a melhor maneira de desenvolver seu potencial era comigo."

"Pois deveria ter seguido o plano. Sai da minha frente."

Não me movi. "Como eu podia ter seguido o plano com as últimas semanas que a gente teve? Enquanto você está se sentindo injustiçada, pensa no que eu passei. Brett, aquela merda do seu vídeo com ele, Chris, meu irmão, terapia, Ireland, minha mãe, Anne, Corinne, o filho da puta do Landon..."

Eva cruzou os braços. "Você tem que lidar com tudo isso sozinho, né? Sou mesmo sua mulher, Gideon? Não sou nem sua amiga. Aposto que Angus e Raúl sabem mais da sua vida do que eu. Arash também. Sou só uma bocetinha pra você comer."

"Cala a boca."

"Melhor sair da minha frente antes que a coisa fique feia."

"Não posso deixar você ir embora. Sabe disso. Não desse jeito."

Ela cerrou os dentes. "Você está me pedindo uma coisa que não tenho agora. Estou vazia, Gideon."

"Meu anjo..." Estiquei o braço na direção dela, com o peito tão apertado que doía respirar. A desolação no rosto de Eva estava me matando. Eu acabaria com qualquer um que a tivesse feito se sentir daquele jeito, mas o culpado era eu. "Que diferença faria se você tivesse tomado essa decisão sozinha?"

"Melhor parar de falar", ela disse asperamente. "Cada palavra que sai da sua boca me faz pensar que estamos tão distantes um do outro nesse assunto que talvez fosse melhor nem ter casado."

Se ela tivesse me apunhalado no peito não teria doído tanto. O ar no closet ficou quente e abafado, ressecando minha garganta e fazendo meus olhos arderem. O chão pareceu tremer sob meus pés, com a base da minha vida mudando, Eva se afastando cada vez mais de mim.

"Me diz o que fazer", sussurrei.

Seus olhos brilharam. "Me deixa sair. Me dá um pouco de espaço para pensar. Uns dias..."

"Não. *Não!*" O pânico me invadiu com tanta força que tive que me agarrar ao umbral da porta para permanecer de pé.

"Umas semanas talvez. Afinal preciso procurar um novo emprego."

"Não posso", arfei, sem fôlego. Um aro preto cobriu minha visão até que Eva se tornasse um pontinho de luz. "Pelo amor de Deus, outra coisa, Eva!"

"Tenho que pensar no que fazer agora." Ela esfregou a testa, agitada. "E não consigo com você me olhando desse jeito. Não consigo..."

Ela passou por mim, e eu a segurei pelos braços, beijando, murmurando, sentindo que tinha amolecido por um instante. Experimentei o gosto de sua boca, de suas lágrimas. Ou talvez fossem minhas.

Eva levou as mãos aos meus cabelos, segurando-os com força, puxando-me. Então virou a cabeça, interrompendo o beijo.

"Crossfire", ela soluçou, e a palavra explodiu feito um tiro.

Soltei-a abruptamente, cambaleando para trás, embora minha mente estivesse gritando, pedindo para não largá-la.

Eu a deixei ir, e ela foi.

A brisa do mar sopra no meu cabelo, e eu fecho os olhos, absorvendo a sensação do impacto contra minha pele. O ir e vir ritmado das ondas e os lamentos estridentes das gaivotas me ancoram a este momento, a este lugar.

Estou em casa de um jeito que não experimento há muito tempo, embora tenha passado só uns poucos dias aqui. É um lugar que só dividi com Eva, então todas as minhas memórias estão impregnadas dela, como a areia recebe os raios do sol. E, como a areia, fui reduzido a pó pelas forças ao meu redor. E, como o sol, Eva trouxe alegria e calor à minha existência.

Ela se junta a mim na varanda, ficando de pé atrás de mim. Sinto sua mão em meu ombro, então sua bochecha descansa em minhas costas nuas.

"Meu anjo", murmuro, e pouso umas das mãos sobre a dela.

É disto que precisamos, voltar a este lugar. Nosso esconderijo quando o mundo está contra nós, tentando nos separar. Aqui, podemos curar um ao outro.

O alívio me invade. Ela voltou. Estamos juntos. Ela entende agora por que fiz o que fiz. Ficou com tanta raiva, tão magoada. Por um instante, tive medo de ter destruído a coisa mais preciosa da minha vida.

"Gideon", ela sussurra, com aquela voz rouca e sensual. Então passa um dos braços ao redor da minha cintura.

Deito a cabeça e deixo o poder do seu amor me invadir. Ela desliza os dedos por meu quadril, então segura meu pau. Acariciando-o da base à cabeça. Fica duro e grosso, pronto para ela. Vivo para servi-la, para lhe dar prazer. Como poderia duvidar disso?

Um gemido surge das profundezas da minha alma, o desejo que sempre sinto por ela se espalhando pelo corpo. O líquido pré-ejaculatório começa a sair da cabeça inchada do meu pau, minhas bolas ficam cheias e pesadas.

Eva desce a mão ao longo das minhas costas, empurrando-me gentilmente, fazendo com que eu me debruce para ela.

Obedeço, porque quero que veja que me possui. Quero que entenda que eu faria qualquer coisa, daria qualquer coisa para fazê-la feliz e mantê-la em segurança.

Sua mão desliza ao longo da minha coluna, massageando-me de leve. Seguro-me ao corrimão grosso e abro as pernas para ela.

Agora, ambas as suas mãos estão entre minhas coxas, e ela está arfando junto às minhas costas. Ela me masturba com gestos firmes e habilidosos. Mais forte do que o normal. Com urgência. Com a outra mão, massageia meus testículos, deixando-me louco.

A mão em meu pau começa a deslizar com o líquido pré-ejaculatório que passa a jorrar de mim continuamente. O ar salgado me envolve, esfriando a camada de suor que cobre minha pele.

"Eva..." Sussurro seu nome, ardendo de desejo, apaixonado.

Seus dedos, agora molhados e sempre muito ágeis, deslizam por minha bunda e brincam com a abertura do meu ânus. A sensação é boa, embora eu não queira aquilo. A mão massageando meu pau torna difícil respirar, pensar, lutar contra aquilo...

"Isso", ela insiste.

Tento me afastar, mas Eva está com meu pau na mão.

"Não", digo a ela, tremendo.

"Você gosta", Eva murmura, brincando com meu pau, um toque que desejo e ao qual não posso resistir. "Mostre o quanto me quer."

Ela enfia dois dedos no meu ânus. Eu grito, contorcendo-me, mas ela está me esfregando e metendo, tocando o ponto que me faz querer gozar mais do que tudo. O prazer aumenta, apesar das lágrimas que queimam meus olhos.

Minha cabeça pende para a frente. Sinto o queixo tocando o peito. Está vindo. Estou gozando. Não posso parar. Não com ela...

Os dedos dentro de mim ficam mais grossos, mais compridos. O ritmo se torna frenético, e a sensação de pele contra pele abafa o barulho do mar. Ouço um gemido grave e gutural, mas não é meu. Tem um pau dentro de mim, me fodendo. Dói, mas é uma dor carregada de um prazer doente e indesejado.

"Continue mexendo", ele arfa. "Você está quase lá."

A agonia explode em meu peito. Eva não está mais aqui. Foi embora. Me deixou.

Sinto o vômito na garganta. Empurro-o para longe violentamente e ouço-o bater contra a porta atrás de nós, estilhaçando o vidro. Hugh ri histericamente, e eu me viro para encará-lo; ele está em meio aos cacos de vidro, o cabelo tão vermelho quanto seu sangue, os olhos iluminados por uma cobiça sensual e vil.

"Você achou que ela ia querer você?", ele provoca, levantando-se com dificuldade. "Você contou tudo. Quem ia querer ficar com você depois disso?"

"Vai se foder!" Eu me jogo contra ele, derrubando-o de novo. Com o punho cerrado, acerto seu rosto diversas vezes.

Os cacos de vidro me cortam, mas a dor não é nada comparada com o que sinto por dentro.

Eva foi embora. Eu sabia que um dia isso ia acontecer, que não seria capaz de mantê-la comigo. Sempre soube, mas tinha esperanças. Não podia lutar contra a esperança.

Hugh não para de rir. Sinto seu nariz quebrar. O osso da maçã do rosto, a mandíbula. Suas risadas se transformam em gorgolejos, mas ele ainda ri.

Puxo a mão para me preparar para mais um murro...

E é Anne quem está debaixo de mim, o rosto tão desfigurado que quase não a reconheço. Horrorizado com o que acabei de fazer, afasto-me, colocando-me de pé. O vidro fura meus pés.

Anne ri, o sangue jorrando do nariz e da boca e se espalhando pela casa que um dia fora um santuário. Manchando tudo, encobrindo o sol até só haver uma lua de sangue...

Acordei com um grito na garganta, o cabelo e a pele encharcados de suor, a escuridão me sufocando.

Esfregando os olhos, girei de lado e fiquei de quatro, soluçando. Rastejei na direção da única luz que via, aquele fraco brilho prateado como meu único guia.

O quarto. Minha nossa. Eu tinha desabado no chão, torturado pelas lágrimas. Tinha dormido no chão do closet, incapaz de me mover depois que Eva fora embora, apavorado de dar um passo na vida, em qualquer direção que fosse, sem Eva.

Na escuridão do quarto, o relógio brilhou.

Era uma da manhã.

Um novo dia. E Eva ainda estava longe de mim.

"Você chegou cedo hoje."

A voz animada de Scott me fez desviar o olhar da foto de Eva mandando beijos em minha mesa.

"Bom dia", cumprimentei, sentindo-me como se ainda estivesse vivendo um pesadelo.

Tinha ido para o escritório um pouco antes das três da manhã, incapaz de dormir ou de procurar Eva. Bem que eu queria — ir atrás dela era exatamente o que eu teria feito, e nada me manteria longe dela. Mas, quando rastreei seu telefone, vi que estava na cobertura dos Stanton, um lugar em que não podia entrar. A angústia daquilo, de saber que ela estava se afastando de mim deliberadamente, me corroeu por dentro feito ácido.

Eu não podia ficar em casa e seguir com a rotina, preparar-me para o trabalho sem Eva. Era mais fácil voltar à vida que levava antes, ir para o escritório com a lua alta no céu, encontrar paz no lugar em que eu tinha o controle.

Mas não havia paz alguma. Só o tormento de saber que ela estava no mesmo prédio que eu naquele momento, tão perto e mais longe do que jamais estivera.

"Mark Garrity estava esperando na recepção quando cheguei", Scott continuou. "Ele disse que vocês combinaram de conversar hoje."

Senti um nó na garganta. "Pode mandar entrar."

Afastei a cadeira e fiquei de pé. Não pensava em nada além de Eva e da proposta que eu havia feito a Mark, tentando imaginar como deveria ter agido. Conhecia Eva muito bem. Contar a ela sobre Ryan Landon não a teria feito sair da Waters Field & Leaman, da mesma forma que falar a respeito de Anne não a faria tomar mais cuidado.

Ela teria enfrentado tudo de peito aberto, rugindo feito uma leoa para me defender, incapaz de notar o perigo que corria. Era seu jeito, e eu a amava por isso, mas também queria protegê-la quando fosse necessário.

"Mark." Estendi a mão assim que ele entrou, sabendo imediatamente que ia aceitar. Mark transmitia uma energia diferente, com os olhos iluminados de ansiedade.

Concordamos que ele começaria em outubro, o que dava à Waters Field & Leaman quase um mês de aviso prévio. Ele queria trazer Eva, e eu o encorajei a fazer uma proposta, mesmo duvidando que ela aceitasse. Mark então contestou alguns pontos da proposta, e eu negociei com ele por instinto, mantendo-o sob controle sem pensar muito.

No final, saiu feliz e satisfeito com as alterações, enquanto meu medo de que Eva não me perdoasse só crescia.

A segunda-feira se transformou em terça. Havia apenas três momentos por dia em que eu sentia que havia alguma vida dentro de mim — às nove, quando sabia que Eva tinha chegado ao trabalho, na hora do almoço e depois às cinco, quando ela encerrava o dia. Aguardei com uma esperança infinita que entrasse em contato comigo. Que ligasse ou se comunicasse de alguma forma. Outra briga terrível teria sido melhor do que aquele silêncio doloroso.

Mas ela não me ligou. Tudo o que podia fazer era observá-la pelos monitores de segurança, devorando a visão de Eva chegando e saindo como alguém que morre de fome, mas com medo de me aproximar e arriscar aumentar o abismo entre nós.

Passava noites no escritório, com medo de ir para casa. Com medo do que faria se entrasse em qualquer uma das casas que dividira com ela. Mesmo a sala no trabalho era um tormento, o sofá em que transara com ela era uma lembrança inescapável do que tinha acontecido. Tomava banho no banheiro do escritório e colocava um dos muitos ternos que guardava ali.

Nunca achara estranho morar ali antes. Agora, estava tomado por emoções que não podia expressar, só então compreendendo o espaço que Eva ocupava em minha vida.

Ela passou a noite nos Stanton de novo, preferindo ficar com a mãe a correr o risco de ter que lidar comigo.

Mandei diversas mensagens, o tempo todo. Implorei que me ligasse. **Só preciso ouvir sua voz.** Mandei comentários aleatórios. **Está mais frio hoje, né?** Sobre o trabalho. **Nunca tinha notado que Scott só usa azul.** E, principalmente, **Eu te amo.** Por alguma razão, era mais fácil digitar aquelas palavras do que dizê-las. E eu as digitei bastante. Várias vezes. Não queria que ela esquecesse. Com todos os meus defeitos e todas as minhas mancadas, tudo o que eu fazia, pensava ou sentia estava relacionado a meu amor por ela.

Às vezes eu ficava louco, odiava o que Eva estava fazendo comigo. Com a gente. **Que merda! Me liga. Para de me torturar.**

"Você está um lixo", Arash disse, observando-me enquanto eu revisava o contrato que ele acabara de colocar na mesa. "Está doente?"

"Estou bem."

"Cara, você não está nada bem."

Lancei um olhar severo na direção dele, calando sua boca.

Eram quase seis, e eu estava a caminho do consultório do dr. Petersen quando Eva enfim entrou em contato.

Tb te amo.

As palavras dançaram diante de meus olhos ardentes. Escrevi uma resposta com dedos trêmulos, quase tonto de alívio. **Estou com tanta saudade. A gente pode conversar, por favor? Preciso te ver.**

Ela não me respondeu antes de eu chegar ao consultório, o que me deixou de mau humor e violento. Eva estava me punindo da pior maneira possível. Eu tremia feito um viciado, desesperado por uma dose dela para ficar bem. Para pensar.

"Gideon." O dr. Petersen me cumprimentou da porta da sala com um sorriso que logo desapareceu. Seu cenho foi tomado por uma sombra de preocupação. "Você não parece bem."

"Não estou", respondi.

Ele apontou calmamente para o sofá, mas permaneci de pé, fervilhando por dentro, pensando em ir embora atrás da minha mulher. Não podia mais suportar aquilo. Era demais para mim.

“Talvez a gente devesse sair para caminhar de novo”, ele disse. “Eu bem que podia esticar as pernas.”

“Liga pra Eva”, ordenei. “Manda ela vir pra cá. Ela vai ouvir você.”

Ele piscou pra mim, confuso. “Algum problema?”

Tirei o paletó e joguei no sofá. “Ela está sendo irracional! Não quer me ver... Não fala comigo. Como a gente vai fazer as coisas funcionarem se não estamos nem nos falando?”

“Boa pergunta.”

“Isso mesmo, porque *eu* sou capaz de raciocinar! Já ela está completamente fora de si. Não pode continuar fazendo isso. Você tem que fazer Eva vir aqui. Você tem que fazer Eva falar comigo.”

“Tudo bem. Mas primeiro tenho que entender o que aconteceu.” Ele sentou. “Não vou ser muito útil se não souber a história toda.”

Apontei para ele. “Não me vem com esses joguinhos psicológicos. Agora não.”

“Acho que estou sendo tão racional quanto você”, ele disse suavemente. “Também quero que as coisas funcionem entre os dois. Acho que sabe disso.”

Exalando pesadamente, sentei na beirada do sofá, então enterrei a cabeça nas mãos. Pulsava com ferocidade, latejando para a frente e para trás.

“Vocês estão brigados”, ele disse.

“Sim.”

“Quando foi a última vez que falou com ela?”

Engoli em seco. “Domingo.”

“E o que aconteceu no domingo?”

Contei a ele. Veio tudo de uma vez só, enquanto o dr. Petersen rabiscava freneticamente no tablet. As palavras jorravam numa purgação furiosa, deixando-me vazio e exausto.

Ele continuou a escrever por alguns minutos depois que terminei de falar, então ergueu o rosto para mim. Vi compaixão em seus olhos, e fiquei com um nó na garganta.

“Você fez Eva perder o emprego”, ele observou. “Um emprego que ela disse a nós dois que ama. Entende por que ela está magoada, não?”

“Entendo. Mas eu tinha meus motivos. Motivos que ela compreende. É isso que não entendo. Ela sabe e ainda assim me ignora.”

“Não tenho certeza se *eu* entendo por que você não discutiu isso com Eva antes. Acha que pode me explicar?”

Esfreguei a nuca, onde os músculos tensos pareciam cabos de aço. “Ela teria ficado nervosa, preocupada", murmurei. "Ia demorar para aceitar. Enquanto isso, tinha que controlar um monte de merda. Vinda de todos os lados."

"Vi a notícia do livro de Corinne Giroux sobre você."

"Ah, é." Abri um sorriso cínico. "Ela provavelmente tirou a ideia do clipe de 'Golden', do Six-Ninths. E Landon se aproximou de Eva quando eu não estava prestando atenção. Não podia dar a ele outra oportunidade de me atingir, com tudo com que estamos tendo que lidar agora."

O dr. Petersen assentiu. "Você está sob muita pressão. Não acha que Eva pode ajudar com as decisões que tem que tomar? Tem que entender que as brigas dela com a mãe em geral vêm do fato de que nunca foi consultada antes de as decisões serem tomadas."

"Sei disso." Tentei articular meus pensamentos caóticos. "Mas preciso cuidar dela. Depois de tudo por que passou..."

Apertei os olhos. Sabendo que às vezes nem conseguia pensar no que Eva tinha sofrido. "Tenho que ser forte por ela. Tomar decisões difíceis."

"Gideon, você é um dos homens mais fortes que conheço", ele disse baixinho.

Abri os olhos e o encarei. "Você não me viu como ela me viu."

Chorando feito uma criança. Brutalizado pela memória. Masturbando-me inconsciente. Violento durante o sono. Fraco, muito fraco. Incapaz.

"Acha que ela duvida de você porque deixou que visse seu lado vulnerável? Não parece com a Eva que eu conheço."

Senti os olhos arderem. "Você não sabe de tudo. Você só... não sabe."

"Mas Eva sabe. E ela casou com você assim mesmo. Ela te ama — e muito — independentemente do que sabe." Ele me ofereceu um sorriso gentil que de alguma forma me cortou como uma navalha. "Uma vez você me perguntou se ter um relacionamento significava ter que ceder. Você se lembra disso?" Assenti. "Ceder significa que você não tem que ser sempre o mais forte, Gideon. Pode carregar o peso de vez em quando, e pode deixar que Eva carregue em outros momentos. Casamento não é ser forte como indivíduo. É ser forte em conjunto e se dar ao luxo de dividir a carga com alguém."

"Eu..." Baixei a cabeça de novo. Eva tinha dito a mesma coisa. "Estou tentando. Juro por Deus que estou tentando."

"Sei que está."

"Ela tem que me aceitar de novo. Tem que voltar pra mim. Preciso dela. Está me matando com isso. Está acabando comigo." Olhei para minhas mãos, para as alianças que tinha me dado e que me tornavam dela. "O que eu faço? Me diz o que fazer."

"Eva precisa saber que você está disposto a mudar. Ela quer ver você demonstrando isso com atitudes. Você não vai deparar com decisões grandes assim com muita frequência, então talvez ela adote uma postura de 'ver pra crer'. O que vai ser difícil pra você, acho. Muito difícil."

Assenti lentamente, mas não podia esperar mais. Se Eva precisava de uma prova de que eu faria qualquer coisa para ficar com ela, era isso que daria à minha mulher.

Fechei as mãos em punho. Mantive os olhos fixos no tapete sob meus pés. "Eu fui...", limpei a garganta. "O terapeuta. O que me atendia quando eu era criança."

"Sim?"

"Ele... ele abusou de mim. Por quase um ano. Ele... me estuprou."

20

Estou com tanta saudade. A gente pode conversar, por favor? Preciso te ver.

"Ainda olhando pra essa mensagem?", Cary perguntou, rolando na cama ao meu lado e encostando a cabeça na minha.

"Não consigo dormir." Era uma tortura ficar longe de Gideon. Tinha passado cada minuto — acordada ou dormindo — com a sensação de que alguém tinha arrancado meu coração e deixado um buraco no meu peito.

Olhei para o dossel da cama do quarto de visita da casa da minha mãe. Assim como a sala de estar, aquele quarto havia sido redecorado recentemente. Em tons de creme e verde-musgo, o cômodo transmitia tranquilidade, e era muito elegante. O quarto em que Cary estava tinha um ar mais masculino, com tons de cinza e azul-marinho, e móveis de madeira escura que ficavam no espectro oposto ao das peças brancas e douradas que compunham o meu.

"Quando você vai falar com ele, gata?"

"Logo. Eu só..." Levei o telefone ao peito e o apertei junto do coração. "Acho que nós dois precisamos de um tempo."

Era tão difícil pensar quando Gideon e eu estávamos brigados. Odiava aquilo.

E era pior porque ele tinha feito merda. E, como tudo o que fazia, tinha sido uma merda espetacular. Não conseguia imaginar como ia conseguir perdoá-lo e continuar vivendo comigo mesma. Por outro lado, não podia imaginar como ia seguir em frente sem ele e continuar vivendo, ponto. Sentia-me morta por dentro. A única coisa que me fazia continuar era a crença de que de alguma forma íamos contornar aquilo e ficar juntos. Como poderia ser diferente? Como eu ia me entregar tanto a uma pessoa e depois deixá-la?

Pensei no conselho que tinha dado a Trey e como estávamos os dois diante da mesma decisão — escolher entre o amor ou nós mesmos. Tinha tanta raiva de Gideon por me forçar a escolher. Já reconhecera que certas situações me empurravam para aquela decisão, mas nunca achara que meu próprio marido faria aquilo.

E por que as duas coisas tinham que ser excludentes? Não era justo.

"Você está passando o cara por um moedor de carne", Cary observou, embora não fosse necessário.

"A culpa é *dele*, não minha." Gideon havia roubado algo muito precioso de mim, mas, pior que isso, havia roubado algo precioso de nós dois: minha liberdade de escolha e a confiança que depositava nele por respeitá-la. Depois daquela última noite juntos... de como eu havia me entregado e confiado nele... E Gideon já tinha falado com Mark. A sensação de traição partia meu coração. "Obrigada por ficar comigo."

Cary deu de ombros. "Gosto de Stanton. Não é trabalho nenhum ficar na casa dele alguns dias. Mas *um dia* a gente vai ter que voltar, né?"

"Não posso me esconder pra sempre."

"É o que você sempre diz", ele murmurou. "Pessoalmente, gosto de me esconder. Tirar uma folga e esquecer essa merda toda."

"Mas a merda fica lá esperando por você." E, sabendo disso, eu preferia enfrentá-la logo. Tirá-la da frente.

"Dê tempo ao tempo", ele disse, acariciando meu cabelo.

Virei o rosto e o beijei na bochecha. Tinha chorado rios nos últimos três dias, abraçada a ele à noite. Em alguns momentos era como se seus braços fossem a única coisa me mantendo no lugar.

Tudo doía. Eu estava um lixo, um zumbi vagando pelas ruas vibrantes e agitadas de Nova York.

Onde Gideon estava agora? A dor da separação começava a diminuir? Ou ele estaria tão devastado como eu?

"Mark me pediu para trabalhar nas Indústrias Cross com ele", eu disse, tentando forçar minha cabeça a pensar em outra coisa.

"Bem, você sabia que isso ia acontecer."

"Acho que sim, mas foi tão surreal quando ele tocou no assunto." Suspirei. "Mark estava tão empolgado. Vai receber um aumento gigante. E isso vai mudar as coisas com Steven. Eles vão poder bancar um casamento grande e uma lua de mel e estão procurando apartamento. É difícil esconder meu ressentimento quando tudo isso está sendo tão bom para ele.

"E você vai trabalhar para Gideon?"

"Não sei. Não estava exagerando quando falei que estava a meio caminho de tomar essa decisão por minha conta. Mas agora... Tenho vontade de me candidatar a outra vaga só de birra."

Cary ergueu os punhos como um boxeador. "Mostra a ele que não é seu chefe."

"Isso aí." Dei uns socos no ar também, só para me animar um pouco. "Mas é idiota. Eu nunca vou saber se fui contratada por meu talento ou por causa do nome dele, e se isso é bom ou ruim. De qualquer forma, ainda tenho um mês antes de Mark sair. Posso pensar."

"Talvez a Waters Field & Leaman resolva manter você. Já pensou nisso?"

"É uma possibilidade. Não tenho certeza de como eu reagiria. Me pouparia de ter que procurar emprego, mas eu não teria Mark, e ele é o motivo pelo qual amo aquele trabalho. Será que ia querer continuar lá sem ele?"

"Você ainda teria Megumi e Will."

"Verdade", concordei.

Ficamos num silêncio companheiro por um instante, até que ele disse: "Então parece que você e eu estamos à deriva, no barco dos que não têm a menor ideia do que vai acontecer".

"Trey *vai* ligar", afirmei, embora não tivesse ideia do que ele ia dizer quando o fizesse.

"Claro. Ele é um cara legal. Não vai me deixar no vácuo." Cary parecia tão cansado. "É *o que* ele vai dizer e não *quando* que está me perturbando."

"Eu sei. O amor devia ser mais fácil que isso", reclamei.

"Se fosse uma comédia romântica, o título seria *O amor é uma merda*."

"Talvez a gente devesse ter ficado com *Sex and the City*."

"Já tentei. Acabou em *Ligeiramente grávidos*. Eu devia ter ido mais na linha de *O virgem de quarenta anos*, mas acho que já era tarde demais pra mim."

"A gente pode escrever um manual de *Como perder um homem em dez semanas*."

Cary virou para mim. "Perfeito."

A quarta de manhã me atingiu como uma ressaca.

Arrumar-me para o trabalho na casa da minha mãe me ajudava a não sentir tanta falta de Gideon. Mas ela não me dava uma folga, não parava de falar do casamento. Até o Stanton, com sua capacidade infindável de ceder aos desejos da minha mãe me dava olhares de simpatia quando estava por perto.

Não conseguia pensar naquilo agora. Não conseguia pensar em nada que não a próxima hora do dia. Era assim que estava vivendo — uma hora de cada vez.

Quando pisei na calçada, vi Angus esperando por mim no Bentley, em vez de Raúl com a Mercedes. Forcei um sorriso. Estava realmente feliz de vê-lo, mas também apreensiva.

"Bom dia, Angus." Estiquei o queixo na direção do carro e sussurrei: "Ele está aí?".

Angus fez que não com a cabeça, então tocou a aba do chapéu. "Bom dia, sra. Cross."

Apertei seu ombro por um momento antes de entrar e me acomodar no banco traseiro. Em instantes, estávamos no tráfego da manhã em direção ao centro da cidade.

Inclinando-me para a frente, perguntei: "Como ele está?".

"Pior do que você, imagino." Angus me olhou por um segundo antes de voltar a atenção para o trânsito. "Ele está sofrendo. Ontem foi a pior noite."

"Nossa." Afundei no banco, sem saber o que fazer.

Não queria que Gideon sofresse. Ele já tinha sofrido tanto.

Peguei o celular e mandei uma mensagem. Te amo.

A resposta foi quase imediata. Vou ligar. Atende, pfv.

Um segundo depois meu celular vibrou e a foto dele apareceu na tela. Ver seu rosto depois de passar dias tentando evitar qualquer imagem sua era como levar uma facada no coração. Eu não sabia se conseguiria ser forte. E ainda não tinha as respostas de que ele precisava.

O telefone parou de tocar, e a ligação entrou na caixa postal. Logo em seguida, começou a vibrar novamente.

Atendi, levando o aparelho ao ouvido sem falar nada.

Meus olhos se encheram de água quando ouvi a voz de Gideon, tão áspera que parecia que sua garganta estava seca. O pior foi a esperança com que disse meu nome, numa saudade desesperada.

"Tudo bem se você não falar nada", ele disse bruscamente. "Eu só..." Gideon exalou profundamente. "Desculpa, Eva. Quero que você saiba que sinto muito e que me disponho a fazer o que você quiser. Só quero consertar isso."

"Gideon..." Eu o ouvi respirar fundo quando disse seu nome. "Acredito que você sinta muito porque não estamos juntos agora. Mas também acredito que faria tudo de novo. Estou pensando se sou capaz de viver com isso."

O silêncio pairou entre nós.

"O que isso significa?", ele perguntou afinal. "Qual seria a alternativa?"

Suspirei, sentindo-me exausta de repente. "Não tenho a resposta. Foi por isso que fiquei longe. Eu queria te dar tudo, Gideon. Nunca quis dizer não pra você, então isso é difícil pra mim. Mas agora tenho medo de ceder, de ficar com você sabendo como é e que também nunca vai mudar. Vou ficar com raiva de você, tenho medo de ver o amor que eu sinto acabar."

"Eva... Pelo amor de Deus. Não diz isso!" Sua respiração vacilou. "Contei para o dr. Petersen. Sobre Hugh."

"O quê?" Minha cabeça dava voltas. "Quando?"

"Ontem. Contei tudo. Sobre Hugh, Anne. Ele vai me ajudar, Eva. Ele falou algumas coisas..." Gideon fez uma pausa. "O que disse fez sentido. Sobre mim e o jeito como trato você."

"Ah, Gideon." Podia imaginar como devia ter sido difícil para ele. Eu mesma presenciara a mesma confissão. "Estou muito orgulhosa de você. Sei que não foi fácil."

"Você tem que continuar comigo. Você prometeu. Avisei que ia estragar tudo. E vou estragar de novo. Não sei que merda estou fazendo, mas... *eu te amo*. Eu te amo tanto. Não vou conseguir sozinho. Você está acabando comigo, Eva. Não..." Ele emitiu um ruído grave e dolorido. "Preciso de você."

"Ah, Gideon." As lágrimas escorriam por meu rosto e batiam em meu peito, descendo pelo decote do vestido. "Também não sei o que estou fazendo."

"A gente não pode descobrir juntos? Não somos melhores — *mais fortes* — juntos?"

Limpei o rosto, sabendo que a maquiagem estava arruinada, mas sem dar a mínima. "É isso que eu quero. Mais que tudo. Só não sei se vamos conseguir. Você nunca me deixa decidir as coisas com você. Nunca."

"Se eu deixasse... quando eu deixar — e eu *vou* deixar — você volta pra mim?"

"Não abandonei você, Gideon. Não sei como." Olhei pela janela e vi um casal de jovens se beijando diante de uma porta giratória, depois o homem foi embora às pressas. "Mas, se formos um time, nada vai me manter longe de você."

"Ouvi dizer que vocês levaram a campanha da PhazeOne."

Tirei minha atenção do café que estava adoçando e fitei Will. "Não fiquei sabendo."

Ele abriu um sorriso, os olhos brilhando atrás dos óculos. Era um cara tão feliz, num relacionamento sólido que funcionava. Eu tinha tanta inveja daquela serenidade. Sentira aquilo apenas algumas vezes desde que conhecera Gideon, e sempre era... felicidade pura. Não seria perfeito se pudéssemos alcançar aquele estágio e *permanecer* nele?

"É o que dizem por aí", ele confirmou.

"Cara." Dei um suspiro exagerado. "Sou sempre a última a saber."

Minha atuação aquela semana era digna de um Oscar. Entre a empolgação de Mark, a mudança iminente de minha situação profissional, a TPM e a confusão que era minha vida pessoal, eu estava usando cada grama de energia que ainda tinha para parecer calma. Por isso, evitava as fofocas das panelinhas do escritório para reduzir o contato com os outros. Havia um limite de felicidade e contentamento que era capaz de fingir.

"Mark vai me matar por contar." Will não parecia sentir um pingo de remorso. "Mas queria ser o primeiro a parabenizar você."

"Obrigada. Acho."

"Estou doido pra colocar as mãos naquele sistema, sabia? Os blogs de tecnologia estão alucinados com os rumores sobre os recursos." Ele se reclinou contra a bancada ao meu lado e me lançou um olhar esperançoso.

Sacudi o indicador na direção dele. "Pois eu não vou contar nada pra você."

"Droga. A esperança é a última que morre." Ele deu de ombros. "Provavelmente vão trancar você numa solitária até a data do lançamento, só pra segurar as informações."

"É de se perguntar por que decidiram contratar uma agência externa, não é?"

Ele franziu a testa. "É. Talvez. Não tinha pensado nisso."

Nem eu. Mas Gideon tinha.

Dei uma olhada na minha caneca, mexendo o café distraída. "Tem um GenTen novo saindo aí."

"Ouvi falar. Mas esse é óbvio que todo mundo vai comprar."

Flexionando os dedos, fitei minha aliança de casamento e pensei nos votos que tinha feito quando a aceitara.

"Tem algum plano para o almoço?", ele perguntou.

Peguei minha caneca e olhei para Will. "Tenho, vou sair com Mark e o noivo dele."

"Ah, claro." Ele se aproximou da máquina de café quando dei licença. "Talvez a gente devesse sair para beber alguma coisa depois do trabalho essa semana. Levar nossos respectivos. Se Gideon topar. Sei que ele é um cara ocupado."

Abri a boca. Fechei novamente. Will dera a desculpa perfeita para não incluir Gideon. Eu podia aproveitá-la, mas queria dividir minha vida social com meu marido. Queria que ele estivesse comigo. Se começasse a excluí-lo da minha vida, não seria o princípio do fim?

"Boa ideia", menti, imaginando uma noite carregada de tensão. "Vou falar com ele. Ver o que a gente pode fazer."

Will assentiu. "Legal. Me avisa."

"Tenho um problema."

"Ah é?" Fitei Mark do outro lado da mesa.

O restaurante cubano que Steven escolhera era grande e popular. A luz do sol entrava por uma imensa claraboia, e o ambiente era decorado com murais coloridos de papagaios e palmeiras. A música animada me fazia sentir como se estivesse de férias em algum lugar exótico, enquanto o cheiro forte dos temperos fazia minha barriga roncar pela primeira vez em muitos dias.

Esfreguei as mãos. "Vamos resolver então."

Steven assentiu. "Eva tem razão. Desembucha."

Mark colocou o cardápio de lado e apoiou os cotovelos na mesa. "O sr.

Waters me falou hoje de manhã para começar a trabalhar no briefing da LanCorp."

"Aê!" Aplaudi.

"Não tão rápido. Tive que avisar que ia sair. Estava torcendo para poder adiar até sexta-feira, mas eles precisam de alguém que acompanhe o cliente o projeto inteiro, e não só no primeiro mês."

"É verdade", concordei, o sorriso desaparecendo. "Que saco."

"Uma droga, mas..." Mark deu de ombros. "A vida é assim. Aí ele chamou os outros sócios. E eles me disseram que quando a diretoria da LanCorp falou com a agência pela primeira vez, insistiu que eu chefiasse a campanha. E agora estão preocupados de perder se eu não for tocar a conta."

Steven abriu um sorriso e deu um tapinha em seu ombro. "É bom ouvir isso!"

Mark riu meio sem jeito. "É, com certeza foi um estímulo. Mas enfim, eles me ofereceram uma promoção e um aumento se eu ficar."

"Uau." Recostei-me na cadeira. "Que belo estímulo."

"Eles não podem me oferecer a mesma coisa que Cross. Nem metade, mas cá entre nós ele está pagando muito acima da média."

"Você que pensa", Steven comentou com desdém. "Você vale cada centavo."

Concordei com ele, embora só tivesse uma vaga ideia da proposta que Gideon havia feito. "Também acho."

"Fico me sentindo como se devesse alguma coisa à Waters Field & Leaman." Mark esfregou o queixo. "Eles têm sido bons para mim e querem que eu fique, mesmo sabendo que pensei em sair."

"Você deu a eles anos de bom trabalho", Steven rebateu. "Já fez muito por esses caras. Não deve nada a ninguém."

"Sei disso. Estava com a consciência tranquila, porque sei que eles preencheriam a vaga rapidinho. Mas me sentiria mal se perdessem a campanha da LanCorp."

"Mas essa decisão não cabe a você", afirmei. "Se a LanCorp não ficar com a agência, é problema deles."

"Tentei ver por esse lado também. Mas não é algo que eu queira ver acontecer."

O garçom veio anotar nosso pedido. Olhei para Steven. "Quer escolher?"

"Claro." Ele olhou para Mark, que assentiu de leve com a cabeça. Steven fez o pedido.

Esperei até que o garçom tivesse saído antes de continuar a falar, ainda sem saber como dizer o que tinha que ser dito. No final, decidi ir direto ao ponto. "Não posso trabalhar na campanha da PhazeOne."

Mark e Steven olharam para mim.

"Olha, os Landon e os Cross têm uma história antiga", expliquei, "e é feia. Gideon está preocupado, e entendo por quê. Acho que tenho que tomar cuidado."

Mark franziu a testa. "Landon sabe quem você é. Ele não tem problema nenhum com isso."

"Eu sei. Mas o PhazeOne é um projeto importante. O risco é enorme, e não quero contribuir com isso." Era difícil admitir que Gideon estava certo, porque sabia que eu também estava. O que nos deixava num impasse que não conseguia resolver.

Steven se aproximou de mim para examinar meu rosto. "Você está falando sério."

"Infelizmente estou. Não que isso afete sua decisão, Mark, mas achei que tinha que avisar."

"Não sei se estou entendendo", ele disse.

"Ela está dizendo que se você ficar na agência além do dinheiro vai perder sua assistente", Steven esclareceu. "Ou pode se mudar para as Indústrias Cross, como já disse que faria, e ficar com o dinheiro e com ela."

"Bem..." Era mais difícil do que eu achei que seria. Sabia da história, mas agora estava vivendo aquilo na pele: Qualquer mulher que largava um emprego que amava por causa de um homem se arrependia mais tarde... O que me fez achar que não aconteceria comigo? "Ainda não posso dizer se vou com você para as Indústrias Cross."

Mark deixou o corpo cair contra o estofado vermelho do encosto do sofá do restaurante. "A coisa só piora."

"Não estou dizendo que não vou de jeito nenhum." Tentei dar a entender que não era nada demais. "Só não tenho certeza se deveria trabalhar com Gideon. Quer dizer, não sei se ele ia ser meu chefe... ou sei lá. Vocês me entendem."

"Odeio dizer isso", Steven acrescentou, "mas ela está certa."

"Isso não me ajuda em nada", Mark murmurou.

"Desculpa." Não podia dizer a eles como estava me sentindo de verdade. Nem me achava apta a dar conselhos. Como podia avaliar as opções de Mark sem ser parcial?

"Pelo lado bom", acrescentei, "você definitivamente está em alta."

Steven deu uma cotovelada em Mark com um sorriso escancarado nos lábios. "Comigo ele sempre esteve."

"Então", Cary disse, passando o braço à minha volta enquanto eu me aninhava a ele, "aqui estamos de novo."

Mais uma noite na casa da minha mãe. Ela estava começando a suspeitar, considerando que era a quarta vez seguida que dormíamos lá. Confessei que tinha brigado com Gideon, mas não o motivo. Não achava que ela ia entender. Tinha certeza de que acharia perfeitamente normal para um homem na posição dele ter que lidar com os ínfimos detalhes de tudo. E, quanto à possibilidade de eu perder o emprego, por que eu queria trabalhar se não precisava?

Ela não entenderia. Algumas filhas queriam ser iguaizinhas à mãe quando crescessem; outras queriam exatamente o oposto. Minha necessidade de ser a antítese de Monica era o principal motivo por que tinha dificuldade de lidar com o que Gideon fizera. Qualquer conselho que ela me desse só ia piorar as coisas. Eu estava quase tão ressentida com ela quanto com ele.

"Amanhã a gente vai pra casa", eu disse.

Afinal de contas, no mínimo ia ver Gideon no consultório do dr. Petersen. Estava desesperadamente curiosa para saber como ia ser. Não podia deixar de torcer para que ele tivesse dado um passo importante na terapia. Se tinha mesmo acontecido, talvez pudéssemos dar outros passos. Juntos.

Cruzei os dedos.

E eu também tinha que dar crédito a Gideon por ter me dado o espaço que pedira. Ele poderia ter me cercado no elevador ou no saguão do Crossfire. Podia ter pedido a Raúl para me levar direto para ele e não para onde eu quisesse. Gideon *estava* tentando.

"Alguma notícia de Trey?", perguntei.

Era quase um milagre a frequência com que Cary e eu tínhamos o mesmo problema ao mesmo tempo. Ou talvez uma maldição.

"Ele me mandou uma mensagem dizendo que estava pensando e que ainda não estava pronto para conversar."

"Bem, já é um avanço."

Cary correu a mão pelas minhas costas. "É?"

"Claro que é", respondi. "Estou na mesma situação com Gideon. Penso nele o tempo todo, mas não tenho nada a dizer agora."

"E qual é o próximo passo? Pra onde a gente vai? Quando se decide que se tem alguma coisa a dizer?"

Pensei naquilo por um minuto, assistindo distraída a Harrison Ford procurar por respostas em *O fugitivo*, que estava passando sem som na TV. "Quando alguma coisa muda, acho."

"Quando *ele* mudar, você quer dizer. E se ele não mudar?"

Eu ainda não tinha a resposta e, quando tentei pensar a respeito, dei uma pirada.

Então resolvi fazer uma pergunta a Cary. "Sei que você quer colocar o bebê em primeiro lugar, e é a coisa certa a fazer. Mas Tatiana não está feliz. Nem você. Trey sem dúvida também não está. Não está funcionando para ninguém. Já pensou em ficar só com Trey e ajudar Tatiana com o bebê?"

Ele riu com desdém. "Ela nunca vai topar. Se está infeliz, todo mundo tem que estar."

"Não acho que essa decisão caiba a ela. Tatiana é tão responsável pela gravidez quanto você. Não precisa pagar por seus pecados, Cary." Coloquei a mão sobre o braço que ele repousava no colo, fazendo um carinho de leve com o polegar sobre os cortes na parte interna do antebraço. "Seja feliz com Trey. Faça o cara feliz. E se Tatiana não ficar satisfeita com dois caras maravilhosos cuidando dela então... tem alguma coisa de errado com ela."

Cary riu baixinho e levou os lábios ao topo da minha cabeça. "Resolva seu próprio problema com tanta facilidade."

"Quem me dera." Era o que eu mais queria. Mas sabia que não ia ser fácil.

E meu medo era de que fosse impossível.

Acordei com o celular vibrando.

Quando me dei conta do que era, comecei a procurar por ele às cegas, deslizando as mãos pelo colchão até encontrá-lo. Quando consegui, já tinha parado de tocar.

Apertando os olhos diante da luz forte da tela, vi que eram pouco mais de três da manhã e que Gideon tinha ligado. Meu coração deu um pulo, e a preocupação me fez perder o sono. Tinha dormido de novo abraçada ao telefone, incapaz de parar de ler as muitas mensagens que ele mandara.

Liguei de volta.

"Meu anjo." Ele atendeu no primeiro toque, com a voz grossa.

"Tudo bem?"

"Tudo. Não." Ele expirou com força. "Tive um pesadelo."

"Ah." Pisquei para o dossel que não podia ver no escuro. Minha mãe era fã de cortinas grossas, que acreditava serem necessárias numa cidade que nunca ficava completamente escura. "Sinto muito."

Era uma péssima resposta, mas o que mais eu podia dizer? Era inútil perguntar se ele queria conversar a respeito. Ele nunca queria.

"Estou tendo vários esses dias", ele disse, cansado. "Toda vez que pego no sono."

Meu coração doeu um pouco mais. Parecia impossível que Gideon pudesse aguentar tanta dor, mas sempre cabia um pouco mais. Ele aprendera aquilo havia muito tempo.

"Você está estressado, Gideon. Também não está dormindo bem." E, então, porque aquilo tinha que ser dito, acrescentei: "Estou com saudade".

"Eva..."

"Desculpa." Esfreguei os olhos. "Acho que não devia ter dito isso."

Talvez aquilo apenas confundisse tudo e piorasse ainda mais as coisas para ele. Senti-me culpada por estar longe, mesmo sabendo que tinha meus motivos.

"Não, eu preciso ouvir. Estou com medo. Nunca senti tanto medo na vida. Estou apavorado com a possibilidade de você não voltar... de não me dar outra chance."

"Gideon..."

"Primeiro sonhei com meu pai. A gente estava na praia, e ele segurava minha mão. Tenho sonhado muito com a praia ultimamente."

Engoli em seco, com o peito doendo. "Talvez signifique alguma coisa."

"Talvez. Num dos sonhos eu era criança. Tinha que olhar pro alto pra ver o rosto dele. Meu pai estava sorrindo, mas sempre me lembro dele sorrindo. Mesmo quando o ouvia brigando com a minha mãe, o que acontecia bastante no final, não consigo me lembrar dele com outra expressão no rosto que não um sorriso."

"Tenho certeza de que você o fez feliz. E o deixou orgulhoso. Ele provavelmente sempre sorria quando olhava para você."

Gideon ficou em silêncio por um minuto, e achei que ia ser só aquilo. Mas então ele continuou: "Vi você mais adiante na praia, andando para longe da gente".

Rolei de lado, ouvindo atentamente.

"A brisa soprava no seu cabelo, que brilhava com a luz do sol. Achei aquilo lindo. E comentei com meu pai. Queria que você virasse a cabeça para eu ver seu rosto. Sabia que você era linda. Queria que ele te visse."

As lágrimas inundaram meus olhos e começaram a escorrer no travesseiro.

"Tentei correr atrás de você. Eu puxava meu pai pela mão, mas ele me segurava no lugar, rindo de mim, tentando correr atrás de garotas da minha idade."

Podia ver a cena nitidamente na cabeça. Quase sentia a brisa fria no cabelo e ouvia as gaivotas gritando. Podia ver o pequeno Gideon na foto que me dera e o atraente e carismático Geoffrey Cross.

Queria um futuro como aquele. Gideon caminhando na praia com nosso filho, que pareceria tanto com meu marido, rindo porque nossos problemas tinham ficado para trás e víamos um futuro feliz diante de nós.

Mas ele chamava aquilo de pesadelo, então eu sabia que o futuro que víamos não era o mesmo.

"Eu estava puxando a mão dele com tanta força", Gideon continuou, "enterrando os pés na areia para fazer peso. Mas meu pai era muito mais forte que eu. Você estava cada vez mais longe. Ele riu de novo. Só que dessa vez não era a risada dele. Era a risada de Hugh. E, quando olhei para cima, não era mais meu pai que estava ali."

"Meu Deus, Gideon." Solucei o nome dele, incapaz de conter a compaixão e a tristeza. E o alívio de que estivesse falando comigo afinal.

"Ele me disse que você não me queria, que estava indo embora porque sabia tudo e tinha nojo. Que não aguentava mais olhar pra mim."

"Não é verdade!" Sentei na cama. "Você sabe que não é verdade. Eu te amo. E é por causa disso que estou pensando tanto no assunto. *Em nós.*"

"Estou tentando te dar espaço. Mas tenho a sensação de que é muito fácil você me deixar. Um dia depois do outro. Vai montar outra rotina sem mim... Eva, não quero que você me esqueça."

Falei num sussurro, os pensamentos saindo pela minha boca. "A gente vai dar um jeito, Gideon, eu sei que vai. Mas, quando estou com você, eu me perco em você. Só quero ficar com você e ser feliz, então adio as coisas, deixo que corram soltas. Fazemos amor, e eu acho que vai ficar tudo bem, porque temos isso e é perfeito."

"É perfeito. É tudo."

"Quando você está dentro de mim, olhando para mim, eu me sinto como se a gente pudesse conquistar qualquer coisa. Mas a gente tem que trabalhar muito para isso! Não pode ter medo de lidar com a bagagem, porque não quero me perder de você."

Ele murmurou baixinho. "Só quero passar um tempo com você sem ter que lidar com essa merda toda!"

"Eu sei." Esfreguei o peito dolorido. "Mas acho que a gente tem que fazer por merecer. Não podemos fabricar isso, fugindo por um fim de semana ou uma semana inteira."

"E o que a gente tem que fazer para merecer isso?"

Limpei as lágrimas que secavam em meu rosto. "Hoje foi bom. Você ter me ligado e contado do sonho. Foi um grande passo, Gideon."

"Então a gente vai continuar dando esses passos. A gente tem que continuar se aproximando ou vai acabar se distanciando. E eu não quero que isso aconteça! Estou lutando aqui, com tudo o que tenho. Luta por mim também."

Meus olhos arderam com novas lágrimas. Fiquei sentada por um tempo, chorando, sabendo que ele podia me ouvir e que aquilo o machucava.

Por fim, engoli a dor e tomei uma decisão. "Estou indo naquele lugar vinte e quatro horas da Broadway com a 85, tomar um café e comer um croissant."

Ele ficou em silêncio por um longo tempo. "O quê? *Agora?*"

"Agora." Afastei as cobertas e fiquei de pé.

Então ele entendeu. "Tá bom."

Encerrando a ligação, joguei o telefone na cama e procurei pelo interruptor. Peguei a bolsa de lona e tirei o vestido longo amarelo-claro que tinha enfiado ali porque era fácil de levar e confortável.

Agora que estava decidida a ver Gideon, ficara ansiosa para encontrá-lo logo, mas não perdera a vaidade. Tive o cuidado de pentear o cabelo e passar um pouco de maquiagem. Não queria que me visse depois de quatro dias e se perguntasse por que era tão vidrado em mim.

Meu telefone vibrou com uma mensagem. Corri até ele e li o recado de Raúl: Estou aqui na frente com o carro.

Senti um arrepio correr o corpo. Gideon também estava ansioso para me ver. Mas não dava ponto sem nó.

Joguei o telefone na bolsa, calcei as sandálias e corri para o elevador.

Gideon estava esperando na calçada quando Raúl encostou o carro no meio-fio. Muitas das vitrines estavam escuras e com as persianas baixadas, embora a rua estivesse bem iluminada. Meu marido estava de pé sob a luz do toldo do café, as mãos nos bolsos da calça jeans escura e um boné dos Yankees cobrindo o rosto.

Ele podia ser um jovem qualquer na noite. Atraente, sem dúvida, pelo jeito como seu corpo preenchia suas roupas e pela confiança com que se movia. Eu teria olhado para ele uma segunda vez, e uma terceira. Não era tão intimidante sem os ternos que caiam tão bem nele, mas ainda tinha algo de sombrio e perigoso que me desencorajaria do flerte descompromissado que a maior parte dos homens devastadoramente lindos inspirava.

De calça jeans ou de terno, Gideon Cross não era um homem para ser levado na brincadeira.

Ele chegou ao carro quase antes de Raúl frear completamente, abriu a porta e ficou imóvel, encarando-me com uma sede abrasadora e uma possessividade que dificultava até a respiração.

Engoli em seco, com um nó se formando na minha garganta e um olhar igualmente voraz percorrendo todo o corpo dele. Por mais difícil de acreditar que seja, Gideon estava mais bonito, com as linhas do rosto perfeitamente esculpidas apuradas pelo tormento. Como eu tinha conseguido viver os últimos dias sem ver aquele rosto?

Ele estendeu a mão, e eu a peguei, tremendo em antecipação. O toque de sua pele contra a minha me deixou arrepiada, e meu coração magoado vibrou por entrar em contato com ele de novo.

Gideon me ajudou a sair do carro, então fechou a porta e bateu duas vezes no teto para avisar a Raúl para se afastar. Assim que a Mercedes nos deixou, ficamos a meros trinta centímetros de distância um do outro, o ar faiscando com a tensão entre nós. Um táxi passou buzinando quando outro carro entrou na Broadway sem olhar. O som repentino fez com que tivéssemos um sobressalto.

Ele se aproximou, os olhos sombrios e sensuais sob a aba do boné. "Vou beijar você", disse de repente.

Então segurou meu queixo e deitou a cabeça, cobrindo minha boca com a dele. Seus lábios, tão macios, firmes e secos, pressionaram os meus. Sua língua deslizou fundo e esfregou a minha, então saiu, e entrou fundo de novo. Ele gemeu como se sentisse muita dor. Ou prazer. Para mim, os dois. O toque quente de sua língua era como uma transa lenta e gostosa. Ritmado, gentil e habilidoso, com a dose exata de paixão contida.

Gemi à medida que o prazer borbulhava pelo meu corpo feito champanhe, o chão me fugindo dos pés de forma que tive que me segurar na cintura dele para não perder o equilíbrio.

Reclamei com um suspiro quando ele se afastou de mim, com os lábios inchados e doloridos, molhada de desejo.

"Você vai me fazer gozar", ele murmurou, incapaz de se conter, e levando os lábios aos meus uma última vez. "Estou quase lá."

"Não estou nem aí."

Ele sorriu, fazendo as sombras desaparecerem. "A próxima vez que eu gozar vai ser dentro de você."

O pensamento me fez inspirar tremulamente. Queria aquilo, no entanto, sabia que era cedo demais. Que íamos retornar muito facilmente ao padrão pouco saudável que havíamos estabelecido. "Gideon..."

Seu sorriso se tornou pesaroso. "Acho que a gente vai ter que se contentar com um café e um croissant por enquanto."

Meu amor por ele naquele momento era enorme. Agindo impulsivamente, tirei seu boné e dei um enorme beijo estalado na sua boca.

"Meu Deus", ele suspirou, com um olhar tão gentil que me deu vontade de chorar de novo. "Senti tanto sua falta."

Coloquei o boné de volta em sua cabeça e peguei sua mão, conduzindo-o ao redor da grade de metal que separava as cadeiras externas do caminho dos pedestres na calçada. Entramos no café e nos sentamos perto da janela, um de frente para o outro. Não soltamos as mãos, os dedos massageando e acariciando, tocando a aliança um do outro.

Fizemos o pedido assim que a garçonete se aproximou com os cardápios, então voltamos nossa atenção para nós mesmos.

“Não estou nem com fome”, eu disse.

“Não de comida, pelo menos”, ele respondeu.

Lancei um olhar de escárnio na direção dele que o fez sorrir. Então contei sobre a contraproposta que a Waters Field & Leaman fizera a Mark.

Pareceu errado falar de algo tão prático, tão mundano, quando meu coração estava todo bobo de amor e alívio, mas a gente tinha que continuar falando. Não bastava se reconectar; eu queria uma reconciliação total. Queria me mudar com ele para a cobertura depois da reforma, começar nossa vida juntos. Para fazer isso, tínhamos que continuar nos comunicando sobre as coisas que evitáramos falar até então.

Quando terminei, Gideon assentiu com um olhar soturno. “Não me surpreende. Uma conta dessas tem que ser gerenciada por um dos sócios. Mark é bom, mas é um gerente júnior. A LanCorp deve ter pressionado para trabalhar com ele. E com você. O pedido é incomum o suficiente para os sócios ficarem preocupados.”

Pensei na vodca Kingsman. “Você fez a mesma coisa.”

“Fiz, é verdade.”

“Não sei o que ele vai fazer.” Olhei para nossas mãos atadas. “Mas disse a ele que não posso trabalhar na campanha da PhazeOne mesmo que ele fique.” Gideon apertou minhas mãos. “Você tem boas razões para fazer o que fez”, eu disse baixinho, “embora eu não goste disso.”

Ele respirou fundo. “Se Mark for trabalhar nas Indústrias Cross você vai também?”

“Ainda não sei. Estou muito chateada. A menos que isso mude, não seria um relacionamento de trabalho saudável para nenhum de nós.”

Ele assentiu. “É justo.”

A garçonete voltou com os pedidos. Gideon e eu soltamos as mãos para abrir espaço para ela colocar os pratos. Quando ela se afastou, um silêncio pesou sobre nós. Havia tanto a dizer, mas tanto a decidir antes.

Ele limpou a garganta. “Hoje à noite... Depois da consulta com o dr. Petersen... posso levar você pra jantar?”

“Pode.” Aceitei avidamente, feliz que tivéssemos passado daquele desconforto inicial e estivéssemos agindo. “Vou gostar disso.”

Eu podia ver o alívio suavizar a tensão em seus ombros, e resolvi contribuir para aquilo. “Will me perguntou se a gente topa sair com ele e Natalie essa semana.”

Um sorriso se insinuou nos lábios de Gideon. “Seria ótimo.”

Um passo de cada vez. Íamos recomeçar assim e ver onde isso nos levava.

Afastei a cadeira da mesa e fiquei de pé. Gideon levantou-se depressa, fitando-me com cautela. Contornei a mesa e me sentei na cadeira ao lado dele, então esperei que se sentasse novamente para deitar a cabeça em seu ombro.

Ele passou o braço ao redor de mim e ajeitou minha cabeça em seu pescoço. Quando me aninhei a Gideon, eu o ouvi emitir um som baixinho.

"Ainda estou brava com você", eu disse.

"Eu sei."

"E ainda te amo."

"Graças a Deus." Ele descansou o rosto no alto da minha cabeça. "O resto a gente resolve. Vamos entrar nos eixos de novo."

Ficamos sentados juntos, assistindo à cidade acordar. O céu clareou. O ritmo acelerou.

Era um novo dia, trazendo consigo uma nova chance.

Agradecimentos

Uma série de pessoas trabalha comigo para que eu possa escrever, cumprir meus compromissos e manter minha sanidade.

Agradeço a Hilary Sares, que me mantém na linha editando meus livros enquanto escrevo. Minha confiança em você é maior do que imagina.

A Kimberly Whalen, minha extraordinária agente, por tudo o que faz, e especialmente pelo apoio. Sou grata por ter você todos os dias.

A Samara Day, por todo o estresse que tira dos meus ombros. Nem imagino onde estaria sem você.

Aos meus filhos, que toleram minha ausência prolongada enquanto trabalho (e todos os inconvenientes relacionados a isso). Não poderia fazer o que faço sem seu apoio. Amo vocês.

Às pessoas supercompetentes da Penguin Random House: Cindy Hwang, Leslie Gelbman, Alex Clarke, Tom Weldon, Rick Pascocello, Craig Burke, Erin Galloway, Francesca Russell, Kimberley Atkins... e isso para falar só nos Estados Unidos e na Inglaterra. Funcionários da editora trabalham duro por mim também na Austrália, na Irlanda, no Canadá, na Nova Zelândia, na Índia e na África do Sul. Sou grata a vocês por todo o tempo e o esforço dedicados à publicação dos meus livros.

A Liz Pearsons e à equipe da Brilliance Audio pelo trabalho que tanto agradou aos compradores das edições em áudio!

E a todos os meus editores espalhados pelo mundo, que tanto trabalham por mim nos países em que sou publicada. Gostaria de poder agradecer a cada um neste espaço. Saibam que para mim é uma alegria trabalhar com vocês.

TIPOGRAFIA Adriane por Marconi Lima
DIAGRAMAÇÃO Verba Editorial
PAPEL Offwhite
IMPRESSÃO Um Livro, a partir de 2025

FSC
www.fsc.org
MISTO
Apoiando o manejo florestal responsável
FSC® C128038

A marca FSC® é a garantia de que a madeira utilizada na fabricação do papel deste livro provém de florestas que foram gerenciadas de maneira ambientalmente correta, socialmente justa e economicamente viável, além de outras fontes de origem controlada.